改訂2版 最新知識と事例がいっぱい

リウマチケア入門

編集

兵庫医科大学看護学部 療養支援看護学 教授
神崎 初美

神戸大学大学院保健学研究科
リハビリテーション科学領域 准教授
三浦 靖史

最新治療薬からSDMまで情報一新!

MCメディカ出版

改訂にあたって

　初版発行の2017年から6年半が経過し、リウマチ医療はますます進歩し変化しており、もっとさまざまな知識やエビデンスを本に加える必要が出てきました。このたび、メディカ出版さんのご理解とお力添えもあり、改訂2版を発行できましたことをうれしく思います。

　この改訂2版では、全体的に初版よりも多彩な内容となっています。第1章ではより多くの最新知識が得られるようになっており、第2章ではより多くの職種の方にご執筆いただき、その連携について詳細に記述いただきました。そして第3章では、「リウマチ治療の共有意思決定（SDM）」の切り口で、患者さん中心のさまざまな支援方法について記載できました。

　それぞれの執筆に、リウマチ医療への情熱と患者さんへの愛を感じる内容となっております。また、書籍の読みやすさ、見やすさにも力を注ぎましたので、さまざまにご活用いただけましたらと思います。

2023年8月

兵庫医科大学看護学部 療養支援看護学 教授
神崎初美
かんざき・はつみ

　本書の初版が発刊されて6年半が過ぎました。

　「関節リウマチの病因を解明して治癒できるようにする」という私の夢は、まだ道半ばですが、この間に、診療ガイドラインの改訂、新薬の登場、共有意思決定（shared decision making；SDM）の広がりなど、関節リウマチのトータルマネジメントは着実に進化を遂げてきました。一方で、2019年に突如発生した新型コロナウイルス感染症は、医療はもちろんのこと、社会全体に空前絶後とも思える大きなインパクトを与えました。さらに、流行が繰り返すなか、高齢者や有病者は特に影響を受け、今も継続的な支援が必要となっています。

　本書は、コロナ禍でのさまざまな経験も取り入れて、大きなアップデートを遂げました。皆様が厳しい状況でも常に患者さんに寄り添ってこられたように、本書がリウマチケアにかかわる皆様に寄り添う一冊になれば幸いです。最後に、執筆を快諾いただいた先生方、共同編者の神崎先生、そして、出版不況といわれるなか、本書の改訂を実現いただいたメディカ出版の皆様に深く御礼申し上げます。

2023年8月

神戸大学大学院保健学研究科 リハビリテーション科学領域 准教授
三浦靖史
みうら・やすし

編者のことば（初版）

　関節リウマチ治療は、この10年あまりでめざましく変化してきました。今では関節リウマチは寝たきりになる疾患ではなく治る可能性のある疾患となり、患者さんの未来も明るいものとなってきました。そのようななかで、看護師には、複雑な治療内容を理解し、患者さんの異常の早期発見と安全・安楽の提供、患者さんへの適切な説明、多職種の連携など、さまざまな能力が求められるようになっています。

　看護師には独自の役割がありますが、質の高い看護実践を目指すうえで、つねに忘れてはいけないことがあると思います。それは患者さんの話に耳を傾けて、じっくり話を「聴く」ということです。関節リウマチは関節疾患です。患者さんの生活状況や希望、人生のなかで大切に思っていることは人それぞれに違いがあります。患者さんの話をよく聴いて、1つでも多くのケアを提案し実現できるようにしていきたいものです。

　私は研究のなかで、リウマチケアをする看護師に必要な能力（コンピテンシー）尺度を作成し、その要素として、「リウマチケアに特化した知識・技術力」「リウマチ医療を円滑に運ぶ力」「セルフケアを支える力」「心理状態を見極める力」、そして「聴く力」の5要素を抽出しました。そのなかでも「聴く力」を基本として、あとの4つの能力を伸ばしていけるよう学習することが重要です。本書には、これらの5要素が散りばめられています。それぞれの著者の方が大切にしたい内容がぎゅっと詰められた素敵な1冊になったと思っています。

　本書を企画する際に、看護師をはじめ多くの医療職の方々、患者さんやご家族にも読みやすく理解しやすい、今までにはないような本にしようと思いました。そして、多くの著者がこの志にご賛同くださいました。

　1人でも多くの人が関節リウマチ治療とそのケアを理解し、患者さんに質の高い適切なケアが行えるよう、ともにがんばりましょう。

2017年3月

神崎初美
かんざき・はつみ

編者のことば（初版）

「私には夢がある」と米国のキング牧師が有名な演説をした1964年には、関節リウマチの治療薬はステロイドとアスピリンしかありませんでした。

2003年に日本で最初の生物学的製剤が使用できるようになって、関節リウマチは不治の難病から、薬で治療可能な普通の病気へと大きく変化しました。とくに、発症早期に積極的な薬物療法を導入することによって、発症前と変わりない生活を過ごせるようになったことは、多くの患者さんに福音をもたらしています。一方で、すでに体に障害が出現してしまっている患者さんに対する治療やケアが必要なことは変わっていません。

また、薬物療法の進歩にともない、重篤な副作用や高額な薬剤費など新たな問題への対策が求められています。これらに、医師だけで対応することは困難であることから、チーム医療によるトータルマネジメントが重視されるようになりました。

しかし、看護師をはじめとするメディカルスタッフが関節リウマチについて学びたいと思った際に、優れたリウマチ学のテキストは数多く存在しますが、メディカルスタッフが直面する課題について自らの視点でわかりやすく書かれたものがこれまでほとんどありませんでした。

今回、神崎初美先生から本書の企画をいただき、全国の医師、メディカルスタッフに執筆を依頼して、「多職種の、多職種による、多職種のためのリウマチテキスト」である本書の編集を務めさせていただいたことを光栄に思います。どの職種が読んでもわかりやすいものとなることを意識して編集しましたので、本書が、日々、関節リウマチ患者さんのキュアとケアに取り組むすべての職種の皆様の一助になれば幸いです。

ところで、私にも夢があります。関節リウマチの病因を解明して治癒できるようにすることです。1989年に私が研修医になったころには、治療薬はステロイドと注射金剤しかありませんでした。今日の生物学的製剤や低分子量分子標的薬をみれば、決して夢物語ではなく、実現可能な夢だと思います。治癒ができるその日まで、そして治癒ができてもケアが必要な関節リウマチ患者さんがいる限り、皆様と力を合わせてがんばっていきたいと思います。

最後に、本書の企画を実現してくださったメディカ出版編集局の皆様、共同編者の神崎初美先生、執筆を分担くださった先生方、そして関節リウマチの治療とケアの進歩について身をもって体感され、日ごろ、感想をお寄せいただいている関節リウマチ患者さんとご家族の皆様に、心から感謝を申し上げます。

2017年3月

三浦靖史
みうら・やすし

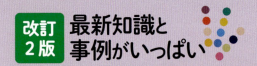

改訂2版 最新知識と事例がいっぱい
リウマチケア入門
CONTENTS

最新治療薬からSDMまで情報一新!

改訂にあたって
編者のことば（初版）

第1章 これだけは知っておきたいリウマチ最新知識

1. 疾患概念・疫学……10
2. 病態……19
3. フィジカルアセスメント……25
4. 画像の味わい方……34
5. 検査……42
6. こんなに変わった 関節リウマチの治療目標……51
7. こんなにある 関節リウマチの治療薬……59
8. こんなに変わった 関節リウマチの治療戦略……71
9. 手術治療の現在……83
10. リウマチと肺疾患……89
11. リウマチと肝疾患……92
12. リウマチと骨粗鬆症……96
13. リウマチと感染症……101

第2章 リウマチケアと多職種連携

1. リウマチ患者さんとかかわる必要のある医療職……110
2. 在宅療養中のリウマチ患者さんの注意すべきポイント……115
3. 看護師が知っておきたい外来診療……122
4. 災害時の対応……130
5. 看護師と訪問看護はこうして連携する……133

❻ 地域包括ケアシステムの構築
　　―看護師とソーシャルワーカーはこうして連携する―..................139
❼ リウマチ患者さんを支える社会資源の活用
　　―治療時の経済的負担を軽くするために―..................147
❽ 薬剤師による支援
　　―外来通院患者さん・在宅療養患者さん―..................153
❾ 医薬情報担当者（MR）とのかかわり
　　―製薬会社が提供している情報を最大限に活用しよう―..................158
❿ リウマチ患者さんへのフットケア..................164
⓫ 知っておきたい食事療法..................172
⓬ 歩くための適切な運動の方法..................177
⓭ 靴の選び方..................184
⓮ リウマチ患者さんによく使われる自助具
　　―関節の変形のため日常生活で困っている患者さんへの支援―..................188
⓯ リウマチ治療と口腔ケア..................193
⓰ リウマチ患者さんの就労支援
　　―仕事への復帰に際して―..................199
⓱ 自己注射指導のポイント
　　―自己注射指導における看護師の役割―..................203
⓲ 医療者の活動紹介
　　―日本リウマチ財団登録リウマチケア看護師制度・日本リウマチ看護学会―..................208

第3章　リウマチ治療の共有意思決定（SDM）

❶ リウマチ患者さんの意思決定支援..................214
❷ リウマチ患者さんの抑うつと心理状態の把握・支援..................222
❸ リウマチ患者さんの妊娠・出産の支援..................228
❹ リウマチ患者さんのセルフマネジメント力開発支援（患者教育）..................237

付録　リウマチケアのキーワードINDEX..................246

※本書で取り上げる薬剤の製品写真は、2023年8月時点で各メーカーより許可を得て掲載したものです。製品の外観は、メディケーションエラー減少目的の改良などにより、つねに変更の可能性があります。また、製品は予告なく販売中止される可能性があります。各薬剤製品の使用にあたっては、必ず添付文書を参照し、その内容を十分に理解した上でご使用ください。

第1章 これだけは知っておきたいリウマチ最新知識

第1章 これだけは知っておきたいリウマチ最新知識

1 疾患概念・疫学

兵庫医科大学医学部 糖尿病内分泌・免疫内科学講座 教授
兵庫医科大学病院 アレルギー・リウマチ内科 診療部長
松井 聖 まつい・きよし

関節リウマチの概念

1. 関節リウマチの歴史[1,2]

2400年前にヒポクラテスは関節疾患について述べており、リウマチ性疾患は「カタル（Catarrhos）」という用語で紹介されています。「カタル」は「流れる物質」を意味しており、西暦100年頃には使われていた「ロイマ（rheuma）」という言葉と同義と考えられています。当時、リウマチ性の体液は頭部で産生され、頭から下のほうへ流れることによって、それが多くの病気の原因になり、うっ滞すると腫脹や発赤をきたすと解釈されていました。これらのことから、古代にはすでにリウマチ性疾患・関節炎が報告されていたことがわかります。

痛風、関節リウマチ（rheumatoid arthritis；RA）、リウマチ熱、変形性関節症（osteoarthritis；OA）の区別が明らかになり始めるのは1800年代に入ってからのことです。関節リウマチが滑膜炎から始まり、関節だけにとどまらず滑液包や腱鞘もおかされ、二次的に関節軟骨を破壊していくことが実証されました。さらに、リウマチ結節が関節以外の症状として報告されました。臨床的区分として痛風、リウマチ熱、関節リウマチ、OAが報告されました。「rheumatoid arthritis」という名称が提案されたのもこの年代でした。

1895年にX線が発見され、すぐに診断に用いられるようになって関節リウマチとOAが区別できるようになりました。

また、リウマトイド因子（rheumatoid factor；RF）は、1912年に発見されて以来、精力的に研究され、RF陽性反応は予後不良を予測する際に有用であることが証明されました。また、関節リウマチの合併症として、アミロイドーシスをはじめ、脾腫、白血球減少を合併する症候群、じん肺症を伴う症候群が報告され、全身性疾患であることが明らかになりました。

2. 関節の構造と関節炎の進展（図1[3]）

正常関節は、骨と骨が連結する部位が関節包に包まれており、骨と骨の間には関節腔が存在しています。また、骨の端に軟骨があり、その先に一層の滑膜が存在しています。関節リウマチによる関節炎は、まず、滑膜組織の炎症性増殖と滑液包の骨の付着部と軟骨・滑膜の移行部に挟まれた領域から始まります。炎症のため滑膜増殖を起こし、肥厚していきます。これをパンヌ

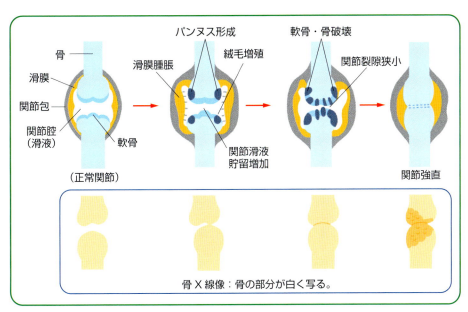

図1 関節の構造と関節炎の進展　　　　　　　　　　　　　　　　　　　　　　（文献3より改変）

ス形成といい、滑膜腫脹が起こり、次いで、絨毛増殖が起こります。その結果、炎症が増強し、やがて関節滑液貯留が起こります。炎症が増強すると、やがて下層にある軟骨や骨まで炎症が浸潤し、軟骨・骨破壊が起こります。そのため、関節裂隙の狭小化が起こっていきます。そして、骨と骨同士が癒合することで関節強直が起こっていきます。こうなると関節が動かなくなり、元に戻らなくなり、機能障害が起こります。病態生理については「第1章2 病態」（p.19～）を参照してください。

3. 関節リウマチの関節症状[3]（図2[4]）

朝のこわばりは炎症性滑膜炎に関連した症状です。炎症が軽快するとこわばりも消失します。この所見はとくに腫れやすい関節包をもつ表在性の関節で出やすいです。表在性関節の腫れは、手関節や手指関節では中手指節（metacarpophalangeal；MP）関節や近位指節間（proximal interphalangeal；PIP）関節、肘関節や膝関節にみられることが多いです。例えば、手指のPIP関節に紡錘状腫脹がみられる場合（図2a）、朝のこわばりの存在と持続時間は疾患活動性を評価する上で重要な指標となります。

図3に示すように、X線写真では骨破壊が起こると、○で囲った部分の拡大図でわかるように指節間（interphalangeal；IP）関節や手根中手（carpometacarpal；CM）関節に黒く抜けて見えます（図3b、c）。これが関節リウマチの特徴です。

発症後1～2年の間に器質性関節障害が始まります。器質性関節障害の特徴は関節軟骨の消失と骨びらんです。さらに、軟

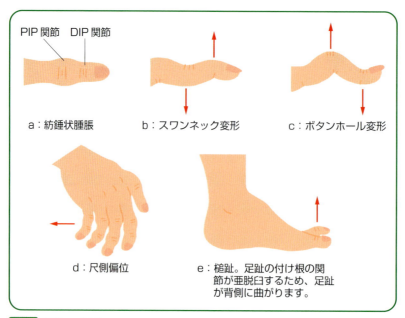

図2 関節の変形 （文献4より改変）

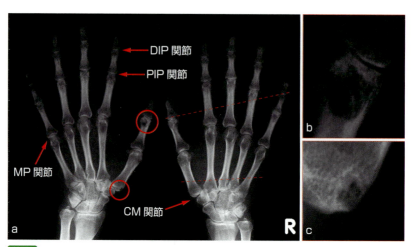

図3 関節リウマチの手指・手関節X線の変化

a：両側手指・手関節X線写真。○は骨破壊があります。
b：IP関節拡大図。骨破壊がみられます。
c：CM関節拡大図。骨破壊がみられます。
DIP関節：遠位指節間関節（distal interphalangeal joint）、PIP関節：近位指節間関節（proximal interphalangeal joint）、MP関節：中手指節関節（metacarpophalangeal joint）

骨・骨破壊以外に関節を支える靭帯の変性、損傷、断裂などが加わり、炎症性変化を加速させます。これらの関節破壊が持続した結果、関節機能が失われることになり

ます。関節の末期病像として変形、脱臼、拘縮および強直性変化がほどんどの症例でみられます。例えば、手指の変形としては、スワンネック変形、ボタンホール変

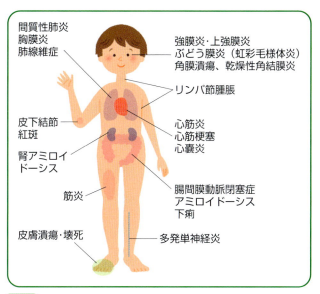

図4 関節外症状

形、尺側偏位がみられます（図2b～d）。また、足趾では槌趾がみられます（図2e）。

4. 関節リウマチの全身症状[5]（図4）

　関節リウマチは全身疾患であるため、関節症状以外に関節外症状をともなうことが多く、軽微なものから臓器病変に至るまでさまざまな症状が出現します。

a. 全身症状

　全身症状として、発熱、体重減少、全身倦怠感がみられます。発熱は37℃台の微熱がみられます。38℃以上の発熱がみられた場合は、まず感染症などのほかの原因を考えていく必要があります。体重減少は関節リウマチが急性発症で消耗性炎症が持続する場合にみられます。進行すれば、日常生活動作（活動）（activities of daily living；ADL）の低下につながるので十分な対策が必要です。また、関節リウマチの疾患活動性がコントロールできているのに全身症状が出現する場合には、悪性腫瘍の合併などほかの原因を精査する必要があります。全身倦怠感は炎症性疾患ではしばしば認められます。とくに急性発症の場合に呈することが多いです。ただし、これらの症状は関節リウマチに合併する貧血によっても起こるので注意が必要です。

b. リウマトイド結節

　リウマトイド結節（皮下結節）は、肘、膝の前面、アキレス腱などに出現する無痛性腫瘤で、自然に消退します。関節リウマチ患者さんの20～30%にみられます。

c. 眼症状

　眼症状として、強膜炎・上強膜炎、ぶどう膜炎（虹彩毛様体炎）、乾燥性角結膜炎、角膜潰瘍などが挙げられます。軽度の眼痛

と球結膜直下の強膜が充血することから強膜炎・虹彩毛様体炎が明らかとなり、0.9～15.9％の患者さんにみられます。また、涙液の分泌低下のため生じる病態の乾燥性角結膜炎は9～31％の患者さんにみられます。角膜病変としては、強膜と角膜の境である輪部からの浸潤や周辺部角膜潰瘍があり、眼痛も充血も強く起こります。

d. 肺疾患

臓器病変ではまず第一に、肺に起こる間質性肺炎が重要です。長期間にゆっくりと進行する例が多いですが、時に急速に進行し死亡する例もあります。一般的に5～40％以上の患者さんにみられますが、近年、高分解能CT（high resolution CT；HRCT）の進歩により診断率が上がっています。一般的症状としては労作時呼吸困難や咳、痰がありますが、関節障害による運動能の低下によって、気付きにくいことがあるので注意が必要です。メトトレキサートやレフルノミドはとくにハイリスクですが、抗リウマチ薬の副作用として間質性肺炎が起こることもあります。また、生物学的製剤使用中や免疫抑制薬の治療中では、易感染性のため、ニューモシスチス・イロベチイやサイトメガロウイルスなどが間質性肺炎を起こすこともあります。これらのことを念頭に、つねに関節リウマチに伴う間質性肺炎（rheumatoid arthritis-associated interstitial lung disease；RA-ILD）か、薬剤性か、感染性かを考えて鑑別する必要があります。

e. 腎障害

臓器病変では腎障害がみられます。関節リウマチの場合、長期に炎症が続いており、二次性アミロイドーシスのための腎障害がみられることがあります。そのほかに関節リウマチ治療に用いられる生物学的製

Column

知っておくべき関節リウマチ関連用語

痛風：血液中の尿酸値が高い状態で、足趾や足首、膝などに尿酸結晶が沈着し、急性に起こる関節炎です。男性（90％）、発症年齢は40歳代前後に多く、最近、若年化の傾向がみられます。

リウマチ熱：A群連鎖球菌（溶連菌）による咽風邪（咽頭炎）や扁桃炎の治療が不十分な場合、治ってから2～3週間ごろに突然高熱を発症する病気です。その70％の患者さんに強い関節痛を伴います。約半数の患者さんで心炎を起こし、心臓の弁に障害を残します（心弁膜症）。5～15歳の子どもに多く、男女差はなく、日本ではほとんどみられなくなりました。

変形性関節症（osteoarthritis；OA）：軟骨がすり減って、関節に腫脹や痛みが出る病気です。とくに膝関節が代表的であり、女性に多く、O脚の場合は膝関節内側に体重がかかるために起こります。手指DIP関節においても長年機械的刺激を受けることで起こることが知られています（ヘバーデン結節；Heberden node）。

剤以外の薬剤で腎障害がみられます。

f. そのほかの症状

リンパ節腫脹をともなうことがあります。関節炎のある所属リンパ節でしばしばみられます。しかし、一般に関節外症状を有する症例のほうがリンパ節腫大を認めやすいです。炎症性変化によるリンパ節腫大は大きくなったり、小さくなったりします。しかし、硬さがあり、大きさが増大傾向のものは注意が必要です。とくに、メトトレキサート使用中にこのような徴候がみられた場合、リンパ増殖性疾患（lymphoproliferative disorders；LPD）やリンパ腫を疑って、血液内科医に相談しましょう。

全身症状でとくに血管炎を伴う場合を悪性関節リウマチと呼んでいます。外国ではリウマトイド血管炎と呼ばれています。悪性関節リウマチは、胸膜炎、間質性肺炎、心筋梗塞、心筋炎、心嚢炎、多発性単神経炎、臓器閉塞、皮膚潰瘍などの血管炎症状が強く、難治性であるため難病指定されています。なお、関節病変が進行して重度の身体障害をきたしていても、悪性関節リウマチではありません。

関節リウマチの疫学・経過・予後

1. 有病率

関節リウマチの有病率は人口の0.5～1.0％前後と報告されています。2014年の日本医療データセンターを用いた報告では、

表1 年齢別関節リウマチの患者割合・男女比と年齢別分布割合[8]

年齢（歳）	患者割合(%)	男女比(男性1に対して)	RA患者の年齢別分布(%)
16～19	0.03	2.76	0.2
20～29	0.07	3.94	1.1
30～39	0.18	3.84	3.2
40～49	0.39	3.72	8.9
50～59	0.78	3.67	14.8
60～69	1.23	2.95	26.4
70～79	1.63	2.89	28.6
80～84	1.52	3.22	9.8
85～	1.06	4.06	7.0
全体	0.65	3.21	100

日本における関節リウチの有病率は0.6～1.0％とされています[7]。また、2017年の日本の患者を90％以上カバーする健康保険請求および特定健康診断のデータベースからの推定では0.65％と推定されています[8]。男女比は1：3、好発年齢は40～60歳代、年齢別患者割合は70～79歳が1.63％と最も高くなりました。関節リウマチ患者さんにおける年齢別割合も70～79歳が全体の28.6％を占め、次いで60～69歳が26.4％であり、高齢化していることが明らかです（表1）。

海外において地理的・人種的に隔離された民族では、異常に高い有病率やまったくない場合もあります。高い有病率の代表はアメリカ先住民の5％前後で、ほかのリウマチ性疾患の有病率も高いです。それとは対照的にオーストラリア先住民やナイジェ

リアの一部地域では有病率0%の報告もあります[9〜11]。

2. 関節リウマチの経過

発症早期には骨破壊はみられないか、あっても軽微です。この早期の時期は治療介入の効果が大きく、window of opportunity（治療機会の窓）と呼ばれています。早期の関節リウマチ患者さんに初めに鎮痛薬を投与し、改善がなければ抗リウマチ薬を投与した症例と、抗リウマチ薬を最初から投与した症例では、2年間の骨破壊指標であるシャープ（Sharp）スコアで前者が10点程度進行したのに対し、後者はSharpスコアが3点程度と骨破壊進行が抑制されました[12]。また、治療介入の効果が大きい時期を過ぎていても寛解をめざす治療が重要です。関節リウマチで骨破壊などの障害が進行すると身体機能が障害され、健康評価質問票を用いた機能障害指数（HAQ-DI）では、Sharpスコア1点増加はHAQ-DIの0.017増加に相当することを明らかにしています[13]。このように早期から寛解をめざす治療が有用であることが明らかになっています。

3. 関節リウマチの死亡率と予後

関節リウマチの治療の進歩により、海外では2000年以降の死亡率は関節リウマチ患者さんと一般人口で差がないとの報告も

Step Up ● 知っておきたい関節リウマチ関連用語 ●

- **有病率**：ある一時点における疾患を有する人の数／観測をする対象のリスクを抱える母集団の大きさ（調査地区の全人口を近似値として用いる）。
- **死亡率**：粗死亡率とは一定期間の死亡者数を人口で割った値をいいます。少子化が進み高齢者の割合が増えると年齢構成に強い影響を受ける欠点があります。そこで、年齢構成の異なる集団間、あるいは同一集団での年次変化を比較したい場合には、モデル人口に合わせた年齢調整死亡率が用いられます。
- **シャープ（Sharp）スコア**：X線写真で手指関節と足趾関節の「関節列隙狭小化」をScore5段階（正常0〜4関節列隙消失、亜脱臼）「びらん」をScore4段階（正常0〜3完全圧壊・強直）に分けてScoreを付けて合計点数で示したものです。
- **HAQ-DI**：Health Assessment Questionnaire-Disability Index（健康評価質問票を用いた機能障害指数）。身体機能障害を評価する問診票です。何の困難もない（0点）、いくらか困難（1点）、かなり困難（2点）、できない（3点）で評価し、トータル点数を8で割り、0.5点以下が「機能的寛解」です。
  1. 靴ひもを結び、ボタンかけも含めて身支度ができますか。／2. 就寝、起床の動作ができますか。／3. 一杯に水が入っている茶碗やコップを口元まで運べますか。／4. 戸外で平らな地面を歩けますか。／5. 身体全体を洗い、タオルで拭くことができますか。／6. 腰を曲げ、床にある衣類を拾い上げることができますか。／7. 蛇口の開閉ができますか。／8. 車の乗り降りができますか。

あります[14]。一方、日本での関節リウマチ患者さんの平均死亡年齢は1986年の64.5歳から2007年の71.5歳に改善していますが、日本人全体の平均寿命と比較するといまだに長期予後は不良です[15]。予後に関連する因子としては、欧米では感染症、心血管イベント、悪性リンパ腫、日本では悪性腫瘍、肺炎や間質性肺炎などの呼吸器疾患、脳血管疾患、心筋梗塞といわれています。欧州からの報告では標準化死亡比（standardized mortality ratio；SMR）は全体で1.49と報告されています。また、高疾患活動性群では低疾患活動性群と比較して有意に高い死亡リスクを示していました。さらに、疾患活動性と独立した因子としてステロイドの使用や身体機能の低下が死亡リスクであることも明らかになりました[16]。

また、米国疾病予防管理センターの2005年〜2018年までの死因データベース解析では、間質性肺疾患を合併する関節リウマチ患者さんは合併しない関節リウマチ患者さんと比較して1.7倍の死亡リスクを示しました[17]。関節リウマチの年齢調整死亡率は2005年と比較して2018年に有意に低下しましたが、間質性肺炎を合併する関節リウマチ患者さんの年齢調整死亡率は2005年と比較して2018年に低下は見られませんでした。

関節リウマチの治療薬ではTNF阻害薬、抗CD20抗体製剤リツキシマブ（日本未承認）、他の生物学的製剤で有意に死亡リスクの低下と関連していました。また、寿命については年齢と性別を一致させた人口よりも約2年短かく、高疾患活動性では男女ともに10年短くなるという結果でした[16]。

おわりに

関節リウマチの治療の進歩がめざましく、生物学的製剤やJAK阻害薬の発展により疾患活動性のコントロールは良くなったことから死亡率は改善してきていますが、高齢化に伴う新たな問題が出てきています。また、間質性肺炎のような合併症で、関節リウマチの疾患活動性のコントロールが十分できない高齢者では、特異的な治療法の確立が望まれます。今後、高齢化に伴い、治療やケアが生涯に及びます。本書が、関節リウマチ患者さんにかかわる医療従事者の日常診療の一助になることを願っています。

引用・参考文献

1) Parish, LC. An historical approach to the nomenclature of rheumatoid arthritis. Arthritis Rheum. 6（2），1963，138-58.
2) Short, CL. Rheumatoid arthritis：historical aspects. J Chron Dis. 10, 1959, 367-87.
3) 宮坂信之．"関節リウマチの概念・定義"．新しい診断と治療のABC 8 免疫1 関節リウマチ．宮坂信之編．大阪，最新医学社，2002，9-16．
4) 佐野統．"関節リウマチ"．疾病と治療Ⅱ 消化器系／代謝・内分泌系／血液・造血器系／アレルギー／膠原病．松田輝ほか総編集．東京，南江堂，2010，314-20．
5) 徳田道昭ほか．"関節リウマチの関節外病変"．前掲書3)．6-89．
6) Carmona, L. et al. Rheumatoid arthritis. Best Pract Res Clin Rheumatol. 24（6），2010，733-

45.
7) Yamanaka, H. et al. Estimates of the prevalence of and current treatment practices for rheumatoid arthritis in Japan using reimbursement data from health insurance societies and the IORRA cohort (I). Mod Rheumatol. 24(1), 2014, 33-40.
8) Nakajima, A. et al. Prevalence of patients with rheumatoid arthritis and age-stratified trends in clinical characteristics and treatment, based on the National Database of Health Insurance Claims and Specific Health Checkups of Japan. Int J Rheum Dis. 23, 2020, 1676-84.
9) Peschken, CA. et al. Rheumatic disease in North America's indigenous peoples. Semin Arthritis Rheum. 28(6), 1999, 368-91.
10) Minaur, N. et al. Rheumatic disease in an Australian Aboriginal community in North Queensland, Australia. A WHO-ILAR COPCORD survey. J Rheumatol. 31(5), 2004, 965-72.
11) Silman, AJ. et al. Absence of rheumatoid arthritis in a rural Nigerian population. J Rheumatol. 20(4), 1993, 618-22.
12) Lard, LR. et al. Early versus delayed treatment in patients with recent-onset rheumatoid arthritis : comparison of two cohorts who received different treatment strategies. Am J MED. 111, 2001, 446-51.
13) van Nies, JA. et al. Evaluating relationships between symptom duration and persistence of rheumatoid arthritis : does a window of opportunity exist? Results on the Leiden early arthritis clinic and ESPOIR Cohorts. Ann Rheum Dis. 74, 2015, 806-12.
14) Lacaille, D. et al. Improvement in 5-year mortality in incident rheumatoid arthritis compared with the general population-closing the mortality gap. Ann Rheum Dis. 76(6), 1057-63, 2017.
15) 竹内勤. 関節リウマチ治療実践バイブル：改訂第2版. 東京, 南光堂, 5-7, 2022.
16) Listing, J. et al. Mortality in rheumatoid arthritis : the impact of disease activity, treatment with glucocorticoids, TNF α inhibitors and rituximab. Ann Rheum Dis. 74, 2015, 415-21.
17) Jeganathan, N. et al. Rheumatoid arthritis and associated-interstitial lung disease : mortality rates and trends. Ann Am Thorac Soc. 18, 2021, 1970-7.

2 病態

京都大学大学院医学研究科 臨床免疫学 教授
森信暁雄 もりのぶ・あきお

関節炎は滑膜炎です

　関節リウマチ（rheumatoid arthritis；RA）は関節炎が持続する病気です。炎症によって関節の痛みや腫れが起こります。さらに関節内の骨が破壊され、軟骨が傷害されるために、関節の変形や機能障害が起こるのです。では、関節炎が起こるとどうして骨や軟骨が壊れるのでしょう。

　図1に関節の簡単な構造を示します。関節は、骨、軟骨、関節包でできています。関節腔には滑液があり、関節包や骨の表面を滑膜が裏打ちしています。滑膜や滑液は関節が滑らかに動くのを助けます。滑膜は実際に膜が見えるわけではなく、細胞の重なりです。

　さて、関節炎ではこの滑膜に炎症が起こります。滑膜の細胞には、滑膜線維芽細胞とマクロファージの2種類が存在しています。マクロファージはさまざまな刺激に対して炎症を起こして体を守る細胞です。そのため、滑膜で炎症が起こるのです。滑膜に炎症が起こると細胞が入り込み、血管をつくり（血管新生）、炎症細胞の集塊になります。これをパンヌス（pannus）と呼んでいます。図1を見るとわかるように、このパンヌスは関節包、骨、関節軟骨に接して広がっていきます。関節炎では体表から関節を触ると腫れていることがわかりますが、これは炎症を起こした滑膜が腫脹しているからです。骨や軟骨に接したパンヌ

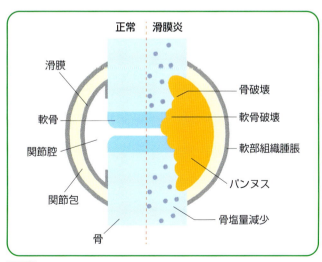

図1 関節の構造と滑膜炎

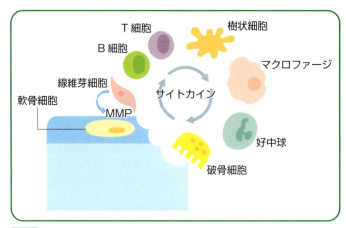

図2 関節炎にかかわる細胞

スは徐々に骨や軟骨を破壊していきます。骨びらんといわれる骨破壊は骨頭の側面から起こることが多いですが、これは滑膜が直接骨に接している場所だからです。パンヌスが軟骨表面に広がっていくと、軟骨を侵食します。軟骨が侵食されると骨と骨の間が徐々に狭くなります。X線では関節裂隙の狭小化という所見になります。さらに進むと骨同士が直接接触するようになり、やがて骨の癒合が起こります。

滑膜炎で起こっていること
1. 炎症のメカニズム

炎症は、発熱、発赤、腫脹、疼痛で定義されてきました。炎症の4主徴といいます。発熱や発赤では局所の血管が拡張して血流が良くなるために赤く見え、温度が上昇します。拡張した血管から血漿成分や細胞が組織に出てくるので腫れます。これを腫脹といいます。炎症によって産生されるさまざまな成分が痛み刺激となります。関節炎でも同様です。慢性に炎症が進展する過程で滑膜に血管新生が起こり、炎症にかかわる細胞が集まってきます（図2）。代表的な細胞は、リンパ球（B細胞、T細胞）、形質細胞、マクロファージ、破骨細胞、肥満細胞、好中球、滑膜線維芽細胞、などです（表1）。その結果、腫脹や疼痛が起こります。

関節に集積した細胞は、単に存在しているだけではなく、細胞同士の接触やさまざ

表1 関節炎にかかわるおもな細胞とその役割

細胞	関節炎での役割
T細胞	免疫応答
B細胞	抗体産生
形質細胞	抗体産生
マクロファージ	炎症性サイトカインを産生、死細胞の除去
滑膜線維芽細胞	MMP産生による軟骨破壊、炎症反応の持続
破骨細胞	骨破壊
肥満細胞	炎症の増幅
好中球	炎症の増幅

まな炎症性メディエーターを介してお互いに活性化したり抑制したりしています。代表的なメディエーターとしてサイトカインやケモカインがあります。サイトカインはおもに免疫細胞から産生されるタンパク質で、数百種類あり、免疫や炎症に関係する多彩な作用を有しています。関節炎の組織にも炎症に関与するサイトカインが多く存在し、炎症を起こすものと、炎症を抑えるものがあります。関節リウマチではバランスがくずれていて、炎症を起こすほうに傾いていると考えられます。

2. 関節リウマチにおける骨破壊のメカニズム

関節リウマチでは炎症によって骨破壊が起こりますが、これは破骨細胞が骨を吸収するからです（図2）。破骨細胞は骨吸収を担当する細胞で、健常者の骨組織にも存在します。健常の骨は、少しずつ古い部分を吸収して新しい骨を形成しており、骨吸収を担う細胞が破骨細胞です。関節炎のパンヌスにはこの破骨細胞が骨に接して存在することがわかっており、骨びらんは破骨細胞によって起こります。破骨細胞はRANKL（receptor activator of NF-κB ligand）やマクロファージコロニー刺激因子（macrophage colony stimulating factor；M-CSF）といったサイトカインにより誘導されます。とくにRANKLというサイトカインは重要で、これを抑制する抗体を使用すると骨破壊を抑えられます。炎症部位においては腫瘍壊死因子α（tumor necrosis factor-α；TNF-α）やインターロイキン6（interleukin-6；IL-6）といったサイトカインも破骨細胞の誘導に関与しています。

軟骨は弾力性のある支持組織であり、少数の軟骨細胞の周りを基質が取り囲んでいます。軟骨基質はコンドロイチンなどのプロテオグリカンや水分から成っています。軟骨の破壊はマトリックス分解酵素（matrix metalloprotease；MMP）が軟骨基質を分解することによって起こります（図2）。MMPはコラーゲン、プロテオグリカン、エラスチンなどの細胞外マトリックスその他を分解する酵素群です。関節炎では、炎症性サイトカインの刺激によってパンヌスの線維芽細胞からMMPが産生されて、軟骨基質を分解すると考えられます。

関節リウマチにおけるサイトカインの役割

上述のように、関節炎局所には多彩な免疫細胞と多くのサイトカインが存在します。細胞については表1に挙げました。マクロファージを中心として線維芽細胞などがお互いに刺激し合って炎症を持続させていると考えられます。多くのサイトカインが関節炎で認められますが、炎症を起こすサイトカインとして重要なものでは、TNF-αやIL-6があります。一方で炎症を抑えるサイトカインも存在しますが、バランスが炎症に傾いているために収束しない

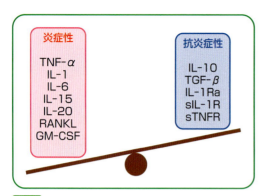

図3 炎症性サイトカインと抗炎症性サイトカイン

TGF-β（transforming growth factor-β）：トランスフォーミング増殖因子β
IL-1Ra：IL-1受容体アンタゴニスト
sIL-1R：可溶性IL-1受容体
sTNFR：可溶性腫瘍壊死因子受容体

のです（図3）。

1. TNF-α

TNF-αはおもにマクロファージから産生され、さまざまな細胞に作用します。細胞の増殖を誘導したり、逆に細胞死を引き起こしたり、あるいはIL-6などのほかの炎症性サイトカインやケモカインを産生させて炎症を引き起こすサイトカインです。抗TNF-α抗体製剤は関節リウマチの治療薬として使用されており、TNF-αが関節リウマチの病態で重要であることがわかります。

2. IL-6

IL-6はマクロファージ以外にもT細胞、B細胞、線維芽細胞など、さまざまな細胞から産生されます。さまざまな細胞に対する作用をもっていて、T細胞の分化、抗体産生、血小板産生、C反応性タンパク（C-reactive protein：CRP）産生などにかかわります。IL-6のはたらきを抑制する抗体も治療に使用されており、関節リウマチにおけるIL-6の重要性がわかります。

3. サイトカインの作用

そのほかにもサイトカインの作用を抑制する薬があります。ヤヌスキナーゼ（JAK）阻害薬という薬です。

サイトカインは細胞表面の受容体に結合して細胞の内部にシグナルを伝達して作用を発揮しますが、JAKはシグナル伝達に重要な分子の一つで細胞内に存在します。したがってJAK阻害薬は、サイトカインの作用を抑制し、関節リウマチの治療薬として使用されています。このことからも、サイトカインが関節リウマチの病態に重要であることがわかると思います。

関節リウマチにおけるリンパ球の役割

関節リウマチは自分の体の免疫細胞が自分を攻撃してしまう病気ですが、自分を攻撃するのはリンパ球が主体と考えられます。リンパ球にはT細胞とB細胞があります。関節炎の起こっている場所には多数の炎症細胞が集まっていますが、ここにはT細胞やB細胞も存在します。関節リウマチの治療薬には、T細胞の機能を抑える薬剤や、B細胞を除去する薬剤もあります。このような治療薬が有効であることからも、リンパ球が直接炎症にかかわっていることがわかります。

リンパ球のもう一つの役割は、抗体を産生することです。抗CCP抗体は、関節リウマチで認められる自己抗体です。産生するのはB細胞ですが、B細胞が抗体を産生するにはT細胞が助けることも必要です。T細胞とB細胞の協力で自己抗体が産生されているのです。

関節リウマチはなぜ起こるのでしょう

関節リウマチの病因は明らかにはされていませんが、抗CCP抗体〔抗環状シトルリン化ペプチド抗体（anti-cyclic citrullinated peptide antibodies；ACPA)〕やリウマトイド因子などの自己抗体が陽性になる自己免疫疾患です。自己免疫疾患とは、なんらかの理由で免疫が自分自身の体を攻撃してしまう病気です。関節リウマチでは、関節に細菌やウイルスもいないのに関節炎が起こってしまうのです。

一般に自己免疫疾患の発症には遺伝因子と環境因子があるとされます。関節リウマチになりやすい遺伝因子にはヒト白血球抗原（human leukocyte antigen；HLA）の多型があり、とくに *HLA-DR4* が関与しています。ですが、これ以外の遺伝子の多型も病気に関係しているため、*HLA-DR4* をもっているからといって必ずしも病気になるわけではありません。また、関節リウマチはいわゆる遺伝病ではありません。双生児の1人が関節リウマチを発症した場合、もう1人も発症する確率は一卵性双生児で25%、二卵性双生児では5%以下とされています。まったく同じ遺伝子をもつ一卵性双生児のほうが発症の確率が高いので、遺伝因子の関与があることがわかります。一方で、一卵性双生児の75%は関節リウマチを発症しないので、遺伝因子だけでは説明できないことがわかります。ちなみに、母親が関節リウマチであれば子どもが発症する確率は2〜5倍高くなるとされています。

環境因子としては、喫煙や歯周病、最近では腸内細菌が疾患の発症に関与すると考えられています。抗CCP抗体はシトルリン化したタンパク質に対する自己抗体ですが、タンパクのシトルリン化に喫煙や歯周病が関与している可能性があります。また、抗CCP抗体は関節炎が発症する前から陽性となっていることが多いので、抗CCP抗体がある人に、なんらかのストレスが重なると関節炎が発症すると考えられます。関節炎がいったん発症すると進行して関節破壊へと進んでいきます（図4）。

関節以外の臓器病変と合併症

関節リウマチは関節の炎症を主とする病気ですが、関節以外に炎症が及ぶことがあります。

肺病変も炎症性の変化ですが、少しずつ肺が線維化して、弾力性が失われます。ただし、肺病変の進行はゆっくりとしていることが多いです。肺病変があると感染症にかかりやすくなり、治療薬に制限が出るな

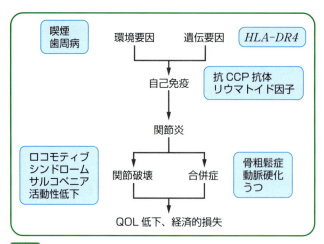

図4 関節リウマチの成り立ち

どの不利益があります。

　関節リウマチの炎症が落ち着かずに長期になると、アミロイドという蛋白が、腎臓や消化管などさまざまな臓器に沈着して機能障害を起こすことがあります。

　まれですが、関節リウマチに全身の血管炎を伴うことがあります。神経障害、皮膚潰瘍、上胸膜炎、発熱などの症状が出ることがあります。

　関節リウマチの成り立ちを図4に示しました。炎症が持続すると、動脈硬化や骨粗鬆症などの頻度も上がるといわれています。また、精神心理的な問題を伴うことも多く、倦怠感や、うつ傾向を伴うこともあります。このようなことが患者さんの社会的経済的な損失につながります。

第1章 これだけは知っておきたいリウマチ最新知識

3 フィジカルアセスメント

社会医療法人善仁会 宮崎善仁会病院 リウマチセンター所長
日髙利彦 ひだか・としひこ

はじめに

フィジカルアセスメントとは、患者さんの症状や徴候から情報を収集し、必要に応じて触診や聴診を行い、患者さんの状態を判断することです。そのゴールは「診断」ではなく「状態」を把握することです。そして、患者さんの状態から緊急性の有無を判断し、必要なケアを正しく判断するものです。さまざまな疾患に対してフィジカルアセスメントが行われますが、本稿では関節リウマチ（rheumatoid arthritis；RA）に関するフィジカルアセスメントについて記載します。なお、関節リウマチに対するフィジカルアセスメントは、関節リウマチを疑われて来院した初診時の場合と、すでに治療が開始されている関節リウマチ患者さんに対するフィジカルアセスメントが挙げられますが、今回は後者について解説します。

それでは、関節リウマチ患者さんに対してなにをチェックすればよいのでしょうか？　まずは問診する際に基本的な全身チェックを行います。次いで、関節リウマチ疾患そのものに関する評価や治療薬に伴う有害事象、関節リウマチ以外の合併症に関する評価を同時に行う必要があります。これらについて、順を追って述べていきます。

基本的な全身チェック

フィジカルアセスメントを行う際、まずは全身をチェックしますが、これは、関節リウマチ以外の疾患の患者さんにも当てはまるもので、患者さんに対面したときから始まります。会話やケアをしながら、全身の状態に目を向け、五感を最大限に活用して、「いつもと違う」「なにかおかしい」と感じることが、一歩進んだアセスメントにつながります。情報を得るための視点として、①意識状態、②発達・栄養状態・社会

Step Up ● リンパ節腫脹がある場合の鑑別 ●

リンパ節が腫れている場合に考慮すべき疾患は、①関節リウマチを含めた膠原病、②感染症、③悪性腫瘍です。リンパ節を触れることによってある程度鑑別がつきます。①膠原病は通常、多発性ですが、軟らかで小さく、触れても痛みがありません。②感染症の場合は感染を起こしている部分の近くのリンパ節が腫れ、触れると痛みを訴えます。③悪性腫瘍の場合は、触れても痛みはありませんが、非常に硬く、ときに大きいことがあります。

性、③気分・情緒・精神機能、④苦痛の有無、⑤体位・歩行・姿勢、⑥顔つき・話し方・見え方・聞こえ方、⑦皮膚の状態、⑧爪・指の状態、⑨頸部の状態、⑩バイタルサインの10項目が挙げられます。表1[1]に具体的なチェック項目と、問題があった場合になにをチェックすればよいかをまとめましたので参考にしてください。

関節リウマチに対するフィジカルアセスメント

関節リウマチに対しては2つの観点から述べていきます。1つは関節症状を含めた関節リウマチの活動性や症状に関すること、そしてもう1つは、膠原病としての関節外症状に関することです。この点に関して順を追って述べていきます。

1. 関節症状を含めた関節リウマチの活動性

①関節の腫れ、②関節の痛み、③関節以外の痛み、④関節の変形、⑤日常生活動作（活動）（activities of daily living；ADL）について確認します。関節の腫れが続くと関節が壊れていきますので、関節の腫れが残っているかどうかは、とくに重要です。実際に関節を触ってみましょう。また、痛みは関節の痛みなのか、それ以外の痛みなのかも評価する必要があります。筋肉の痛みや筋肉が付着する部分の痛み、場合によっては神経痛に伴う痛みの場合もあるので確認が必要です。関節の変形は患者さんのADLにも影響を及ぼすため、どの関節に、どのような変形があるかをチェックします。変形があれば、それに伴う皮膚病変にも注意してみます。例えば、前足部の変形があると、高率に胼胝（たこ）を併発し、そこに傷があると皮膚感染症の誘因となるため、フットケアが必要になります。表2に関節リウマチの関節症状に関係するフィジカルアセスメントを示します。

2. 関節リウマチの関節外症状

関節リウマチは関節だけの病気ではなく膠原病としての関節外症状を生じることがあるので、この点についても評価が必要です。代表的な関節外症状として、①間質性肺炎、②細気管支炎、③胸膜炎に挙げられ

Step Up ● 関節リウマチと変形性関節症の関節の腫れの違い ●

関節リウマチの腫れと変形性関節症（osteoarthritis；OA）の腫れは、見かけではわからないことがあります。とくに近位指節間関節（proximal interphalangeal joint；PIP関節、第2関節）に変形性関節症の変化をきたすと（ブシャール結節；Bouchard node）、関節リウマチの滑膜炎の好発部位だけに見た目では区別がつきにくくなります。そのようなときは、腫れている関節を、自分の両手の母指と示指で上下左右から挟み込むように触ってみましょう。弾力のある腫れであれば関節リウマチの腫れ、硬く骨張っている感じであれば変形性関節症の変化です。後者の場合は関節腫脹とは異なります。

表1 全身を診るための系統的アセスメント

	チェック項目	なにをチェックするか
意識状態	□見当識障害の有無（自分の名前、現在の状況、時間空間の把握が正しくできているか） □意識が清明か □話のつじつまが合うか	JCS（ジャパン・コーマ・スケール）、GCS（グラスゴー・コーマ・スケール）、改訂長谷川式簡易知能評価スケール
発達・栄養状態・社会性	□性別・年齢に応じた体格であるか □皮膚の状態に変わった点はないか □むくみはないか □場に合った立ち振る舞い、行動をしているか	身長、体重（変化）、顔色、皮膚の状態、むくみ、表情、話し方、動作
気分・情緒・精神機能	□状況に応じた対応ができているか □不安気な様子はないか □極端な感情発露はないか □質問への応答は適切か □話の内容が論理的か □清潔感など日常生活の様子に異常はないか	気分、情緒、言語、表情、態度、行動、身だしなみ、理解力、思考過程
苦痛の有無	□痛みやかゆみの訴えはないか □特定の部位を保護するような動作はないか □顔や手のひらの冷や汗はないか	発汗、息苦しさ、掻痒感、動作
体位・歩行・姿勢	□歩行の際にふらつきはないか □身体の左右のバランスはとれているか □不随意運動・運動麻痺はないか □自力で体位を保てるか □動作は緩慢になっていないか	四肢のバランス、動作のスムーズさ（起立時、歩行時）
顔つき・話し方・見え方・聞こえ方	□表情に変化はあるか □顔面に左右差・不随意運動・痙攣などがないか □つねに大声を出していないか □会話の内容を理解できているか □嗄声はないか □誤嚥の徴候はないか □難聴はないか	表情、声の大きさ、ろれつ、会話の様子（スムーズさ）、動作
皮膚の状態	□黄疸はないか □チアノーゼはないか □張りやつやは失われていないか □乾燥していないか □腫瘤はないか □浮腫はないか	色、つや、弾力性、湿潤・乾燥の有無、皮膚温、局所の状態（紅斑、丘疹、結節、腫瘤、浮腫、出血斑の有無）
爪・指の状態	□指先など末梢は冷たくないか □チアノーゼはないか □指（爪）の形状に異常はないか	色（チアノーゼ）、形状（ばち指、扁平爪、スプーン状爪）
頸部の状態	□リンパ節に腫脹はないか □甲状腺に腫脹はないか	甲状腺の肥大・結節・圧痛の有無、リンパ節の位置、形と大きさ、圧痛の有無、硬結の有無（耳介前・後、後頭、扁桃、顎下、前浅頸、後浅頸、鎖骨上窩のリンパ節）
バイタルサイン	□体温は正常か □脈拍は正常か □呼吸は正常か □血圧は正常か □酸素飽和度は正常か（いずれもふだんの数値は？）	体温（測定部位・測定時刻・日内変動）、脈拍（数・リズム・大きさ・動脈の硬さ・左右差）、呼吸（数・パターン・深さ）、血圧（左右差）、酸素飽和度

（文献1より改変）

表2 関節リウマチの関節症状：機能をみるための系統的アセスメント（1）

1. 関節リウマチに関して 1) 関節症状を含めた活動性	視診	触診	打診	聴診
①関節の腫れ	・目に見える腫れはあるか？ ・どこの関節が腫れているか？	・触った際の硬さは？（弾力性がある？ 硬くて骨張っている？） ・腫れの程度は？ ・熱感はあるか？ ・波動を触れるか？		
②関節の痛み	・かばっている関節は？ ・動かさない関節は？	・触れた際の痛みの程度は？ ・関節可動域[*1]の制限はないか？		
③関節以外の痛み	・かばっている場所は？ ・姿勢は？	・筋付着部が痛いのか？ ・筋肉が痛いのか？ ・神経の痛み（神経痛）なのか？ ・触れた際の痛みの程度は？ ・知覚鈍麻などの感覚障害はないか？ ・特定の動きで痛みが強まるか？ ・関節可動域[*1]の制限はないか？	・痛みが増強したり、放散したりするか？	
④関節の変形	・関節の変形はあるか？ ・どの関節が、どのような変形をしているか？ ・前足部に胼胝/胼胝周囲の傷はないか？	・関節可動域[*1]の制限はないか？ ・筋力の低下は？[*2] ・胼胝の程度/範囲は？		
⑤ADL	・日常動作が制限されていないか？ ・歩行の状態は？	・関節可動域[*1]の制限はないか？ ・筋力の低下は？[*2]		

[*1] 関節可動域（range of motion；ROM）の測定：可動域の測定は、日本整形外科学会と日本リハビリテーション医学会の関節可動域合同委員会によるガイドラインに沿って行います。測定には、角度計を用います。基本姿勢として、両足を揃え、真っすぐに正面を見つめて四肢を自然に伸ばして立ったときの肢位を0°（基本軸）として、ここに角度計の0°を合わせ、最大可動域を測定します。

[*2] 徒手筋力検査（manual muscle test；MMT）：MMTは運動に必要な筋力がどの程度あるかをみる方法です。筋は収縮するか、動力に抗して動かすことができるか、測定者が手で抵抗を加えた際にどの程度の力なら抵抗に打ち勝ってすべての運動範囲に渡って動かすことができるかに基づいて、0から5までの6段階で評価します。

る呼吸器病変、④皮下結節、⑤皮膚潰瘍、⑥指趾壊疽に挙げられる皮膚病変、そのほか、⑦神経障害、⑧強膜炎、⑨ドライアイ、⑩ドライマウスなどがあります。**表3**にその点に重点をおいて系統的アセスメントをまとめました。視診と触診、打診、状況によって聴診を行って、これらの関節外症状が出現してきていないか、すで

表3 関節リウマチの関節外症状：機能をみるための系統的アセスメント（2）

1. 関節リウマチに関して 2）関節リウマチの関節外症状	視診	触診	打診	聴診 （表4参照）
①間質性肺炎	・胸郭の外観（形態、左右差） ・胸郭の動き ・呼吸の状態（呼吸数、リズム、深さなど） ・皮膚や爪の状態（ばち指、チアノーゼの有無）			・fine crackle
②細気管支炎				・coarse crackle ・wheeze
③胸膜炎		・胸部呼吸運動の左右差 ・触覚振盪音左右差	・打診音で濁音	・胸膜摩擦音（pleural friction rub）
④皮下結節	・肘頭近くの前腕伸側、手指伸側、仙骨上の結節の有無	・米粒から空豆大の軟硬さまざまな腫瘤状のしこり		
⑤皮膚潰瘍	・潰瘍がないか（下腿に好発）			
⑥指趾壊疽	・指趾の先が黒く壊疽を起こしていないか	・冷感、触覚の有無 ・足背動脈の触知		
⑦神経障害	・運動障害はないか	・知覚（痛覚、触覚、振動覚）の異常がないか ・障害の部位 ・分布は対称か非対称か	・腱反射は低下していないか	
⑧強膜炎	・目の充血がないか			
⑨ドライアイ	・ひどくなれば充血あり ・まばたきが多くないか ・涙三角*があるか			
⑩ドライマウス	・口腔内の乾燥がないか ・舌乳頭の萎縮や粘膜の赤み ・口角炎、舌のカンジダの有無 ・う歯（歯周病）の有無	・湿潤感の有無		

＊ 涙三角：目を横から見てみえる、下眼瞼の縁と角結膜表面との間に形成される涙液貯留（涙液メニスカス）。

に合併していたものが悪化してきていないかなどを評価します。とくに呼吸器系のアセスメントは、命にかかわることがあり注意が必要です。また、副雑音の聴診所見は重要であり、この所見によって呼吸器系になにが起こっているかをある程度予測することができます。副雑音について**表4**[1)]にまとめましたので参考にしてください。

表4 呼吸音の異常（副雑音の特徴）

副雑音の種類	具体音	特徴
連続性副雑音	高い音（笛音）：wheeze ピー・ヒューヒュー	・口笛に似た持続性の高い音 ・気管支喘息の発作時や気管内異物で聴取 ・低い音からの移行は狭窄の進行した危険な徴候
連続性副雑音	低い音（いびき音）：rhonchi ガーガー・ウーウー	・いびきのような低い規則的な音 ・慢性気管支炎などで聴取 ・移動しにくい分泌物が、気管支壁に広範囲にわたって付着している状態
断続性副雑音	粗い音（水泡音）：coarse crackle ブクブク・ボコボコ	・水の中にストローを入れて、泡立てるときに発するような音 ・COPD*、肺水腫、肺炎、肺線維症、気管支炎、肺うっ血などでみられる ・気道に水分が貯留している状態で、ドレナージによる喀痰の排出を行う
断続性副雑音	細かい音（捻髪音）：fine crackle パチパチ・チリチリ	・耳の側で毛髪をねじるときのような音 ・吸気前半での聴取は閉塞性疾患で、慢性気管支炎、気管支喘息、肺気腫で起きる ・吸気後半での聴取は拘束性疾患で、肺炎、うっ血性心不全、肺線維症などで起こる ・高齢者では背面下部で聴取されることがあるが、深呼吸を繰り返すことで消失する場合がある
胸膜摩擦音	pleural friction rub ギュッギュッ	・物が擦れ合うような音 ・胸膜炎などに特徴的な副雑音

＊COPD（chronic obstructive pulmonary disease）：慢性閉塞性肺疾患。 （文献1より改変）

治療薬による有害事象のチェック

関節リウマチの治療薬はさまざまであり、それぞれの薬剤の副作用を知っておく必要があります。また、来院時には副作用の有無についての評価が必要になります。そのなかでも、とくに感染症の早期発見は重要で、その後の患者さんの予後を左右します。どのような感染症も起こる可能性はありますが、とくに重要な①呼吸器感染症（細菌性肺炎、ニューモシスチス肺炎、肺非結核性抗酸菌症、肺結核症、非定型肺炎、気管支炎、副鼻腔炎、上気道炎）、②蜂窩織炎、③帯状疱疹、④尿路感染症（腎盂腎炎、膀胱炎）について**表5**にまとめました。全身チェックで発熱があるなど感染症が疑われる所見があれば、積極的に疑ってアセスメントしましょう。

そのほかの副作用として、アレルギー（薬疹、注射部位反応、薬剤性間質性肺炎など）も重要です。新たに薬剤が開始されたという情報があれば参考になります。ただ、アレルギーが出るまでの投与期間はさまざまです。また、皮膚に水疱やびらんができて剥がれるような状態や、目や口腔の粘膜に病変が及ぶ場合は、早めの専門的な治療が必要となります。そのほかに、腎障害、肝障害、消化器症状（口内炎、腹痛、

表5 薬剤有害事象関連（感染症）：機能をみるための系統的アセスメント（3）

2. 薬剤の有害事象に関して 1）感染症		視診	触診	打診	聴診 （表4参照）
(1) 呼吸器関連					
	①細菌性肺炎	・胸郭の外観（形態、左右差） ・胸郭の動き ・呼吸の状態（呼吸数、リズム、深さなど） ・皮膚や爪の状態（ばち指、チアノーゼの有無）		・ときに打診音で濁音	・coarse crackle
	②ニューモシスチス肺炎				・異常がないことも多い
	③肺非結核性抗酸菌症				・状況でcoarse crackle
	④肺結核症				・状況でcoarse crackle
	⑤非定型肺炎				・coarse crackleの聴診所見に乏しい
	⑥気管支炎				・coarse crackle ・wheeze
	⑦副鼻腔炎	・鼻汁／後鼻漏の有無	・状況でリンパ節腫脹あり		
	⑧上気道炎	・咽頭の発赤、腫脹など	・リンパ節腫脹の有無		
(2) 蜂窩織炎		・足白癬などの原因源の有無 ・患部の場所／色調（発赤）	・熱感／圧痛／浮腫の有無 ・所属リンパ節の腫れの有無		
(3) 帯状疱疹		・（通常）片側の神経分布に沿った（痛みをともなう）皮疹 ・ヘソのある水疱をともなった皮疹 ・初期は紅斑のみのこともある	・（皮疹がない部分でも）神経分布に一致しての圧痛		
(4) 尿路感染症					
	①腎盂腎炎		・背部叩打痛あり（通常片側）		
	②膀胱炎		・膀胱部分の圧迫で尿意や痛み		

表6 薬剤有害事象関連（感染症以外）：機能をみるための系統的アセスメント（4）

2. 薬剤の有害事象に関して 2）アレルギーなど	視診	触診	打診	聴診 （表4参照）
（1）皮疹	・どの部位にどのような皮疹か（全身に左右対称的か） ・皮膚に水疱やびらんがないか ・口腔内の粘膜が傷んでいないか ・目の充血はないか	・可動性／浸潤の有無／硬さ／均一か不均一か／嚢腫状か充実性か／周囲との境界が明瞭か不明瞭か／形の立体的感覚		
（2）注射部位反応	・皮下注射の投与部位周辺に出ている紅斑か ・感染を合併していないか	・熱感はあるか ・腫れているか ・硬くなっていないか		
（3）薬剤性間質性肺炎	・表3参照			・fine crackle
3）腎障害	・全身の浮腫があるか（とくに顔） ・眼瞼結膜が白い	・手足の冷感		
4）肝障害	・顔色が悪い（浅黒い）／口臭強い ・白目が黄色／手掌紅斑／男性乳房肥大	・腹圧の亢進		
5）消化器症状 （1）口内炎	・口内炎の数、大きさ、発症部位は ・水疱の有無	・硬さ、深さ、範囲は ・触れた際の痛みは		
（2）腹痛	・膨らみはないか	・硬さは／痛みの部位は ・背部叩打痛は	・姿勢によって変化があるか（腹水）	・腸蠕動の有無は
6）リンパ節腫脹	・側頚部の局所的腫脹はないか	・硬さ／数／大きさ／可動性は ・圧痛はあるか／部位は		
7）浮腫	・どこがむくんでいるのか（全身？ 局所？）	・ホーマンズ徴候*の有無 ・圧痕の有無		

*ホーマンズ徴候：深部静脈血栓症を示唆する徴候で膝関節を伸展させた状態で足関節を背屈させた際に腓腹筋に痛みを感じること。

下痢・便秘など）、浮腫を起こしやすい薬剤もありますので、そのような薬剤を内服している場合はしっかりと評価する必要があります。また、近年問題となっているメトトレキサートによるリンパ増殖性疾患も報告が増えており、この薬剤を服用している場合はリンパ節の腫れがないかなども確認が必要です。以上の点について**表6**に

> **Step Up** ● 生物学的製剤投与中は感染症の症状や検査値がマスクされることがある ●

生物学的製剤投与中、そのなかでもトシリズマブ（アクテムラ®）やサリルマブ（ケブザラ®）はインターロイキン6（interleukin-6：IL-6）の経路を阻害するため、炎症反応が抑制されます。肺炎などの重篤な感染症を併発していても、炎症反応や発熱や全身倦怠感、場合によっては呼吸困難もマスクされる場合があります。軽度の症状や炎症反応であっても、しっかりとアセスメントすることが重要です。毎回、酸素飽和度を測定して記載することが病気の早期発見につながります。

> **Step Up** ● ニューモシスチス肺炎では聴診所見に乏しい ●

ニューモシスチス肺炎は胸部単純X線上、両側対称性のすりガラス陰影をきたしますが、聴診上は副雑音が聴取されないことが多いです。これは胸膜直下まで病変が広がらないことによります。ただし、酸素飽和度が低下しますので、免疫抑制療法中は酸素飽和度をルーチンで確認するようにしましょう。

> **Case** 帯状疱疹

65歳、女性、罹病期間14年の関節リウマチ患者さん。糖尿病を合併しており、過去にエタネルセプト、セルトリズマブ ペゴルでの治療歴があります。メトトレキサート9mg/週、サラゾスルファピリジン1.0g/日、イグラチモド50mg/日の投与にて安定していました。左前胸部痛が出現し乳がんを心配して来院しました。皮疹などは認めませんでしたが、帯状疱疹の可能性もあることを説明し経過観察としたところ、その後、左前胸部および左背部に皮疹が出現して、帯状疱疹の診断に至りました。帯状疱疹の初期には痛みのみで皮疹のない場合もあることを留意する必要があります。

まとめました。また、詳しくは述べませんが、例えばステロイドを服用している場合は腰椎圧迫骨折などによって腰痛を起こしてないか、などを確認して評価していくことが必要です。

引用・参考文献

1) 高島尚美. もう「自信がない」なんて言わせない！フィジカルアセスメントのワザを極める！. ナース専科. 33(3), 2013, 12-61.
2) 山内豊明. フィジカルアセスメント ガイドブック：目と手と耳でここまでわかる. 第2版. 東京, 医学書院, 2011, 224p.

第1章 これだけは知っておきたいリウマチ最新知識

4 画像の味わい方

一般社団法人海津市医師会 海津市医師会病院 院長
佐藤正夫 さとう・まさお

はじめに

関節リウマチ（rheumatoid arthritis；RA）とは、関節という臓器に炎症（関節炎）が生じて起きる疾患です。有効な治療が行われることなく長期間経過すると、関節の変形が起こってきます。

関節リウマチの診断や治療の効果判定には、「第1章3フィジカルアセスメント」（p.25～）で解説があるように患者さんを診る、触って診る、動かして診るフィジカルアセスメントや、C反応性タンパク（C-reactive protein；CRP）、リウマトイド因子（rheumatoid factor；RF）、抗CCP抗体〔抗環状シトルリン化ペプチド抗体（anti-cyclic citrullinated peptide antibodies；ACPA）〕など血液検査でわかる検査所見などを利用することになります。さらに、これから解説する"画像診断"も関節リウマチの診療に非常に重要なツールの一つといえます。

「画像ってなんだかむずかしいよね？見てもよくわからないし」、といったことを看護師から聞くことがあります。「これが骨びらんと言われても私にはそう思えない」とか「エコーのシグナルがグレード2と言うけど、私はグレード1だと思う」など、画像所見の解釈が見る人によって異なることも画像診断が敬遠される要因の一つかもしれません。しかし、重要なことは「私はこう思う、私はこう解釈する」ことであり、自信をもって画像の経時的変化を評価して患者さんの診察に活かせればいいのです。ということで、本稿のタイトルをよくある"画像の見方"ではなく"画像の味わい方"にしました。

関節リウマチ診療（関節炎の診断治療）に使用される画像には単純X線、関節エコー、MRI、CTなどがあります。一般的にいつでも撮像できて、費用的な負担も大きくない単純X線と関節エコーの味わい方を本稿では解説します。

関節リウマチ診療で使用される画像検査

1. 手指の単純X線画像

関節リウマチ患者さんの最も訴えの多い関節は手指関節です。**図1a**は典型的な関節リウマチ患者さんの手指の写真です（44歳、女性、罹病期間15年）。両手の手関節、手指関節が腫れています。とくに近位指節間関節（proximal interphalangeal joint；PIP関節）が紡錘状に腫脹（**図1a**→）していることがわかります。この患者さんはメトトレキサート（methotrexate；

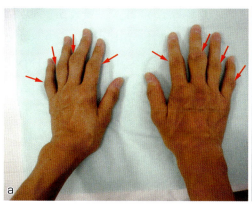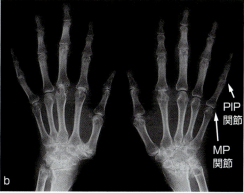

図1 典型的な関節リウマチ患者さんの画像所見（44歳、女性、罹病期間15年）
a：来院時の手指の写真、b：来院時の手指X線。

MTX）を10 mg/週で内服していますが、関節炎のコントロール不良ということで紹介来院しました。経過を聞いて、この手を見れば関節リウマチの疾患活動性が高く、患者さんも困っているのだということは推測できます。それでは、この患者さんの手指X線を見てみましょう（**図1b**）。

「なんだか手関節のあたりが白っぽく写っているよね。中手指節関節（metacarpophalangeal joint；MP関節）の骨に黒っぽく抜けて見える部分があるみたい。PIP関節の隙間がほかの関節と比べると狭くなっているみたい」、というように、"〜っぱく"とか"〜と比べると"という味わい方でよいのです。それでは、以下で詳しく見てみましょう。

a. 右手指の画像所見

右示指・中指・環指のPIP関節の隙間は中指・環指のMP関節の隙間より狭くなっています。PIP関節は紡錘形に腫脹していました。腫脹が持続すると関節の隙間

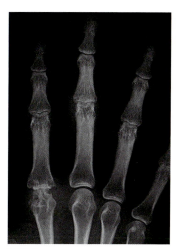

図2 手指X線（左から右示指・中指・環指）

は狭くなります。関節腫脹が強いと関節をきちんと伸ばすことができません。その状態で正面の単純X線を撮像すれば関節が狭く写ります。関節が狭くなることを関節裂隙狭小化といいます。さらに、PIP関節の周りの軟部陰影（骨ではない部分）を、目を凝らして見てください。皮膚の輪郭、皮下組織がうっすらと写っています、しかもほかの部位より厚く。これを見ればPIP

関節が腫れていると想像できます（図2）。

b. 左手指の画像所見

左示指～小指のMP関節を見てみましょう。示指・中指・小指のMP関節の隙間は狭く、とくに示指では基節骨と中手骨が重なり合っているように見えます。脱臼を起こす前の亜脱臼状態といえます。環指以外のMP関節では骨の中に黒く抜けたような所見が見られます。骨びらんです。関節炎が持続すると骨が破壊、吸収されて単純X線では黒く抜けて欠けていきます。中指のMP関節を見ると、中手骨頭、基節骨基部の軟骨面（骨の関節面）が少し白くなっているように見えませんか？　関節腫脹が続くと関節の隙間が狭くなり、関節面が擦れ合うことになります。軟骨は傷害され反応して骨が硬くなります。これが一般にいう骨硬化像です。変形性関節症の患者さんによくみられる所見です（図4）。

c. 手関節の画像所見

手関節の単純X線です。手関節は中手骨と橈骨、尺骨で8個の手根骨を囲んで構成される関節です。正常の場合はそれぞれの骨と骨の間には関節の隙間がきれいに確認できますが、関節炎が長期間持続すると関節の隙間は狭くなり、くっついてしまい

Step Up ● 関節リウマチとブシャール結節との鑑別 ●

関節リウマチとの鑑別が必要な疾患にブシャール結節（Bouchard node）があります。PIP関節の変形性関節症といわれています。私の外来に52歳、女性が関節リウマチの診断で紹介されてきました。右環指PIP関節の腫脹疼痛が著明でした。抗リウマチ薬、生物学的製剤を投与しましたが効果はありませんでした。図3は10年間の変化です。関節面の硬化像と関節周囲での骨増殖性変化がみられます。結局、ブシャール結節だったのです。関節リウマチとブシャール結節は鑑別が困難な場合があります。

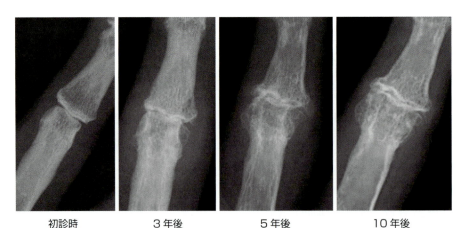

初診時　　　3年後　　　5年後　　　10年後

図3 52歳、女性、ブシャール結節、右環指PIP関節の変化

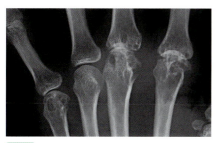

図4 手指X線（右から左示指・中指・環指・小指）

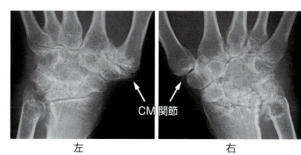

図5 手指X線（両手関節）

ます。この患者さんも手根骨の関節の隙間が狭くなり8個の骨が1つに癒合したかのようになっています。こうなると手関節の可動域は極度に制限されます。この状態を骨性強直といいます（図5）。少し関節リウマチから離れますが、母指の手根中手関節（carpometacarpal joint；CM関節）に注目してください。右は関節面もきれいですが、左は狭くなって骨硬化像がみられます。母指CM関節は変形性関節症が好発する部位で、関節リウマチ関節炎との鑑別に重要です。この患者さんの場合は関節リウマチ関節炎と母指CM関節症の合併かもしれません。ちなみに、母指CM関節

Case　短期間で進行した骨関節障害

70歳、女性、1年前から朝のこわばりが出現し、右手関節の腫脹疼痛が増強しました。他院でRF、抗CCP抗体は陰性で関節リウマチとは診断されず、非ステロイド抗炎症薬（nonsteroidal anti-inflammatory drugs；NSAIDs）内服で治療しました。4カ月後の現在、単純X線で手根骨の骨粗鬆化、関節裂隙狭小化が進行し、骨性強直の前段階といえます（図6）。再検査でRF、抗CCP抗体の陽転化を確認し、メトトレキサート（MTX）の内服を開始したところ症状は軽快しました。単純X線でも数カ月間での急激な変化をとらえることができる症例もあるのです。

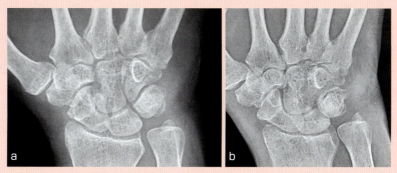

図6 70歳、女性、右手関節単純X線（a）、4カ月後（b）

症の治療の第一は固定しての安静治療です。

手指の単純X線正面像1枚で多くの知識が整理できたと思います。関節裂隙狭小化、骨びらん、骨硬化像、亜脱臼、骨性強直の画像の理解ができたのではないでしょうか。また、単純X線では骨しか写りませんが、目を凝らして見れば骨以外の軟部陰影からも有益な情報が得られるかもしれません。それと最も大事なことは、左右を見比べること、そうするとなにか異常な所見を見つけることができるかもしれません。単純X線は安価ですぐに撮像できますが、いろいろな情報を私たちに提供してくれます。たかが単純X線、されど単純

Column

60歳女性、ステージⅣ・クラス3って？

学会などの症例報告で年齢性別のあとにスタインブロッカーのステージⅢ・クラス4などと表現することがあります。単純X線画像で関節、周囲の組織変化から関節破壊の程度を4段階に分類し、Ⅰ、Ⅱ、Ⅲ、Ⅳで表します（**表1**）。クラスは関節リウマチによる機能障害の程度を1、2、3、4の4つで分類したものです（**表2**）。例えば、**図5**（p.37）の症例は手関節が骨性強直で可動域が消失していますが、普段の活動は何とか可能です。この場合、ステージⅣ・クラス2と表現します。ステージⅢ・クラス4と聞いたら、この患者さんの関節は強直にはなっていないけど身の回りのことは全くできないと頭に浮かべてください。なにも、一生懸命、数字で分類しなくても、関節に骨びらんがあり、関節の隙間が狭くなっていますと表現してもかまいません。どちらで表現しても聞いている人はちゃんと理解してくれますから。要するに大事なことは所見をきちんと伝えることです。でも、数字で言えたらカッコいいですよね？

表1 スタインブロッカーのステージ分類

ステージ	単純X線画像	関節変形	筋萎縮	皮下結節 腱鞘炎
Ⅰ	軟骨破壊無し 骨破壊なし	なし	なし	なし
Ⅱ	軟骨破壊が始まる	なし	関節周囲に限定	あってもよい
Ⅲ	骨破壊進行 変形が生じる	亜脱臼 尺側偏位 過伸展	広範囲にある	あってもよい
Ⅳ	強直変形	亜脱臼 尺側偏位 過伸展 強直	広範囲にある	あってもよい

表2 スタインブロッカーのクラス分類

クラス	日常生活動作
1	問題なく可能
2	1カ所以上の関節に苦痛や運動制限があっても普通の活動は何とか可能
3	普通の活動がわずかに可能、あるいはほとんどできない
4	寝たきり・車椅子、身の回りのことが全くできない

X線、単純X線は画像診断の基本です。

2. 燃える画像診断：関節エコー

　単純X線を画像診断の基本といいました。確かに骨を主体に撮像する単純X線はいつでも安価に撮像できる画像診断法です。関節炎は関節に起こる炎症です。炎症が持続すれば関節の隙間が狭くなり、骨が吸収され骨びらんに、さらに進行すれば関節脱臼や骨性強直に至ります。単純X線はこの比較的長期に及ぶ骨の変化（歴史）に関する情報を私たちに与えてくれます。しかし、関節の炎症では、昨日はそれほど痛くなかったのに今日はとても痛くて腫れている、薬物療法がよく効いて昨日までの痛みや腫脹が今日はまったくない、ということがよく起こります。そこで、このような今現在の関節炎の程度をその場で情報提供してくれるのが関節エコー（とくにパワードップラー法：PD法）の画像になります。

　慢性炎症が起こった部位には血管新生を伴ってくることが多いとされています。それならば、関節炎を起こした関節内には血管新生が起こっている、それをとらえることが可能であれば炎症の程度を知ることができる、という発想から関節エコーが発達しました。赤血球に超音波を当てて跳ね返ってきたものをシグナル化して赤～オレンジ色でわかりやすくしたのがPD画像です。赤いシグナルが多く検出されれば、勢いよく"燃えている"関節炎症状ということになります。

3. 関節エコーのグレード評価

　PD法の縦断面で関節腔内の面積に占めるシグナルの割合でグレード評価します。シグナルを確認できないものをグレード0とし、点状シグナルのみがグレード1、シグナルが関節面積の50％未満でグレード2、50％以上をグレード3とします（図7）。しかし、実際の患者さんを診察室で検査しているときに、この関節はグレード2、あの関節はグレード3などと評価している医師はいません。プローブを関節に当ててシグナルが存在するかしないかを確認することが重要です。まず、患者さんの関

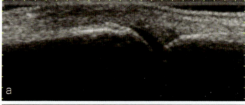
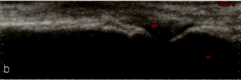
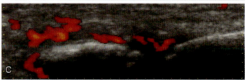
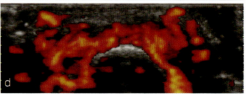

図7 関節エコーのグレード分類

a：グレード0：シグナルなし。
b：グレード1：点状シグナルのみ。
c：グレード2：シグナル面積が50％未満。
d：グレード3：シグナル面積が50％以上。

節にプローブを置いて観察することが大事です。

手関節の関節エコー画像を見てみましょう。手関節背側からの縦断面画像で、向かって左が頭側、右が手指側、左から橈骨、手根骨、中手骨が描出されています。超音波は骨表面で反射され骨の内部は黒く写ります。上部には伸筋腱の走行が確認され、伸筋腱と手根骨に囲まれた部位が関節腔になります。PD法で確認すると関節腔に一致してシグナルが描出されています。面積比は50％弱でグレード2と評価しますが、実際、グレード2でも3でも、このような画像を見たら、薬物療法が必要になります（図8）。

おわりに

画像の味わい方というタイトルで単純X線、関節エコーの基本的な読影について解説しました。味わっていただけましたか。画像診断法にはそれぞれの特徴があります（表3）。単純X線は"患者さんの骨の歴史"、すなわち、この1年間でどのように変化したかを知ることができます。一方、関節エコーでは関節腔内で現在存在する関節炎の程度を把握することが可能です。

画像を見たとき、人によって解釈が違うじゃないか、と思われるでしょうが、それも当然です。機械が数値で表現してくれれば別ですが、私たち人間が見て判断するわ

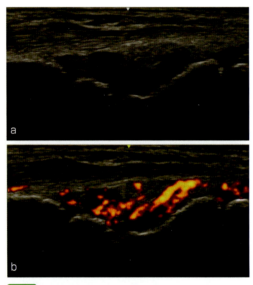

図8 手関節中央部の関節エコー
a：グレースケール画像、b：パワードップラー画像。

表3 関節リウマチ診療で用いられる画像診断法の特徴の比較

	単純X線	関節エコー	MRI
評価対象	骨・関節	骨・滑膜・血管	骨・軟部組織
疾患活動性評価	低い	良好	中間
撮影頻度	月・年単位	リアルタイム	週・月単位
費用	比較的安価	比較的安価	高価
検者間画像の差	少ない	大きい？	少ない
読影者間の差	あり	あり	あり
検査所要時間	短い	短い	長い

けですから。例えば10℃刻みのメモリしかない温度計があります。20℃と30℃の中間あたりに赤い先端が到達しています。Aさんは24.7℃、Bさんは25.2℃、Cさんは25.0℃と読みました。画像の見方も同じです。29℃と読む人がいなければいいのです。

しかし、画像を味わうには多少の訓練が必要です。医師の許可のもとで電子カルテ内の単純X線、関節エコーの画像をたくさん見てください。前の画像と比較してください。そして患者さんを診てください。そうすることで単純X線、関節エコーの有用性や素晴らしさがわかるようになります。さらに、もし可能であればプローブを患者さんの関節に当てて観察させてもらってください。とくに関節エコー画像は、患者さんにも理解しやすいので、患者さんとのコミュニケーションが円滑になると思います。

Step Up ● 関節エコーを始めましょう ●

関節リウマチの診療に用いられる画像検査のうち、関節エコーは看護師が実施することができます。また、看護師が関節エコーを実施することで、患者さんと医療者とのコミュニケーションが充実することも期待されます。

日本リウマチ学会（JCR）では、関節エコー初心者を対象とした講習会を定期的に開催するとともに、関節エコーの十分な知識と経験を持つ医師およびメディカルスタッフを登録する、登録ソノグラファー制度を2014年度より行っています。

関節エコーに関心のある看護師さんは、ぜひJCRの講習会に参加して、関節エコーを始めましょう。（編者：三浦靖史）

第1章 これだけは知っておきたいリウマチ最新知識

5 検査

医療法人千寿会 道後温泉病院 理事長
大西 誠 おおにし・まこと

　関節リウマチ（rheumatoid arthritis；RA）の原因は不明ですが、自己免疫という、外部から入ってきた異物に対して抵抗力を示すべきものが、標的を誤って認識して自分自身の関節や臓器を攻撃していると考えられています。慢性に経過する多関節炎を特徴とする進行性・炎症性の病気です。すなわち、関節の炎症がよくなったり悪くなったりを繰り返し、徐々に関節の障害が進んでしまうことが多いのですが、なかにはあっという間に進行する例もあり注意が必要です。関節には滑膜というふだんは滑らかな運動をするための滑液をつくる部分があり、関節リウマチではそこが病気の中心と考えられています。滑膜細胞が増殖して炎症を起こす物質（サイトカイン）が放出され周囲の軟骨や骨が侵され、関節の破壊や変形につながるとされています。また、関節以外の症状として、皮下結節、血管の炎症、皮膚の潰瘍、肺の線維化などの症状をきたすことがあることから、関節だけではなく全身の病気と考えられています。

　そこで関節リウマチの検査を考える場合には、まずその①病気の診断に必要な検査、②病気の状態を調べる検査、③合併症に対する検査、④治療薬による副作用に対する検査が必要となります。

診断のための検査

1. リウマトイド因子（リウマチ反応）

　リウマチ反応とよばれ、変性したヒトIgGのFc領域に対する自己抗体であるリウマトイド因子（rheumatoid factor；RF）を検出します。RFは関節リウマチ患者さんの70～80％[1]が陽性となる、関節リウマチの診断上重要な検査所見です（**表1**）[2]。しかし、検診などでも使用されているため、俗に「リウマチの気がある」と言われたりして患者さんに混乱を招く原因にもなっています。RFが陽性だからといって関

表1 リウマトイド因子の陽性頻度（％）

関節リウマチ	76
シェーグレン症候群	96
全身性エリテマトーデス	21
強皮症	17
皮膚筋炎	20
混合性結合組織病	50
梅毒	17
ウイルス肝炎	24
肝硬変	36
結核	11
肺線維症	32
喘息	17
精神病	14
がん	22
正常人　0～30歳	2
30～60歳	4
60歳以上	24

（上野征夫, リウマチ病診療ビジュアルテキスト, 第2版, 13, 2008, 医学書院. より）

節リウマチであると診断されるものではなく（診断的特異度は低い）、決してリウマチの気があるというものでもありません。あくまで血清学的な方法（ラテックス凝集法や比濁法）を用いて血液の反応をみているもので、表1[2]にあるようにいろいろな病気や健常者でも反応が陽性になることがあります（陽性健常者が後に関節リウマチを発症する可能性は少ないと考えられています）。一方、関節リウマチにおいても必ず陽性になるものでもなく病初期では約半数が陰性で、慢性炎症が持続する典型例でも10〜20%[2]は陰性のままです。

2. 抗核抗体

抗核抗体（antinuclear antibodies；ANA）は膠原病において高値を示すことが多く、全身性エリテマトーデスや強皮症などの膠原病を疑った場合に検査を行い、その後にそれぞれの膠原病に特異的な抗体検査を追加検査します。また、膠原病では関節痛を訴える場合も多く、関節リウマチとの鑑別に利用します。しかし、ANAもRFと同様に検診などでも検査されることがあり、膠原病の気があるとして混乱を招く原因になっている検査です。関節リウマチを含む各種膠原病で陽性になるほか、そのほかの病気や健常者においても陽性を示すことがあります。健常者においては10〜20%が陽性となりますが、強陽性は少なく40倍以上160倍未満の陽性が多いです[3]。20〜60歳の健常者の調査では、40倍での陽性率が30%、80倍が13%、160倍が5%、320倍は3%に認められています[2]。高齢者では80倍、160倍といった値がみられることがよくあります。検査より症状が大切であり、症状がない低い抗体価上昇は必要以上に気にしないほうがよいです。

3. 抗CCP抗体

病気に特異的な自己抗体の検出は、各種自己免疫疾患の診断のよりどころになります。関節リウマチにおいては、抗フィラグリン抗体が特異的自己抗体として従来知られていました。ただし、特異度は高いものの、その感度は非常に低いものでした。そこでその対応抗原であるシトルリン化プロフィラグリン／フィラグリンのエピトープ解析をもとに、抗フィラグリン抗体の特異度に加えRFに匹敵する感度を備えた、人工的に合成した環状シトルリン化ペプチド（cyclic citrullinated peptide；CCP）を抗原とした検査が開発されました。この抗CCP抗体〔抗環状シトルリン化ペプチド抗体（anti-cyclic citrullinated peptide antibodies；ACPA）〕の検出は、現在関節リウマチの診断において最も注目されています。ACPAは関節リウマチの発症早期から検出されることが多く、早期診断に有用と期待されています。また、320人の健常者を対象に行った検討では、ACPA陽性率は2.5%のみでした[4]。関節リウマチ患者さんでの感度は60〜80%ですが、特異度は90〜95%でRFと比べ特異度が高く[5,6]、症状がありACPA陽性の場合は関

> **Step Up** ● TNF阻害薬を安全に使用するために ●
>
> 腫瘍壊死因子（tumor necrosis factor；TNF）阻害薬による薬剤性ループスの報告があり注意が必要ですが、頻度は約0.2％と低く、多くはTNF阻害薬によって抗体産生が誘導されてANAや抗DNA抗体が陽性化したもので、すべての患者さんが薬剤性ループスを発症するものではありません[7]。

> **Column**
>
> 非典型的関節炎には注意
>
> 漁業などに従事している人で、非典型的な関節炎をみた場合は、非結核性抗酸菌症による感染性関節炎に注意が必要です。

節リウマチである可能性が高いと考えられます。

4. 関節液検査

関節液検査は慢性の関節腫脹をみた場合に、血液検査より多くの情報が得られることがあります。関節液の外観（図1）[2]から非炎症性（変形性関節症）、炎症性（関節リウマチや痛風、偽痛風など）、化膿性が判断でき、また血性である場合は外傷や絨毛結節性滑膜炎などが考えられます。穿刺にて得られた関節液は外観を確認して、細胞数や結晶の有無などのチェックと炎症性が疑われれば、必ず培養検査が必要となります。最も特徴的なものは化膿性関節炎で、著明な細胞数の増加と著しい糖の低下を示します。

病気の状態を調べる血液検査（疾患活動性の評価）

1. C反応性タンパク

炎症や急性組織障害によって活性化された単球・マクロファージがインターロイキン6（interleukin-6；IL-6）、IL-1、TNF-αなどの炎症性サイトカインを分泌し、それが肝細胞でのC反応性タンパク（C-reactive protein；CRP）の産生を誘導して血中濃度が上昇します。炎症や急性組織障害が起こってから2～3時間以内に上昇して12～24時間でピークを迎え、その

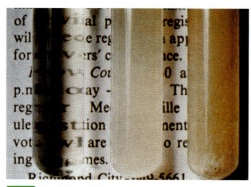

図1 関節液の外観
左より非炎症性、炎症性、および白濁膿状の関節液。
（上野征夫，リウマチ病診療ビジュアルテキスト，第2版，23, 2008, 医学書院．より転載）

後すみやかに消失します。臨床の現場では、CRPは炎症や組織障害のマーカーとして、感染症、悪性腫瘍や急性心筋梗塞などの病気の状態を評価するものとして利用されています。関節リウマチにおいては疾患活動性の指標としてのDAS 28-CRPやSDAIに用いられています。

2．赤沈

フィブリノーゲンや免疫グロブリンの増加で亢進することから、炎症の評価に使用されています。赤沈（erythrocyte sedimentation rate；ESR）は急性炎症だけでなく免疫グロブリンの増加でも亢進するため、関節リウマチの長期活動性に伴った亢進を示しますが、関節リウマチによる炎症の程度により増減し、関節リウマチの疾患活動性の指標（DAS28-ESR）として使用されています。なお、赤沈は貧血によっても亢進します。

Case　血液検査を過信しない

CRPや赤沈は炎症があれば必ず上昇するものではなく、手指や足趾の小さな関節のみが罹患している場合などでは正常値を示すことが多々見受けられます。そのために、専門外のクリニックにかかり、多関節痛だけど炎症反応が認められないからと関節リウマチであると診断されず、非ステロイド性抗炎症薬のみの処方を受けたが症状が改善せず、専門医を受診してようやく診断がつけられた関節リウマチ患者さんが存在しています。

Column

臨床所見が大切

関節リウマチ診断時にCRPと赤沈がともに基準値以内である症例が約37％、CRPが基準値以内を示す症例が約51％、赤沈が基準値以内を示す症例が約46％と、非常に多いと報告されています[8]。そのため、臨床所見を十分にとることが大切です。

Column

ご注意ください

シェーグレン症候群による高γグロブリン血症を合併している関節リウマチでは、リウマチの活動性とは関係なく赤沈の亢進が持続します。

> **Column**
>
> ### 炎症マーカーの使い分け
>
> 炎症マーカーは関節リウマチの治療に伴い改善を認めます。CRP、SAA はすみやかに改善し、そのときの疾患活動性を反映します。一方、赤沈は遅れて改善を示しますが、これは、赤沈はより半減期の長いフィブリノーゲンや免疫グロブリンをはじめとした多くの要因に影響されることが挙げられます。つまり、赤沈は直近 1 カ月程度の長期的な疾患活動性、慢性炎症の有無を示していると考えられます。

3．SAA

血清アミロイド A（serum amyloid A；SAA）の産生には IL-1 が関与しており、おもな産生細胞は CRP と同様に肝細胞です。SAA は反応性が早く増減幅も大きいことから、臨床的に鋭敏な炎症性タンパクとして注目されています。SAA は各種感染症をはじめ、がん、腎・肝移植時の拒絶反応、心筋梗塞、関節リウマチなど、炎症や組織障害を伴う病気において、炎症の活動性や治療効果の評価に有用とされています。

4．MMP-3

MMP-3（matrix metalloprotease-3）は線維芽細胞、関節滑膜細胞、軟骨細胞が産生している細胞外マトリックスを分解するプロテアーゼです。関節リウマチの特徴的な病態は滑膜の増殖と軟骨変性で、増殖した滑膜細胞や変性軟骨は炎症性サイトカインやいろいろなプロテアーゼを分泌して関節障害をきたします。なかでも MMP-3 は関節リウマチの病態に関与する代表的な酵素です。MMP-3 は経過の長い関節リウマチだけでなく、関節破壊の進行が早い早期関節リウマチでも高値を示します。MMP-3 が高値を示す早期関節リウマチではその治療効果の判定としても注目されています[9]。

> **Column**
>
> ### SAA について
>
> SAA は関節リウマチ、結核、クローン病などの慢性炎症疾患に合併するアミロイドーシスにおける沈着タンパクとして約 100 年前に発見されました。SAA はアミロイドーシスの原因タンパクであり、高濃度の SAA が長期間血中に存在することが AA アミロイドーシス（続発性）の要因となっています。

Column

MMP-3 の特徴

MMP-3 は急性炎症反応相物質ではなく酵素であり、関節リウマチにおいては局所の炎症を示すマーカーで、上気道炎や外傷などの外的要因に左右されない滑膜炎に特異的な炎症マーカーと考えられます。

Step Up ● MMP-3 について ●

MMP-3 の値は薬剤による影響を受けることが知られています。ステロイドの投与で MMP-3 が上昇することがあり注意が必要です。また、MMP-3 は発症早期の関節破壊の予測に有用と考えられています[9]。

合併症に対する検査

1. 結核と B 型肝炎

現在、関節リウマチの治療のアンカードラッグであるメトトレキサート（methotrexate；MTX）を使用する場合は、結核、B 型肝炎に対する検査が必須となっています。結核に対してはツベルクリン皮内反応（以下、ツ反）や結核菌特異抗原の抗原刺激によってリンパ球から産生されるインターフェロンγを測定する検査〔インターフェロンγ遊離試験（interferon gamma release assay；IGRA）〕によってチェックします。IGRA は BCG 接種や非結核性抗酸菌の影響を受けないため、ツ反に比較して特異度が高いという特徴があります[10]。クオンティフェロン®TB ゴールドや T-スポット®.TB が知られています。B 型肝炎の検査は HBs 抗原の検査だけでなく既往感染の有無のチェックが必要となっています。MTX などの免疫抑制薬を使用する前に HBs 抗体、HBc 抗体の測定を行う必要があります。これは既往感染であっても強い免疫抑制がかかった場合に B 型肝炎の再活性化（de novo 肝炎という）が生じて、劇症肝炎を発症する可能性があり注意を要するためです。

2. 肺病変

関節リウマチでは間質性肺炎の合併に注意が必要です。診断方法によって差はありますが、5～40％に認められる[12]とされています。胸部 X 線、胸部 CT に併せて KL-6 や SP-D といった血液検査が必要となります。活動性のある間質性肺炎をみた場合は、その治療の必要性を検討するとともに、関節炎の治療には MTX が使用できなくなります。また、古くから関節リウマチには気道病変の合併が多く、関節リウマチ患者さんの 40％にあるともいわれています。とくに気管支拡張症や細気管支炎が多くみられます。胸部 CT にて細気管支炎

をみた場合、非結核性抗酸菌症との鑑別が必須となります。生物学的製剤の使用を検討する場合はとくに注意が必要です。

　生物学的製剤使用中などの日和見感染として真菌感染症があり、診断にはβ-D-グルカン、アスペルギルス抗原、クリプトコッカス抗原やカンジダ抗原と画像診を併用して診断します。

3. 尿検査異常

　尿検査は腎尿路系の障害のスクリーニングに簡便な上に有用で、得られる情報も多いです。関節リウマチで注意が必要な腎病変は、膜性腎症、悪性関節リウマチによる壊死性血管炎、メザンギウム増殖性腎炎などがあり、頻度は少ないものの強力な免疫抑制療法が必要となる場合があります。初診時はもとより定期的にチェックする必要があります。関節リウマチでは一般住民より尿異常を認めることが多いとされていますが、軽微な血尿は問題なく、タンパク尿には注意が必要です[13]。最近は高齢患者さんが増え、糖尿病や高血圧症の合併患者さんでは、随意尿での尿中タンパク/クレアチニン比のフォローが必要です。また関節リウマチでは、アミロイドーシスやシェーグレン症候群などのほかの膠原病の合併によって、腎障害をきたすこともあります。

4. 血管の炎症

　血管炎は発熱などの全身症状と結節や潰瘍、組織の血行障害の症状を呈し、血管炎を疑った場合は生検による確定診断が望ましいです。悪性関節リウマチが代表的疾患であり、RFが高力価陽性で結節や壊死性血管炎を認めるものをいいます。そのほかANCA（anti-neutrophil cytoplasmic antibody；抗好中球細胞質抗体）陽性血管炎では、MPO-ANCA、PR3-ANCAの検索が必要となります。

治療薬による副作用に対する検査

1. MTXによる副作用

　MTXでは肝障害、骨髄障害、肺障害に注意する必要があります。投薬開始後少なくとも3カ月間は2～4週間隔で血液検査を行うことが必要です。肝障害を認めた場合はすみやかにMTXの減量や中止が必要です。また、葉酸の内服が必要となります。MTXを8mg/週以上使用する場合は、副作用予防に葉酸の併用が推奨されます。骨髄障害はとくに高齢者や腎機能低下例において注意が必要です。高齢者や腎機

> **Case　風邪症状をあまくみない**
>
> MTX使用患者さんが外来にて「体がだるくて風邪をひいたみたい」とのことでしたが、酸素飽和度を測ったところ95％と低下があり、胸部CTでごく初期のニューモシスチス肺炎と診断できたことがあります。外来ではなにか変だなと思えば酸素飽和度のチェックを行うことをおすすめいたします。

能低下例では感冒や腸炎によって容易に脱水状態となり、MTX の血中濃度の上昇をきたし骨髄障害を引き起こす危険性があります。日ごろから、患者さんに感冒や下痢で食事がとれてないときには MTX の内服をスキップするよう指導することが大切です。また、骨髄障害発生前に口内炎がみられることがありますので注意が必要です。肺障害は以前は 1% 程度に認められるといわれていましたが、実際はもっと少ないと思われます。薬剤性の間質性肺炎やニューモシスチス肺炎には注意が必要であり、投与開始後 6 カ月以内に多いとされていますので、長引く咳や感冒症状があれば相談するよう患者指導が必要です。

2. タクロリムス

タクロリムスは 1 日 1 回夕食後に服用し、単剤でも効果がありますが、メトトレキサートとの併用も有効とされています。副作用として、腹満感、血糖値上昇、腎機能悪化、血圧上昇などに注意が必要です。一部の抗菌薬、抗真菌薬、降圧薬、プロトンポンプ阻害薬などとの併用は、タクロリムスの血中濃度を上昇させる可能性があり、注意が必要です。適切な血中濃度を維持するために、タクロリムスの血中濃度モニタリング検査が行われます。また、妊娠、授乳中の使用について有益性投与が認められています。

3. イグラチモド

イグラチモドはワルファリンを服用されている患者さん、消化性潰瘍のある患者さんは服用できません。副作用として、腹痛、下痢、嘔吐などの消化器症状、肝機能障害が多いとされています。間質性肺炎にも注意が必要です。

4. JAK 阻害薬

生物学的製剤の出現で関節リウマチの治療は飛躍的に進歩しましたが、それでもなお 2 割から 3 割の患者さんは疾患活動性のコントロールが不十分です。そこで新規薬剤として JAK 阻害薬が使用されるようになってきました。JAK 阻害薬は、複数のサイトカインやホルモンによって活性化される細胞内 JAK-Stat シグナル伝達経路を阻害することで抗リウマチ効果を発揮する薬剤です。複数のサイトカインを抑制するために、有害事象として帯状疱疹の発生がプラセボや抗 TNF 阻害薬より多くなることが報告されています[14]。

同様に関節リウマチ患者さんでは、帯状疱疹の発症率は一般人口と比較して 2〜3 倍である[15]ことを認識する必要があります。有痛性の水疱を見た場合は、外来で簡単に診断ができる検査キットがあるので使用をお勧めします。

5. その他抗リウマチ薬の副作用に対する検査

ブシラミンなどではタンパク尿に注意が必要ですので定期的に尿検査を行います。また、抗リウマチ薬では口内炎や湿疹などを訴えることが多いので注意が必要です。抗リウマチ薬使用時には、骨髄障害や肝障害、腎障害、免疫異常、薬疹などの出現に

気を付けなければならないので、1〜3カ月に1回程度の定期検査が必要です。

引用・参考文献

1) 熊谷俊一．"リウマトイド因子"．関節リウマチ：寛解を目指す治療の新時代．第2版．東京，日本臨牀，2010, 244-7．
2) 上野征夫．リウマチ病診療ビジュアルテキスト．第2版．東京，医学書院，2008, 13-4．
3) 平形道人．"抗核抗体"．関節リウマチ：成因研究から治療の新時代へ．日本臨牀．2005, 333-40．
4) Suzuki, K. et al. High diagnostic performance of ELISA detection of antibodies to citrullinated antigens in rheumatoid arthritis. Scand J Rheumatol. 32(4), 2003, 197-204.
5) 三森経世．"その他自己抗体（抗シトルリン化タンパク抗体，抗カルパスタチン抗体）"．前掲書1), 252-7．
6) 湯川尚一郎．検査・診断：血液・生化学的・免疫学的検査．関節リウマチ．71(7), 2013, 1178-82．
7) 窪田哲朗．"抗核抗体・抗DNA抗体"．前掲書1), 248-51．
8) Sokka, T. et al. Erythrocyte sedimentation rate, C-reactive protein, or rheumatoid factor are normal at presentation in 35%-45% of patients with rheumatoid arthritis seen between 1980 and 2004：analyses from Finland and the United States. J Rheumatol. 36(7), 2009, 1387-90.
9) 桃原茂樹．"MMP-3"．前掲書3), 313-7．
10) 加藤誠也．TスポットⓇ．TBについて．複十字．348, 2013, 8-9．
11) 杉山幸比古．"肺病変"．前掲書3), 241-4．
12) 中野正明．"腎障害"．前掲書1), 523-6．
13) Winthrop, KL. et al. Herpes zoster and tofacitinib therapy in patients with rheumatoid arthritis. Arthritis Rheumatol. 66, 2675-84. 2014.
14) Harigai, M. et al. Growing evidence of the safety of JAK inhibitors in patients with rheumatoid arthritis, Review Rheumatology (Oxford). 58, i34-i42, 2019.

第1章 これだけは知っておきたいリウマチ最新知識

6 こんなに変わった関節リウマチの治療目標

神戸大学大学院保健学研究科 リハビリテーション科学領域 准教授
三浦靖史 みうら・やすし

はじめに

 どのような疾患であっても、究極の治療目標は疾患を完全に治す「治癒」です。しかし、関節リウマチ（rheumatoid arthritis；RA）が発病するメカニズムは明らかになっていないため、残念ながら根治療法は開発されておらず、まだ治癒はできないのが現状です。

 とはいえ、メトトレキサート（methotrexate；MTX）と生物学的製剤、さらにはヤヌスキナーゼ（Janus kinase；JAK）阻害薬を治療に用いられるようになって、関節リウマチの治療目標は大きく変わりました。以前は疼痛緩和や、関節破壊の進行および身体機能の低下をある程度遅らせることしかできませんでしたが、現在では、関節リウマチ発病前と同じ生活スタイルを維持することが実現可能な治療目標になっています。すなわち、関節リウマチは不治の難病から、薬でコントロール可能なごく普通の疾患に変わったのです。ただし、抗リウマチ薬が大きく進歩したとはいえ、骨びらんは別として、脱臼や強直などの関節破壊はいったん生じてしまうと自然には回復しませんので、早期診断に基づく早期治療を行って関節破壊が出現するのを未然に防ぐ必要があります。そのため、関節リウマチの診断基準（分類基準）は一新され[1]、治療体系[2]と治療目標[3]も明確に示されるようになりました。

診断基準

 米国リウマチ学会（American College of Rheumatology；ACR）による1987年改訂分類基準[4]では、発症早期には7項目中4項目以上に該当するという基準を満たさない場合が多く、早期診断には有用ではありませんでした。そこで、ACRと欧州リウマチ学会（The European League Against Rheumatism；EULAR）は、できるだけ早期に関節リウマチと診断してMTXによる薬物治療を開始して関節破壊を阻止するとのコンセンサスに基づき、2010年に関節リウマチの予備診断基準と新しい分類基準を発表しました[1]。

 関節リウマチ予備診断基準（**図1**）[1]ではまず、滑膜炎を生じる関節リウマチ以外の疾病を除外したうえで、X線検査で関節リウマチに典型的な骨びらんが存在すれば関節リウマチと診断し、骨びらんがない場合には、関節病変のある関節数と大小関節のパターン、血清学的因子であるリウマトイド因子（rheumatoid factor；RF）と抗環状シトルリン化ペプチド（cyclic

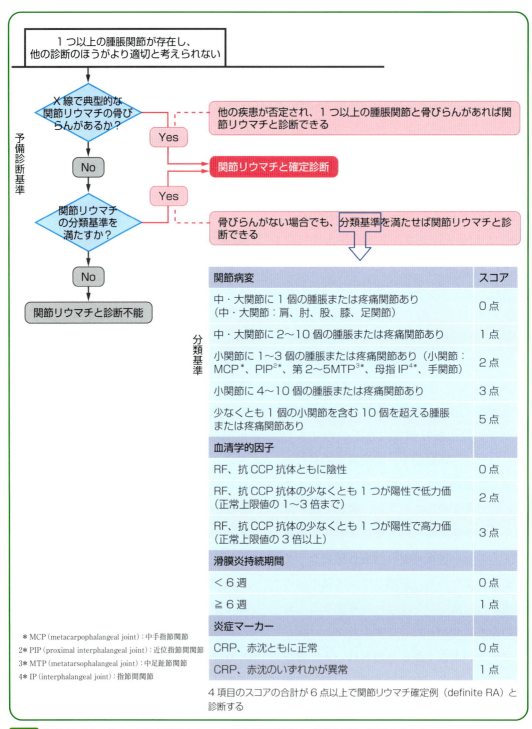

図1 ACR/EULARによる関節リウマチ予備診断基準と分類基準（2010年） （文献1より作成）

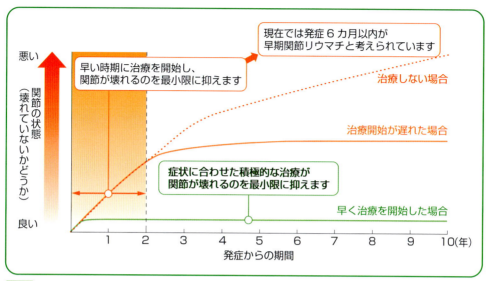

図2 治療機会の窓（window of opportunity）

（文献5に基づくリウマチ交流教室スライドを改変して作成）

> ### Step Up ● 骨びらん ●
>
> 骨びらんは、滑膜炎によって関節周囲の骨皮質が浸食されて虫食いのような不連続像を示す関節リウマチに特徴的な画像所見です。X線写真、関節超音波検査、MRIで認められます。

citrullinated peptide：CCP）抗体の値、滑膜炎の持続期間、炎症マーカーであるC反応性タンパク（C-reactive protein：CRP）と赤血球沈降速度（赤沈）の有無をおのおのスコア化した合計が6点以上の場合に関節リウマチと診断します（**図1**）[1]。

治療体系

関節リウマチの関節破壊は罹病期間と比例して一律に進むのではなく、発症1～2年以内の早期に最も急速に進行するため、関節破壊が生じる以前の時期を治療機会の窓（window of opportunity）と呼び、関節破壊をきたさないためにはこの時期に強力な薬物治療を積極的に導入することが大切です（**図2**）[5]。早期から積極的な治療を行った場合、関節破壊は抑制されますが、治療開始前に起きてしまった破壊の回復は期待できません。ACRは発症6カ月以内を早期関節リウマチとしています[6]。また、EULARは、treat RA to target（T2T）と名付けた関節リウマチ治療手順を発表し、適切な関節リウマチの治療を行うためには明確な治療目標を設定し、疾患

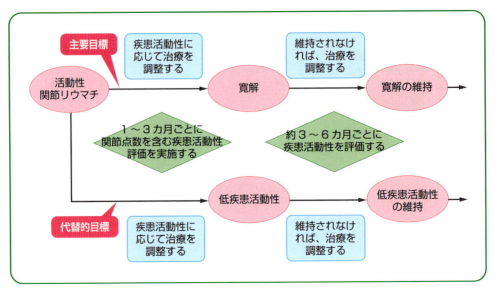

図3 治療目標を定めた関節リウマチ治療手順（2010年）：treat RA to target（T2T）

（文献2より引用）

表1 関節リウマチ診療ガイドライン2020における治療目標と治療原則

治療目標		関節リウマチの疾患活動性の低下および関節破壊の進行抑制を介して、長期予後の改善、特にQOLの最大化と生命予後の改善を目指す.
治療原則	A	関節リウマチ患者の治療目標は最善のケアであり、患者とリウマチ医の協働的意思決定に基づかなければならない.
	B	治療方針は、疾患活動性や安全性とその他の患者因子（合併病態，関節破壊の進行など）に基づいて決定する.
	C	リウマチ医は関節リウマチ患者の医学的問題にまず対応すべき専門医である.
	D	関節リウマチは多様であるため、患者は作用機序が異なる複数の薬剤を必要とする.生涯を通していくつもの治療を順番に必要とするかもしれない.
	E	関節リウマチ患者の個人的、医療的、社会的な費用負担が大きいことを、治療にあたるリウマチ医は考慮すべきである.

（文献8より引用）

活動性を定期的に評価し、その評価に応じた治療の調整を厳格に行うタイトコントロール（tight control）の必要性を強調しています（**図3**）[2]。日本リウマチ学会も、関節リウマチ診療ガイドライン2020において、治療目標、治療原則（**表1**）[8]、薬物治療のアルゴリズム、非薬物治療・外科的治療のアルゴリズム（「第1章8 こんなに変わった関節リウマチの治療戦略」p.74、76参照）からなる治療方針を示しています[8]。

治療目標

日本リウマチ学会は、治療目標を、「関

節リウマチの疾患活動性の低下および関節破壊の進行抑制を開始して、長期予後の改善、特にQOL（quality of life；生活の質）の最大化と生命予後の改善を目指す」[8]としています。関節リウマチには根治療法がまだないため、「治癒」をもたらすことはまだできません。そこで、治癒したのと同じように症状がない状態である「寛解」を達成することが、現在のおもな治療目標になっています。寛解の達成が困難な場合には、低い疾患活動性を代わりの治療目標とします[2]。関節リウマチの寛解には、①炎症と自他覚症状が改善した状態である「臨床的寛解」、②関節破壊が停止した状態である「構造的寛解」、③身体機能が維持された状態である「機能的寛解」の3つがあり、3つすべてを満たした「完全寛解」の達成が今日の一義的な治療目標です。さらに、高価な生物学的製剤を休薬しても寛解が維持できる「バイオフリー寛解」、あるいはすべての抗リウマチ薬を休薬しても寛解が維持できる「ドラッグフリー寛解」が、より高い治療目標です。ただし、生物学的製剤や抗リウマチ薬の休薬によって関節リウマチが再燃することは少なくないことから、長い休暇を意味する「ホリデー」を用いて「バイオホリデー」「ドラッグホリデー」と表現されることが多くなっています。

完全寛解を継続的に維持できれば、感染予防や関節の使いすぎ防止など日常生活において注意が必要な点はあるものの、関節リウマチ発病前とほぼ同様の生活を送ることができ、「QOLを保つ」ことが可能です。

1．臨床的寛解の基準（疾患活動性の評価）

関節リウマチの疾患活動性の評価法として、Disease Activity Score 28（DAS28）を用いたEULAR改善基準が広く使用されており、DAS28-ESR＜2.6、DAS-CRP＜2.3を寛解と定義していますが、計算式に平方根や対数が含まれることから、ウェブページ、専用の計算機、あるいはスマホアプリなどを使用して計算する必要があります（図4）[9]。一方、X線写真で評価して骨破壊の進行がないことを寛解達成の基準とした新しい関節リウマチ寛解基準では、DAS28とは異なり、足し算で簡単に算出できるSimplified Disease Activity Index（SDAI）とClinical Disease Activity Index（CDAI）が用いられ、SDAI ≦ 3.3、CDAI ≦ 2.8、あるいは真偽値（ブール代数）で4つの評価項目すべてが1以下の場合を寛解とします（図4）[3]。なお、2022年に寛解基準の改訂が行われ、真偽値のうち患者の全般的評価が2以下に変更されました（図4）[10]。ところで、DAS28、SDAI、CDAIの評価対象となる28関節は同じであり、膝を除く下肢の関節は含まれていないことに注意が必要です（図4）。

評価項目
TJC28：圧痛関節数（tender joint count）
SJC28：腫脹関節数（swollen joint count）
ESR：赤血球沈降速度（mm/1時間）（erythrocyte sedimentation rate）
CRP：C反応性タンパク（mg/dL）（C-reactive protein）
PGA：患者による全般的評価（100mm VAS＊（DAS28）、10cm VAS（SDAI、CDAI））（patient global assessment）
EGA：医師による全般的評価（10cm VAS）（evaluator global assessment）

評価関節

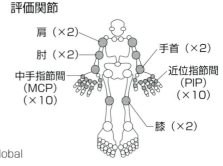

＊ VAS：視覚的アナログ尺度（visual analogue scale）

計算式
DAS28-ESR= 0.56 x √TJC28 + 0.28 ×√SJC28 + 0.70 × ln＊（ESR）+ 0.014 × PGA（mm）
DAS28-CRP= 0.56 x √TJC28 + 0.28 ×√SJC28 + 0.36 × ln＊（CRP × 10 + 1）+ 0.014 × PGA（mm）+ 0.96
SDAI（Simplified Disease Activity Index）= TJC28 + SJC28 + PGA（cm）+ EGA（cm）+ CRP
CDAI（Clinical Disease Activity Index）= TJC28 + SJC28 + PGA（cm）+ EGA（cm）

＊ DAS：疾患活動性スコア（Disease Activity Score）
＊ ln：自然対数（logarithmus naturalis）

疾患活動性評価と寛解基準

評価法	寛解	低疾患活動性	中等度疾患活動性	高疾患活動性
DAS28-ESR	< 2.6	≦ 3.2	3.2 <～≦ 5.1	5.1 <
DAS28-CRP	< 2.3	≦ 2.7	2.7 <～≦ 4.1	4.1 <
SDAI	≦ 3.3	3.3 <～≦ 11	11 <～≦ 26	26 <
CDAI	≦ 2.8	2.8 <～≦ 10	10 <～≦ 22	22 <
真偽値（ブール代数）による寛解定義	TJC28、SJC28、CRP、PGA（cm）いずれも ≦ 1（2011年）			
	TJC28、SJC28、CRP いずれも ≦ 1、PGA（cm）≦ 2（2022年）			

図4 関節リウマチの総合疾患活動性指標と寛解基準 （文献3、9、10より改変）

2. 構造的寛解の基準（関節破壊の評価）

両手足のX線写真を用いて、骨びらんと関節裂隙狭小化を評価してスコア化した改変シャープスコア（van der Heijde's modified total Sharp score；mTSS）の1年間の増加量ΔmTSS ≦ 0.5の場合を構造的寛解とします[11]。ただし、mTSSによる評価は治験や研究目的での利用が主で、日常診療において用いられることは日本ではほとんどありません。

3. 機能的寛解の基準（身体機能の評価）

関節リウマチの身体機能評価には、日常生活動作（以下、ADL）に関する20項目の質問から構成された自己記入式の健康評価質問票（health assessment questionnaire；HAQ）、あるいはHAQを8項目に簡略化

表2 EULAR による治療困難な関節リウマチ（D2T RA）の定義（2020 年）

1		EULAR の関節リウマチ治療推奨に従って、禁忌の場合を除き従来型抗リウマチ薬を使用し治療がうまく行かなかった後に、社会経済的な制限がなければ 2 種類以上の作用機序の異なる生物学的製剤や低分子量分子標的薬を使用しても治療がうまくいっていない
2		活動性・進行性疾患を示唆する以下に示す徴候が 1 つ以上ある
	a	DAS28-ESR>3.2あるいは CDAI>10 など、関節点数を含む総合疾患活動性指標で中等度以上の疾患活動性を認める
	b	活動性疾患を示唆する、炎症マーカーならびに画像検査を含む徴候と、関節あるいは関節外症状の、いずれかあるいは双方を認める
	c	プレドニゾロン換算で 7.5mg/ 日未満にグルココルチコイドを減量できない
	d	活動性疾患の徴候の有無にかかわらず、X 線検査でΔ mTSS ≧ 5 の急速な関節破壊の進行を認める
	e	上記 a〜d の基準では疾患が良好にコントロールされているにもかかわらず、QOL を低下させる RA の症状が残存している
3		徴候や症状のマネジメントが難しいと、リウマチ医と患者のいずれかあるいは双方が認識している

D2T-RA は 1〜3 の 3 つの条件を満たす必要がある

（文献 14 より改変）

Case 関節リウマチ患者さんのスポーツ活動

完全寛解を達成している関節リウマチ患者さんのなかには、フルマラソンなどの激しいスポーツ活動に参加している人もいます。また、関節破壊があっても、関節手術を受けたり、装具を使用して、ゴルフやテニスなどの趣味を楽しんでいる患者さんも少なくありません。高い QOL 達成のためには、スポーツや趣味に積極的に参加できるように疾患活動性をしっかりとコントロールすることが必要です。

Column

患者による全般評価

DAS28、SDAI、CDAI などに含まれる患者による全般評価（patient global assessment；PGA）はおもに関節リウマチ患者さんの疼痛を反映する一方、医師による全般評価（evaluator global assessment；EGA）は関節腫脹を反映し、両者はしばしば乖離することが知られています[12]。一方で、関節リウマチ以外の原因による体調の悪さを含めて評価してしまっていたり、不慣れな患者さんでは視覚的アナログ尺度（VAS）の左右を間違って記入することもあります。そのため、正しい PGA の記入方法について患者教育を行っておくことが大切です。

した modified HAQ（mHAQ）が使用され[12]、HAQ機能障害指数（HAQ-Disability Index；HAQ-DI）≦ 0.5 の場合に機能的寛解（HAQ寛解）とします。

4. 治療困難な関節リウマチ（difficult-to-treat RA；D2T RA）の定義

EULAR は治療困難な関節リウマチ患者の定義として、difficult-to-treat RA（D2T RA）を 2020 年に提唱しました（**表2**）[14]。D2T RA には、薬物療法への抵抗例が含まれるのはもちろんですが、合併症、社会経済的な状況、心理的状況などでの治療困難例も含まれています。D2T RA の解決は今日の大きな課題であり、治療とケアの両面からのアプローチが求められています。

おわりに

完全寛解に加え、関節リウマチ患者さんにしばしば認められる不安や抑うつのない「こころの寛解」も達成できるように、こころのケアも行うことが大切です。

引用・参考文献

1) Aletaha, D. et al. 2010 rheumatoid arthritis classification criteria : an American College of Rheumatology/European League Against Rheumatism collaborative initiative. Ann Rheum Dis. 69(9), 2010, 1580-8.
2) Smolen, JS. et al. Treating rheumatoid arthritis to target : recommendations of an international task force. Ann Rheum Dis. 69(4), 2010, 631-7.
3) Felson, DT. et al. American College of Rheumatology/European League Against Rheumatism provisional definition of remission in rheumatoid arthritis for clinical trials. Arthritis Rheum. 63(3), 2011, 573-86.
4) Arnett, FC. et al. The American Rheumatism Association 1987 revised criteria for the classification of rheumatoid arthritis. Arthritis Rheum. 31(3), 1988, 315-24.
5) Fuchs, HA. et al. Evidence of significant radiographic damage in rheumatoid arthritis within the first 2 years of disease. J Rheumatol. 16(5), 1989, 585-91.
6) van Riel, PL. et al. Development and validation of response criteria in rheumatoid arthritis : steps towards an international consensus on prognostic markers. Br J Rheumatol. 35(Suppl 2), 1996, 4-7.
7) Smolen, JS. et al. Treating rheumatoid arthritis to target : 2014 update of the recommendations of an international task force. Ann Rheum Dis. 75(1), 2016, 3-15.
8) 日本リウマチ学会編."治療方針".関節リウマチ診療ガイドライン 2020. 東京, 診断と治療社, 2021, 16-9.
9) DAS28. the DAS-score website. http://www.das-score.nl/［accessed 2023. 5. 4］
10) Studenic, P. et al. American College of Rheumatology/EULAR remission criteria for rheumatoid arthritis: 2022 revision. Arthritis Rheum. 75 (1), 2023, 15-22.
11) van der Heijde, DM. et al. Effects of hydroxychloroquine and sulphasalazine on progression of joint damage in rheumatoid arthritis. Lancet. 1(8646), 1989, 1036-8.
12) Studenic, P. et al. Discrepancies between patients and physicians in their perceptions of rheumatoid arthritis disease activity. Arthritis Rheum. 64(9), 2012, 2814-23.
13) Pincus, T. et al. Assessment of patient satisfaction in activities of daily living using a modified Stanford Health Assessment Questionnaire. Arthritis Rheum. 26(11), 1983, 1346-53.
14) Nagy, G. et al. EULAR definition of difficult-to-treat rheumatoid arthritis. Ann Rheum Dis. 80(1), 2021, 31-5.

第1章 これだけは知っておきたいリウマチ最新知識

7 こんなにある関節リウマチの治療薬

社会医療法人神鋼記念会 神鋼記念病院
診療技術部薬剤室 薬剤師
前田 翠 まえだ・みどり

神戸大学大学院保健学研究科
リハビリテーション科学領域 准教授
三浦靖史 みうら・やすし

はじめに

今日、関節リウマチ（rheumatoid arthritis；RA）の治療に使用される疾患修飾性抗リウマチ薬（disease-modifying anti-rheumatic drugs；DMARDs、通常「抗リウマチ薬」と記載されることが多い）は、有効性が非常に高い反面、重い副作用が出現することもあります。また、メトトレキサートの連日投与のような誤った使い方をしてしまうと命にかかわる事態を招きかねません。一方で、新型コロナウイルス感染症のパンデミック下では、易感染性を懸念した患者さんが抗リウマチ薬を自己判断で中止したことで、関節リウマチが再燃してしまい、かえって感染リスクを高めてしまうような事態も生じていました。これらのトラブルを未然に防ぎ、有効で安全な薬物治療を実施するためには、関節リウマチ患者さんが薬物治療へのアドヒアランスを維持できるようにサポートする必要があります。そのため、リウマチケア看護師・薬剤師は、メディカルスタッフとしてはもちろんのこと、患者さん目線で見た薬剤や使用方法の特徴を把握しておくことが大切です。

本稿ではリウマチ治療薬を、①メトトレキサート、②従来型合成抗リウマチ薬、③生物学的製剤、④分子標的型合成抗リウマチ薬、⑤その他に分類して説明します。

なお、個々の薬剤の詳細な情報については、独立行政法人医薬品医療機器総合機構（PMDA）のホームページ（https://www.pmda.go.jp/）から添付文書を閲覧することができますので、併せてご参照ください。

メトトレキサート（methotrexate；MTX）
（表1）

葉酸代謝拮抗阻害薬であるMTXは、アンカードラッグと呼ばれる疾患活動性を有する関節リウマチ治療の最も基本となる薬剤であり、欧米はもちろんのこと、日本においても、禁忌でなければ第1選択薬とされています（p.73、第1章8参照）[1]。

経口MTXの服用方法は、1週間当たり6～16mg、すなわち2mgカプセルあるいは錠剤で3～8カプセル・錠/週を1～3分割し、分割の場合は12時間間隔で服用するという、ほかにない特殊な方法です。また、副作用の予防・軽減目的で、MTXの服用完了後24時間～48時間後に葉酸（フ

表1 メトトレキサート

一般名	商品名	写真	剤形（先発品）	剤形（後発品）	投与方法	用法用量	針サイズ	包装/注射器の特徴	補助具 名称	補助具 写真
メトトレキサート	リウマトレックス®		カプセル 2mg	カプセル 2mg、錠剤 2mg	経口	6〜16mg/週を1回または2〜3回に分割（12時間間隔）		台紙付き		
	メトジェクト®	（写真は7.5mg シリンジ）	シリンジ 7.5mg 0.15mL、10mg 0.20mL、12.5mg 0.25mL、15mg 0.30mL オートインジェクター承認申請中 ※2023年7月時点	後発品なし	皮下注射	7.5mg〜15mg/週に皮下注射	27G	規格別色分け	メトラック / メトラックN	

ォリアミン®）を服用することが推奨されています[1]。さらには、体調不良時には服薬の延期が必要なこと、服薬を忘れたときにまとめて服用しないこと、服用中は定期的な受診と検査が欠かせないことなどについて、患者さんが理解できているかを繰り返し確認する必要があります。

MTXの副作用には、用量依存性で高頻度に生じる口内炎、食欲不振、倦怠感、嘔気などの軽微なもの、用量依存性で早期発見には定期的な血液検査が欠かせない骨髄抑制や肝障害、用量非依存性で頻度は低いものの間質性肺炎や悪性リンパ腫などの重篤なものがあります。患者さんが自分でMTXの副作用を早期に気づけるよう、日本リウマチ学会が発行している患者さん向け小冊子「メトトレキサートを服用する患者さんへ 第3版」[2]を、MTXを服用予定のすべての患者さんが読むことが望まれますが、少なくともリウマチケアにかかわるメディカルスタッフは、この冊子の内容を理解しておくことが必須です。

ところで、2022年に関節リウマチを適応症とするMTXの注射薬（メトジェクト®皮下注）が発売されました。週1本の投与で済むように7.5mg、10mg、12.5mg、15mgの4規格のプレフィルドシリンジ製剤が自己注射用に用意されており、経口薬と比較して生物学的利用能が高くなること、悪心などの消化器症状が減少することが報告されています。また、注射薬を使用することで、特殊な服用方法であるために生じやすい経口MTXの服用ミスによるリスクを避けることができます。なお、海外で使用されているメトジェクト®のオートインジェクター製剤は、2023年6月の時点で承認申請中となっています。

従来型合成抗リウマチ薬（conventional synthetic DMARDs；csDMARDs）
（表2）

1．免疫抑制薬

免疫細胞を標的としてその機能を抑制する薬剤で、抗リウマチ薬として承認されているのはMTXに加えて、タクロリムス、レフルノミド、ミゾリビンの3剤です。

- タクロリムスは、免疫抑制薬のシクロスポリン、エンドセリン受容体拮抗剤ボセンタン、カリウム保持性利尿薬のスピロノラクトンとトリアムテレンとの併用は禁忌です。また、CYP3A4阻害作用によりタクロリムスの効果が強くなり副作用を生じやすくするため、服用中はグレープフルーツ、ブンタン、ハッサクなどの柑橘類の摂取（ジュースを含む）を控える必要があります。同じ柑橘類でもオレンジやミカン（ジュースを含む）は問題ありません。一方、欧米では抗うつ薬として使用されるセイヨウオトギリソウ（セント・ジョーンズ・ワート）は、日本では健康食品として入手できますが、タクロリムスの作用を弱くすることがあるので、服用中は摂取を控える必要があります。
- レフルノミドは、腸肝循環をする薬の1つで、体外に排泄されるのに時間がかかることから、重篤な副作用が出現したときには、薬物除去のため吸着剤であるコレスチラミンを使用することがあります。
- ミゾリビンは抗リウマチ作用が弱いことから、今日ではリウマチ治療に使用されることはほとんどありません。

2．免疫調整薬

自己免疫疾患でみられる異常な免疫を調整して正常化させる薬剤です。免疫抑制薬と比較して、免疫を抑制する力が弱いことが特徴です。

- サラゾスルファピリジンは消化管障害を軽減するため腸溶剤になっていますので、噛んだり、砕いたりせずに服用するように指導しましょう。また、服用により、皮膚、爪、汗、尿が黄色～黄赤色に変色したり、ソフトコンタクトレンズが同様に着色したりすることがあります。薬の成分の色なので心配する必要はありませんが、気になるときは医師に相談するように説明しましょう。
- ブシラミンは無顆粒球症などの重篤な血液障害とネフローゼなどの腎障害が生じることがあるので、定期的な血液検査と尿検査が必要です。
- イグラチモドは、ワルファリンと併用すると、ワルファリンの作用が増強されて、重篤な出血を起こすことがあるため、併用禁忌です。
- 金チオリンゴ酸ナトリウム、アクタリット、ペニシラミンは、新規に使用されることはほとんどありません。

表2 csDMARDs

分類	一般名	商品名	写真(先発品)	剤形(先発品)	剤形(後発品)	用法用量
免疫抑制薬	タクロリムス	プログラフ®		カプセル 0.5mg、1mg	カプセル 0.5mg、1mg 錠剤 0.5mg、1mg、1.5mg、2mg、3mg	1回3mgを1日1回夕食後 高齢者には1.5mgから開始し、症状により1日1回3mgまで増量
免疫抑制薬	レフルノミド	アラバ®		錠剤 10mg、20mg、100mg	後発品なし	1日1回100mg 3日間から開始し*、維持量として1日1回20mg、あるいは1日1回20mgで開始、患者の状態に応じて10mgに減量
免疫抑制薬	ミゾリビン	ブレディニン®		錠剤 25mg、50mg	錠剤 25mg、50mg	1回50mgを1日3回毎食後
免疫抑制薬	ミゾリビン	ブレディニン® OD		OD錠 25mg、50mg (OD: oral disintegrant、口腔内崩壊錠)	後発品なし	同上
免疫調整薬	サラゾスルファピリジン	アザルフィジン®EN		腸溶錠 250mg、500mg (EN: enteric coated、腸溶錠)	腸溶錠 250mg、500mg	1回500mgを1日2回朝夕食後
免疫調整薬	ブシラミン	リマチル®		錠剤 50mg、100mg	後発品発売中止	1回100mgを1日3回毎食後、効果の得られた後は100~300mg毎食後、1日最大用量300mg**
免疫調整薬	イグラチモド	ケアラム®		錠剤 25mg	錠剤 25mg AG錠 25mg (AG; authorized generic、オーソライズド・ジェネリック)***	1回25mgを1日1回朝食後に4週間以上投与後、1回25mgを1日2回朝夕食後
免疫調整薬	金チオリンゴ酸ナトリウム	シオゾール®		注射薬 10mg、25mg	後発品なし	1回10mgから増量し、毎週もしくは隔週に1回筋注
免疫調整薬	アクタリット	オークル®		錠剤 100mg	錠剤 100mg	1回100mgを1日3回
免疫調整薬	アクタリット	モーバー®		錠剤 100mg	錠剤 100mg	1回100mgを1日3回
免疫調整薬	ペニシラミン	メタルカプターゼ®		カプセル 50mg、100mg	後発品なし	1回100mgを1日1~3回、食間空腹時

*副作用のリスクが高まることから、100mgによるローディングはほとんど行われない
**副作用のリスクが高まることから、300mgでの投与はあまり行われていない
***オーソライズド・ジェネリック：先発医薬品メーカーの許諾を受けて製造された、原薬、添加物、製法等が先発品と同一の後発品

- かつて使用されていたロベンザリットは2020年に、オーラノフィンは2022年にそれぞれ発売が中止されました。

生物学的製剤（biologic DMARDs；bDMARDs）(表3)

生物学的製剤とは、化学的に合成して作られた薬剤ではなく、遺伝子組み換え技術を用いて生物学的技法により作られた薬剤のことです。タンパク質でできた高分子医薬品のため、すべて冷所保存が必要な注射剤です。生物学的製剤には先行バイオ医薬品と、先行品の特許が失効し再審査期間満了後に発売されるバイオ後続品（バイオシミラー、biosimilar；BS）とがあります。

抗リウマチ生物学的製剤には、サイトカインと呼ばれる細胞で作られた炎症を引き起こすタンパク質である腫瘍壊死因子（tumor necrosis factor；TNF）やインターロイキン-6（interleukin-6；IL-6）を標的として抑制する薬剤（TNF阻害薬、IL-6阻害薬）、免疫異常を引き起こすリンパ球の1つであるT細胞を抑える薬剤（T細胞共刺激分子調節薬）に分けられます。B細胞を抑える薬剤（抗CD20抗体製剤）も海外では関節リウマチに対して使用されていますが、日本では適応となっていません。

抗RANKL（recepter activator of nuclear factor-κB ligand）抗体は、関節リウマチに伴う骨びらんの進行抑制に対して使用されます。

生物学的製剤を点滴静注する際には、点滴速度に注意しながら単独で行い、他の注射剤、輸液などと混合してはいけません。さらに、タンパクが凝集してできた微粒子を除去するために、1.2μm以下のインラインフィルターを用いて投与します。重篤な注射時反応が出現することがありますので、緊急時に対応できるように準備をした上で投与を開始し、投与終了後も一定時間、観察を行うことが必要です。なお、注射時反応の既往があれば抗ヒスタミン薬とアセトアミノフェンを用いた予防内服を行います。

皮下注射の際には、注射部位の局所反応に注意しましょう。また、冷たい薬剤による注射時痛を軽減するために、薬剤を投与前に室温に戻しておきます。看護師が注射する場合は上腕部でかまいませんが、自己注射の場合は、腹部または大腿部への投与を指導しましょう。同一箇所への注射を避けて、投与ごとに注射部位を変更しましょう。

皮下注射製剤は多くの場合、自己注射されており、自動注射器であるオートインジェクター製剤を使用するのが主流です。オートインジェクターを「ペン」と呼ぶ製剤もありますが、カートリッジ交換式でクリップのついたインスリンペン型注入器のような、いかにもペンらしい外見ではありません。手指の不自由な関節リウマチ患者さんが握りやすいように、外筒を太めにデザインしたり、転がらないように外筒を角形

表3-1 生物学的製剤

薬剤							補助具		
一般名	構造	商品名	写真	剤形	投与方法	用法・用量	針サイズ	名称	外形	その他特徴
インフリキシマブ	抗ヒトTNFαモノクローナル抗体（キメラ抗体）	先行品：レミケード® BS1：インフリキシマブBS「NK」「CTH」 BS2：インフリキシマブBS「あゆみ」「日医工」 BS3：インフリキシマブBS「ファイザー」		バイアル 100mg	点滴静注	3mg/kgを0, 2, 6週, 以後8週ごと 6週以降効果不十分または減弱時は投与量の増量や投与間隔の短縮が可能であり、上限は10mg/kg（8週間隔）または6mg/kg（最短4週間隔）				キメラ抗体であり、MTXの併用が必須 注射時反応の頻度が高い
				バイアル 10mg, 25mg						
		先行品：エンブレル®		シリンジ 25mg, 50mg/0.5mL, 50mg/1mL	皮下注射	10-25mgを週2回、または25-50mgを週1回	27G	Eグリップ		注射部位の局所反応的高い頻度に起こる
				オートインジェクター 50mg/0.5mL, 50mg/1mL（ペン）			27G	E-ベース E-ハンドル	ボタンあり（上部） 形状はアグリマ・エプラBS「第一三共」と同じ ボタンなり（クリックワイズ本体側面）電動式自己注射器（クリックワイズ）	
エタネルセプト	完全ヒト型可溶性TNFα/LTαレセプター	BS1：エタネルセプトBS「MA」		クリックワイズ用カートリッジ 25mg/0.5mL, 50mg/1mL					クリックワイズ®専用アプリ（クリックノート®）	
				シリンジ 25mg/0.5mL, 50mg/1mL			29G		ボタンなし 形状はアグリマ・エプラBS「MA」と同じ	
				オートインジェクター 25mg/0.5mL, 50mg/1mL（ペン）			27G			
		BS2：エタネルセプトBS「日医工」「TY」*		シリンジ 10mg/1mL**, 25mg/0.5mL, 50mg/1mL （写真は日医工）						
				オートインジェクター 50mg/1mL（ペン）					ボタンなし	

*エタネルセプトBS「TY」は、2021年8月ごろに原薬製造国における新型コロナウイルス感染拡大を理由に出荷停止となって以降、2023年7月の時点でも出荷が停止されたままです。
**エタネルセプトBS「日医工」シリンジ10mg/1mLは、2023年7月時点で出荷が停止されています。

第1章 7 こんなにある 関節リウマチの治療薬

表3-2 生物学的製剤

	一般名	構造	商品名	薬剤 写真	剤形	投与方法	用法・用量	針サイズ	剤形の特徴	補助具 名称	補助具 外形	その他 特徴
TNF阻害薬	アダリムマブ	ヒト型抗ヒトTNFαモノクローナル抗体	先行品：ヒュミラ®		シリンジ 40mg/0.4mL、80mg/0.8mL			29G	ボタンあり（側面上部）形状はリリンキスマブ（スキリーシ®）と同じ	ヒューコN、ヒューコプラスP		
					オートインジェクター 40mg/0.4mL、80mg/0.8mL							
			BS1:アダリムマブBS[FKB]		シリンジ 40mg/0.8mL			29G	ニードルガード付き			
					オートインジェクター 40mg/0.8mL（ペン）							
			BS2:アダリムマブBS[第一三共]		シリンジ 40mg/0.8mL		皮下注射 40mgを2週に1回、効果不十分時1回80mgまで増量可	29G	ボタンあり（上部）、形状はメポリズマブ（ヌーカラ®）、デリパラチド（テリボン®）と同じ			
					オートインジェクター 40mg/0.8mL（ペン）							
			BS3:アダリムマブBS[MA]		シリンジ 40mg/0.4mL、80mg/0.8mL			27G	ボタンなし、形状はエタネルセプトBS[MA]と同じ			
					オートインジェクター 40mg/0.4mL（ペン）			29G				
	ゴリムマブ	ヒト型抗ヒトTNFαモノクローナル抗体	シンポニー®		シリンジ 50mg	皮下注射	MTX併用時：50mgを4週に1回、症状により1回100mgに増量可 MTX併用しないとき：100mgを4週に1回	27G	ニードルガード付き			
					オートインジェクター 50mg			25G	ボタンあり（側面中央）	Sサポートシェル		
	セルトリズマブペゴル	ヒト化抗ヒトTNFαモノクローナル抗体Fab断片	シムジア®		シリンジ 200mg/1mL オートインジェクター（オートクリックス®） 200mg/1mL	皮下注射	シリンジ 200mg/1mLを0、2、4週、以後 200mgを2週ごと、症状安定後は400mgを4週ごとも可	25G	リンケ式キャップ			
					シリンジ 30mg/0.375mL	皮下注射	30mgを4週ごと	27G	ボタンなし			
	オゾラリズマブ	一本鎖ヒト化抗ヒトTNFαロックローナル抗体（ナノボディ®分子）：単一ドメイン抗体	ナノゾラ®		オートインジェクター 30mg/0.375mL				ボタンなし			

表3-3 生物学的製剤

分類	一般名	構造	商品名	剤形	投与方法	用法・用量	針サイズ	剤形の特徴	補助具名称	その他特徴
IL-6阻害薬	トシリズマブ	ヒト化抗ヒトIL-6レセプターモノクローナル抗体	アクテムラ®	バイアル 80mg/4mL, 200mg/10mL, 400mg/20mL	点滴静注	8mg/kgを4週ごと				
				シリンジ 162mg/0.9mL	皮下注射	162mgを2週ごと、効果不十分な場合は1週ごとまで短縮可	27G	ボタンあり(上部)	アクテミー	IL-6阻害によるマスキング作用あり
				オートインジェクター 162mg/0.9mL	皮下注射		27G	ボタンなし	アクテムシンプ補助グリップ	
	サリルマブ	ヒト型抗ヒトIL-6レセプターモノクローナル抗体	ケブザラ®	シリンジ 150mg/1.14mL, 200mg/1.14mL	皮下注射	200mgを2週ごと、状態により150mgに減量	27G	ボタンなしリンク式キャップ	ケブザラク	IL-6阻害によるマスキング作用あり
				オートインジェクター 150mg/1.14mL, 200mg/1.14mL	皮下注射					
T細胞共刺激調節薬	アバタセプト	ヒト細胞傷害性Tリンパ球抗原4(CTLA-4)細胞外ドメインとヒトIgG1Fcドメインの可溶性融合タンパク	オレンシア®	バイアル 250mg	点滴静注	125mgを週1回、初回に負荷投与を行う場合は60kg未満500mg、60kg-100kg 750mg、100kg超 1000mgを点滴静注を同日皮下注射前に実施				
				シリンジ 125mg/1mL	皮下注射		29G	ニードルガード付き	オレンシアガイド	
				オートインジェクター 125mg/1mL	皮下注射		27G	ボタンあり(上部)	オレンシアボード	
抗RANKL抗体	デノスマブ	ヒト型抗RANKLモノクローナル抗体	プラリア®	シリンジ 60mg/1mL	皮下注射	60mgを6カ月に1回、骨びらんの進行が認められる場合は3カ月に1回投与可	27G	ニードルガード付き		効能は、関節リウマチに伴う骨びらんの進行抑制、在宅自己注射適応なし

にするなどの工夫がされているオートインジェクター製剤もあります。プレフィルドシリンジ製剤を自己注射する場合には、注射針を皮下に刺した状態で注射器のシリンジを保持しながらプランジャーを押して薬液を注入するという手技を習得する必要があります。一方で、オートインジェクター製剤では、注射針を見ることなしに、皮下の一定の深さにバネの力で薬液が自動的に注入されるため、手技が簡単なだけでなく、針先が見えないことから、自己注射への不安も軽減されます。プレフィルドシリンジ製剤での自己注射の経験のある患者さんは、針入の角度や深さ、薬剤注入開始のタイミングや注入速度を自分でコントロールできることから、プレフィルドシリンジ製剤を好まれる場合もありますが、手が不自由な関節リウマチ患者さんにとって、手技が簡単で手の力が弱くても自己注射できることはオートインジェクター製剤の最大のメリットです。

オートインジェクター製剤は、注射器を注射部位に押し当ててから注入ボタンを押すことで薬液の注入が開始されるタイプと、注入ボタンがなく注射器を押し当てるだけで注入が開始されるタイプに大別されますが、ボタンのないタイプの方が操作はより簡単です。また、注入ボタンありのオートインジェクターは、注入ボタンの位置でも使い勝手が異なります。さらに、異なる製剤でもオートインジェクターは同じ形状である場合もあります。採用されているすべての薬剤のオートインジェクターの操作方法を把握しておきましょう。

オートインジェクター、プレフィルドシリンジ製剤ともに、自己注射をやりやすくするためのさまざまな専用の補助具が提供されていますので、製剤ごとに補助具の有無と使用方法と、どのような患者さんに適応があるかについて理解しておきましょう。

2022年に、電動式自己注射器とエタネルセプトの専用カートリッジから構成されるエンブレル®クリックワイズ®が発売されました。クリックワイズ®では手順や投与予定日をディスプレイに表示したり、注入速度を調整できたり、センサーで皮膚を感知することから注射器を皮膚に強く押しつける必要がなかったりと、従来のバネ式のオートインジェクターとは異なる電動式自己注射器ならではの機能を備えています。

分子標的型合成抗リウマチ薬（targeted synthetic DMARDs；tsDMARDs）／ヤヌスキナーゼ（Janus kinase；JAK）阻害薬 (表4)

現在使用されている5種類の分子標的型合成抗リウマチ薬は、炎症性サイトカイン受容体の細胞内部に結合するチロシンキナーゼであるヤヌスキナーゼ（JAK）を標的として特異的に阻害します。JAK阻害薬はいずれも生物学的製剤に匹敵する高い有効性が認められています。特徴的な副作用

表4 JAK阻害薬

一般名	商品名	写真	剤形	用法用量
トファシチニブ	ゼルヤンツ®		錠剤 5mg	1回5mgを1日2回
バリシチニブ	オルミエント®		錠剤 2mg、4mg	1回4mgを1日1回、患者の状態に応じて2mgに減量
ペフィシチニブ	スマイラフ®		錠剤 50mg、100mg	1回150mgを1日1回、患者の状態に応じて100mgに減量
ウパダシチニブ	リンヴォック®		錠剤 7.5mg、15mg	1回15mgを1日1回、患者の状態に応じて7.5mgに減量
フィルゴチニブ	ジセレカ®		錠剤 100mg、200mg	1回200mgを1日1回、患者の状態に応じて100mgに減量

として、帯状疱疹が高頻度に生じ、さらに、再発を繰り返したり播種性となったりすることもあるため注意が必要です。

その他
1. ステロイド（グルココルチコイド）（表5）

抗炎症作用と免疫抑制作用など多彩な生理作用を持つステロイド（グルココルチコイド）は、関節リウマチへの臨床応用が1948年に行われ、その成功はヘンチ医師らのノーベル医学・生理学賞の受賞につながりました。しかし、ステロイド特有の多くの副作用のため、今日、リウマチ治療薬としては、限定的・補助的な役割となっています（第1章8、p.76 図5）。なお、プレドニゾロン換算で5mg/日以上の経口ステロイドを3カ月以上継続して服用することが予想される場合には、『ステロイド性骨粗鬆症の管理と治療ガイドライン：2014

表5 経口ステロイド

一般名	商品名	写真（先発品）	剤形（先発品）	剤形（後発品）
プレドニゾロン	プレドニン®		錠剤 5mg	錠剤 1mg、2.5mg、5mg、散剤 1%
メチルプレドニゾロン	メドロール®		錠剤 2mg、4mg	なし

Column

関節リウマチ患者さんも帯状疱疹ワクチンを接種できるようになりました

帯状疱疹の原因は、多くの人が子どものときに感染する「みずぼうそう（水痘）」のウイルスである水痘・帯状疱疹ウイルスです。水痘が治ったあとも、ウイルスは脊髄後根神経節や三叉神経節などに潜伏していて、過労やストレスなどで免疫力が低下するとウイルスが再び活性化して帯状疱疹を発症します。症状は、片側の皮膚分節に沿った皮膚の痛みや水疱の形成を特徴としますが、神経細胞が破壊されることで激しい痛みが長期にわたって続くことがあります。帯状疱疹の予防として50歳以上を対象としたワクチン接種が推奨されていますが、従来用いられてきた生ワクチン（乾燥弱毒生水痘ワクチン「ビケン」）はワクチンウイルスによる発病のおそれがあることから、免疫抑制作用を持つ薬で治療を受けている関節リウマチ患者さんは接種できませんでした。しかし、2020年に販売が開始された乾燥組換え帯状疱疹ワクチン（シングリックス®）は、遺伝子組換技術で合成したウイルスの糖タンパクにアジュバントを加えたワクチンで、感染性がないため、免疫抑制作用を持つ薬で治療を受けていても接種することができます。なお、2023年6月に、シングリックス®の接種対象者が、これまでの50歳以上に加えて、帯状疱疹に罹患するリスクの高い18歳以上にも拡大されました。免疫抑制作用を持つ薬で治療を受けている18歳以上の関節リウマチ患者さんはシングリックス®の接種を受けることができます。

年改訂版』[3)]に沿った予防対策の実施が必要です（第1章12、p.98参照）。

2. 非ステロイド性消炎鎮痛薬（non-steroidal anti-inflammatory drugs；NSAIDs）

炎症を引き起こすプロスタグランジンの合成に関与する酵素であるシクロオキシゲナーゼを阻害してプロスタグランジンの産生を抑えることで、関節の痛みや腫れを軽減する効果があります。関節の破壊を抑えることはできませんが、比較的すみやかに痛みを和らげることができます。

おわりに

抗リウマチ薬の種類は多く、知っておくべき特徴も多様です。さらに、ヒドロキシ

> **Case** 一包化はしたものの
>
> 複数の併発疾患を持つ高齢の患者さんは、実に多くの薬を服用されています。そういった患者さんには、服薬間違いを防止する目的で用法ごとに1つのパックに入れて調剤されることがあり、「一包化」と呼ばれます。ところが、関節リウマチ患者さんは手指の変形のため、一包化のパックをうまく開けられないことがあります。とはいえ、一包化せずにPTP（press through pack）包装やSP（strip package）包装から多くの薬を取り出すことも大変です。そのようなときに、一包化のパックの開封に、変形があっても使いやすいハサミの使用を提案することで問題が一気に解決することがあります。一包化で服薬しやすくなっているはずと思い込まず、服薬状況をしっかりと聞き取ることで、患者さんのニーズに合わせた調剤と服薬方法を提案していきましょう。

Column

バイオセイム

バイオシミラーはバイオ先行品と同等の薬ですが、同一ではありません。バイオ先発品と完全に同一の構造や組成を持つ、バイオ先行品のオーソライズドジェネリックがバイオセイムです。2023年7月の時点では、2019年に発売された腎性貧血の治療薬であるダルベポエチンアルファ「KKF」（先行品はネスプ®）が上市されている唯一のバイオセイムです。なお、バイオセイムの薬価はバイオシミラーと同額に設定されています。

クロロキン、ブルトン型チロシンキナーゼ（Bruton's tyrosine kinase；BTK）阻害薬、抗TNF抗体とステロイドとの抗体薬物複合体（antibody-drug conjugate；ADC）などが抗リウマチ薬として開発が進められています。常に最新の情報を把握して、薬物療法をスムーズに導入し維持することに努めましょう。

引用・参考文献

1) 日本リウマチ学会編. "治療方針". 関節リウマチ診療ガイドライン2020. 東京, 診断と治療社, 2021, 16-9.
2) 日本リウマチ学会MTX診療ガイドライン小委員会. メトトレキサートを服用する患者さんへ 第3版. 2020. https://www.ryumachi-jp.com/pdf/mtx_2020.pdf（2023年5月7日参照）
3) 日本骨代謝学会編. ステロイド性骨粗鬆症の管理と治療ガイドライン：2014年改訂版（和文概略版）. 2014. http://jsbmr.umin.jp/guide/pdf/gioguideline.pdf（2023年6月26日参照）
4) 川合眞一ほか編. 今日の治療薬2023. 東京, 南江堂, 2023, 1440p.

※その他、各薬剤の添付文書を参考に執筆しています。

第1章 これだけは知っておきたいリウマチ最新知識

8 こんなに変わった関節リウマチの治療戦略

神戸大学大学院保健学研究科 リハビリテーション科学領域 准教授
三浦靖史 みうら・やすし

はじめに

　関節リウマチ（rheumatoid arthritis；RA）の治療には、チームで多面的なサポートを行うトータルマネジメントが重要であり、「薬物治療」「整形外科手術」「リハビリテーション」「ケア」の治療4本柱がタイトコントロールによる治療目標の達成を支えています（図1）[1]。これら4本柱のうち薬物治療は、1999年に免疫抑制薬メトトレキサート（methotrexate；MTX）が、2003年に最初の生物学的製剤インフリキシマブが抗リウマチ薬として承認されたことによって飛躍的に強力になり、治療目標も疼痛の緩和から、関節破壊抑制、寛解達成と維持に変わり、さらには2013年に最初のヤヌスキナーゼ（Janus kinase；JAK）阻害薬トファシチニブが承認されたことで経口薬での治療も強力になり、今日では寛解に至ることは、ごく普通のことになりました（図2）。そのため、MTXと生物学的製剤が導入される以前とは異なり、ほかの治療法と比べて薬物治療が格段に重要な役割を果たすようになり、4本柱のなかでも最も太く重要な柱、いわゆる「心柱」のような存在になっています。とはいえ、強力な薬物治療の効果を最大限に発揮させるためには、患者さんのニーズに合ったケアと、身体機能を維持するためのリハビリテーションや整形外科的治療、すなわち非薬物治療・外科的治療も加えた治療戦略が必要です。

　進歩した薬を安全に用いて、強力な抗リウマチ作用を発揮させるためには、適切な対象者に、適切なタイミングで、適切な薬を、適切な手順に従って導入する必要があります。そのために、近年、ガイドライン（指針）あるいはリコメンデーション（推奨）と呼ばれる、臨床の現場で治療方法の決定をサポートするさまざまな指標が、日本（Japan College of Rheumatology；JCR）、米国（American College of Rheumatology；ACR）、欧州（The European League Against Rheumatism；EULAR）の各リウマチ学会で作成されています。ただし、ガイドラインやリコメンデーションは法律のような規制ではありませんので、患者さんと医療者による治療方法の決定を制約するものではありません。また、条件に応じて治療方法を自動的に決めてくれるマニュアルでもありません。

　本稿では、日本リウマチ学会が作成した、『関節リウマチ診療ガイドライン2020』[2]と、『関節リウマチにおけるメトトレキサート（MTX）使用と診療の手引

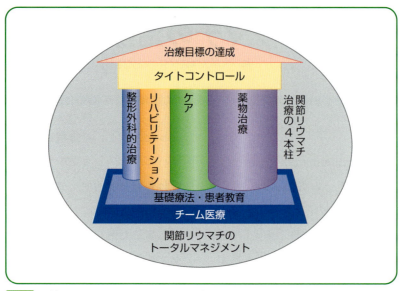

図1 関節リウマチのトータルマネジメントにおける薬物治療の位置づけ

(文献1より改変)

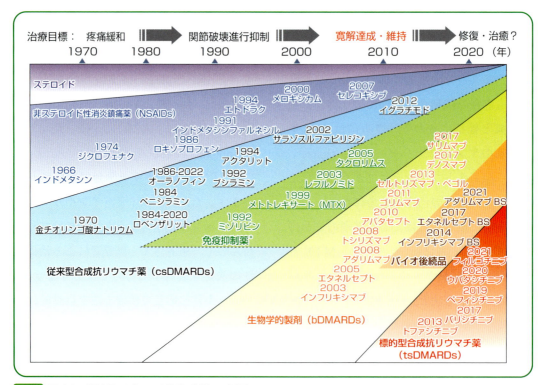

図2 日本におけるリウマチ薬物療法の変遷

『関節リウマチ診療ガイドライン2020』[2]に掲載されているcsDMARDsを下線で示しています。
＊免疫抑制薬はcsDMARDsに含まれます。

き』[3)]に基づいた、非薬物治療も見据えた薬物治療の戦略を説明します。

『関節リウマチ診療ガイドライン2020』における治療方針

日本リウマチ学会が作成した最新の関節リウマチ診療ガイドライン2020年版は、2014年版と同様に、最新のEULAR治療推奨2019年改訂版の治療原則を採用しています（**表1**）[2)]。

薬物治療アルゴリズム

関節リウマチ患者さんとリウマチ医の協働的意思決定に基づく治療選択への指針として、両者が作成した治療推奨から、薬物治療アルゴリズムが作成されました（**図3**）[2)]。

薬物治療アルゴリズムにおいては、T2T（treat RA to target、第1章6［p.54］参照）の治療概念である、6カ月以内の治療目標の達成ができない場合には、次のフェーズに進むことを原則とし、フェーズⅠからⅢへ順に治療を進めていきます。

関節リウマチと診断された場合には、フェーズⅠで、すべてのフェーズにおける基本的薬剤であるMTXを速やかに使用します。ただし、MTXの使用が困難な場合には、他の従来型合成抗リウマチ薬（conventional synthetic disease-modifying anti-rheumatic drug；csDMARD）を使用します。MTX単剤での効果が不十分な場合には、他のcsDMARDの併用も検討しますが、治療目標が達成できない場合には、フェーズⅡに進んで、生物学的製剤（biologic DMARD；bDMARD）あるいは、分子標的型合成抗リウマチ薬（targeted synthetic DMARD；sDMARD）であるヤヌスキナーゼ（Janus kinase；JAK）阻害薬を使用しますが、長期安全性と医療経済的視点から、生物学的製剤の使用を優先します。なお、MTXが併用できない場合の生物学的製剤としてはインターロイキン-6（Interleukin-6；IL-6）阻害薬を優先します。治療目標を達成できない場合には、フェーズⅢに進んで、生物学的製剤やJAK阻害薬を使用しても効果が不十

表1 関節リウマチ診療ガイドライン2020 治療原則

A	関節リウマチ患者の治療目標は最善のケアであり、患者とリウマチ医の協働的意思決定に基づかねばならない．
B	治療方針は、疾患活動性や安全性とその他の患者因子（合併病態、関節破壊の進行など）に基づいて決定する．
C	リウマチ医は関節リウマチ患者の医学的問題にまず対応すべき専門医である．
D	関節リウマチは多様であるため、患者は作用機序が異なる複数の薬剤を必要とする．生涯を通じていくつもの治療を順番に必要とするかもしれない．
E	関節リウマチ患者の個人的、医療的、社会的な費用負担が大きいことを、治療にあたるリウマチ医は考慮すべきである．

（文献2より引用）

分な場合、他の生物学的製剤やJAK阻害薬に変更します。腫瘍壊死因子（tumor necrosis factor；TNF）阻害薬が効果不十分な場合には、非TNF阻害薬への切り替えを優先しますが、その他の薬剤が効果不十分な場合の切り替えの推奨は作成されていません。

治療目標が達成されて維持でき、関節破壊の進行が抑制されて、身体機能が維持されていれば、薬物の減量も考慮されます。

ところで、2014年の診療ガイドラインから2020年改訂において変更されたこととして、副腎皮質ステロイドの全身投与と、非ステロイド性消炎鎮痛薬（non-steroidal anti-inflammatory drugs；NSAIDs）は、抗RANKL抗体とともに、補助的治療と位置づけられました。抗RANKL抗体は、疾患活動性や軟骨破壊への抑制効果はありませんが、骨破壊抑制作用があることから、疾患活動性が低下しても骨びらんの進行がある、リウマトイド因子や抗CCP抗体陽性の患者さんへ使用を考慮します。また、NSAIDsは長期使用での消化管障害などの副作用を考慮して、疼痛緩和のために必要最小量での短期間の使用にとどめます。

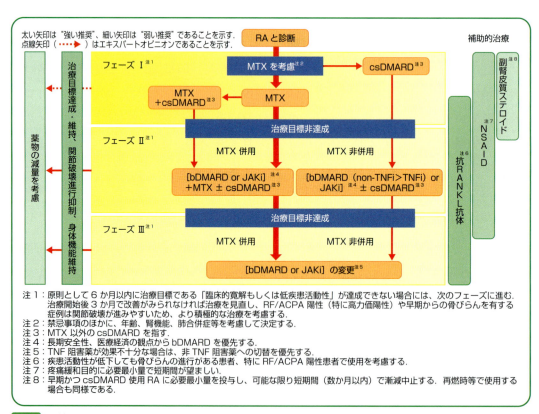

図3 関節リウマチ診療ガイドライン2020 薬物治療アルゴリズム

（文献2より引用）

> **Step Up** ● NSAIDs が中止できないときは ●
>
> 薬物治療アルゴリズムでは NSAIDs の使用をできるだけ限定的にすることが推奨されていますが、関節リウマチ患者さんの高齢化が進んでいる今日、患者さんの訴える疼痛は、関節リウマチに起因するものだけではなく、変形性脊椎症や変形性関節症など、他の疼痛性疾患に起因する場合があり、その場合、抗リウマチ薬で関節リウマチの疾患活動性を良好にコントロールできていても疼痛が改善しないことから、NSAIDs が中止できない患者さんも少なくありません。
>
> NSAIDs のうち、シクロオキシゲナーゼ（cyclooxygenase；COX）-2 選択性の高いセレコキシブは、COX-2 選択性の乏しい NSAIDs と比較して消化管障害や腎機能障害などの副作用が生じにくいと同時に鎮痛作用も強いことから、長期投与がやむを得ない場合は、有力な選択肢となります。ただし、腎機能を確認しながら必要最小量で使用しましょう。

非薬物治療・外科的治療アルゴリズム

さまざまな原因で発症早期から適切な薬物治療を導入できない場合や、導入できても関節破壊や変形が進行する関節リウマチ患者さんは、一定の割合で存在します。このような場合には、関節リウマチ治療4本柱を構成する薬物治療以外の非薬物治療も行う必要があることから、非薬物治療・外科的治療アルゴリズムが新たに作成されました（**図4**)[2]。

薬物治療アルゴリズムに基づいて薬物治療を行っても四肢の関節症状や機能障害が残存する場合に、非薬物治療・外科的治療アルゴリズムの対象となり、フェーズⅠでは画像診断による関節破壊の評価を含む身体機能評価を行った上で、装具療法、生活指導を含むリハビリテーション治療などの包括的な保存的治療を行います。保存的治療を行っても、機能障害や変形が重度の場合や、薬物治療抵抗性の限られた部位の関節炎が残存する場合に、フェーズⅡに進んで、関節機能再建術の適応を検討します。

『関節リウマチにおけるメトトレキサート（MTX）使用と診療の手引きガイドライン 2023年版』

葉酸代謝拮抗作用に基づく免疫抑制薬である MTX は、今日の関節リウマチ治療の中心的薬剤、いわゆるアンカードラッグとして広く使用されています（**図5**)[4]。とくに日本においては 2011 年に、それまで週に 8mg までに制限されていた用量が 16mg までに引き上げられたこと、また、適応がほかの従来型抗リウマチ薬が効果不十分の場合に限定されていたのが、第1選択薬として使用可能に変更されたことから、それまではしばしば認められた "too little, too late"、すなわち、「少なすぎるし

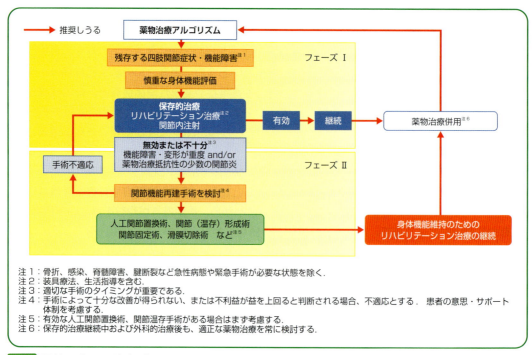

図4 関節リウマチ診療ガイドライン 2020 非薬物治療・外科的治療アルゴリズム

(文献2より引用)

遅すぎる」MTX の使用方法が改められ、MTX が持つ高い抗リウマチ効果が引き出されるようになりました。

関節リウマチ診療ガイドライン薬物治療アルゴリズム[2]で示されているように、基本的な抗リウマチ薬として MTX の使用を考慮し、実際に第1選択薬として速やかに導入するためには、その適応の可否について適切に判断する必要があります。

2023年に改訂された MTX 使用と診療の手引きでは、挙児希望、授乳中、MTX に対する過敏症の既往、重症感染症の合併、重大な血液・リンパ系障害・肝障害の合併、高度の腎障害・呼吸器障害の合併、大量の胸水や腹水の貯留などの、投与禁忌となる条件を明示した上で、感染症の高リ

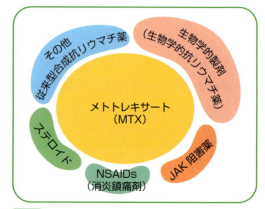

図5 抗リウマチ薬のポジショニング

(文献3より引用)

スク群、血液・リンパ系障害、低アルブミン血症、肝障害、腎障害、呼吸器障害、胸水や腹水の貯留などの、MTX の慎重投与が必要となる基準の提示と、該当した場合の具体的な対応方法が記載されています

表2 MTX慎重投与に相当する患者とその対応

	状態	対応
感染症リスクが高い	65歳以上の高齢者	・肺炎球菌ワクチンの投与 ・インフルエンザワクチンを毎年投与
	潜在性結核感染症が疑われる例	イソニアジドの投与 → 300mg/日、低体重者では5mg/kg体重/日
	ニューモシスチス肺炎の発症リスクが高いと判断される例	スルファメトキサゾール・トリメトプリムによる化学予防 → 1錠または顆粒1g/日を連日 　あるいは2錠または顆粒2g/日を週3回
血液・リンパ系障害を有する	白血球数 < 4,000/mm³ 血小板数 < 100,000/mm³ 薬剤性骨髄障害の既往 ※白血球数 < 3,000/mm³ 　血小板数 < 50,000/mm³ 　は投与禁忌の目安	投与後、慎重に経過観察
	リンパ増殖性疾患の既往 ※過去5年以内の既往は投与禁忌	他の治療選択肢がないか十分に検討
	リンパ節腫脹	悪性リンパ腫を疑う臨床徴候がないことを確認した後、MTX投与を開始
低アルブミン血症を有する	血清アルブミン < 3.0g/dL	MTX減量投与を考慮
肝障害を有する	アルコール常飲者	飲酒を控えるように指導
	B型肝炎ウイルスキャリア、既往感染患者	・MTX投与は極力避ける ・**MTX投与が避けられない場合**：抗ウイルス薬による治療を先行 　（消化器内科専門医と要相談）
	C型肝炎ウイルスキャリア	MTX投与開始前に消化器内科専門医などへの相談を考慮
	AST、ALT、ALP値が基準値の上限の2倍を超える場合	原因を精査し、投与可能か判断する． 投与する場合は、低用量から開始する
腎障害を有する	腎糸球体濾過量（GFR）< 60mL/分/1.73m² に相当する腎機能を有する場合 ※透析患者やGFR < 30mL/分/1.73m² に相当する腎障害は投与禁忌	低用量よりMTX投与を開始 ※症状、末梢血検査、肝機能などの推移を注意深く観察
呼吸器障害を有する	画像検査で、間質性肺炎、COPD、非結核性抗酸菌症の疑い	精査（呼吸器専門医への相談も考慮）
	間質性肺炎（軽度）	少なくとも3カ月間は進行がないか経過観察（自覚症状、身体所見、画像所見） ※KL-6やSP-Dなどの血清バイオマーカーの値は参考程度にとどめる
胸水・腹水を認める	病状軽減などの治療を目的とした穿刺・排液の必要がない程度	低用量よりMTXを開始 ※症状、末梢血検査、肝機能などの推移を注意深く観察

（文献4より引用）

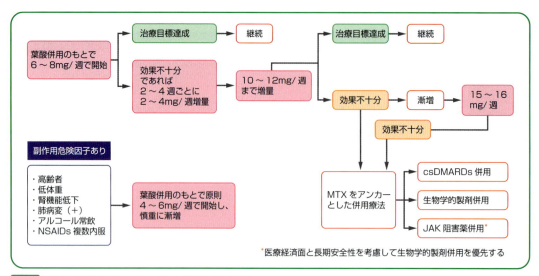

図6 MTX開始時投与量とその後の用量調節

(文献4より改変)

(**表2**)[4]。また、処方開始時のMTXの用量は、経口投与では6〜8mg/週、皮下投与では7.5mg/週を基本としますが、副作用のリスク因子や、疾患活動性、予後不良因子を考慮して決定します（**図6**）[5]。非高齢者でかつ高疾患活動性、関節破壊の予後不良因子がある症例、難治例では、8mg/週での開始が推奨されています[5]。処方開始後は、骨髄障害、間質性肺炎、感染症、リンパ増殖性疾患（lymphoproliferative disorders；LPD）などの副作用の出現に注意を払う必要がありますが、副作用の早期発見と早期対応のために、副作用の初期症状について、また、過量投与を避けるために正しい服薬方法について、患者教育を繰り返し実施することが大切です[6]。

生物学的製剤の選択要因

効果が高く薬価は低いMTXで、薬物治療アルゴリズムのフェーズⅠのうちに治療目標が達成できれば理想的ですが、16mg/週の最大用量でも達成できない場合や、達成していても副作用によって中止しなければならない場合、あるいは、疾患活動性は低くても関節破壊が進行する場合などには、フェーズⅡに進まなければなりません。

フェーズⅡで生物学的製剤を選択する際には、MTX併用の有無が作用機序からの薬剤選択要因の1つとなります。また、作用機序に加えて、患者さんが支払う薬剤費がどれくらいの金額になるのか、投与方法が点滴静注か皮下注射か、あるいは点滴静注と皮下注射の両方が選択できるか、さらに、皮下注射製剤であれば、患者さんが自己注射を実施可能かどうかなど、さまざまな要因が生物学的製剤の選択に関与します。

Step Up ● MTXに関する情報提供のポイント ●

発症早期の関節リウマチ患者さんは、ただでさえ症状や将来への不安が非常に高まっている上に、さらにはじめて内服する抗リウマチ薬のMTXが抗がん薬でもあると聞いただけで、その不安はますます高まってしまいます。副作用の発現に最初に気付くことができるのは患者さん本人であり、起こり得る副作用を詳しく説明する必要があるのは当然ですが、薬局で交付される薬剤情報提供書や製薬メーカーが作成した患者指導箋を読んで、副作用などのマイナス面ばかりに目が行ってしまう患者さんが少なくありません。わかりやすく、かつ、詳細に記載された日本リウマチ学会の患者さん向け小冊子[4)]を用いて、リスクと同時にベネフィットも十分に説明して、患者さんの不安を和らげ、アドヒアランスが保たれるように支援することが大切です。

Case 葉酸製剤の併用

週量6mgのMTXを1カプセルずつ12時間ごとに内服するたびに、葉酸製剤（フォリアミン）を同時に内服していた関節リウマチ患者さんの疾患活動性が高かったため、一般的な葉酸製剤の服用方法、すなわち葉酸製剤の内服をMTXの最終内服の24時間後とし、用量も週に3錠（15mg）から1錠（5mg）にしたところ、速やかに寛解に至りました。このような極端な例はまれですが、葉酸はMTXの用量依存性副作用の軽減だけでなく、効果も減弱させることがあります。米国では葉酸1mg錠の連日投与が行われ、日本でも葉酸散剤で同様に1mgが投与される場合もありますが、日本で販売されているサプリメントの1日分には葉酸が0.4mg程度含まれているものがありますので、サプリメントなど製剤以外の葉酸の摂取にも注意を払う必要があります。

これらの要因のなかでも、患者さんが支払う医療費は、高額な抗リウマチ薬の導入の可否および薬剤の選択に強く影響しますので、抗リウマチ薬の薬剤費と（図7）、自己負担軽減制度の適応可否、適応される場合には適応後の自己負担金額についても把握しておく必要があります。

近年、患者の経済的負担の軽減や医療保険財政の改善などの社会的な要請に基づいて、バイオ後続品（バイオシミラー）の使用が推奨されています。バイオ後続品は、後発品である「ジェネリック」とは異なり、品質、安全性、有効性について先発バイオ製剤と同等、同質であるかの調査が実施されており、抗リウマチ薬としては2014年にインフリキシマブのバイオ後続品が登場し、現在では、エタネルセプトとアダリムマブのバイオ後続品も使用可能となっています。患者さんの経済的負担に目を向ければ、価格が低いバイオ後続品は有力な選択肢のひとつになります。

さらに、承認当初は非常に高額であった生物学的製剤も、年数の経過とともに薬価が下がってきています。特に後続品におい

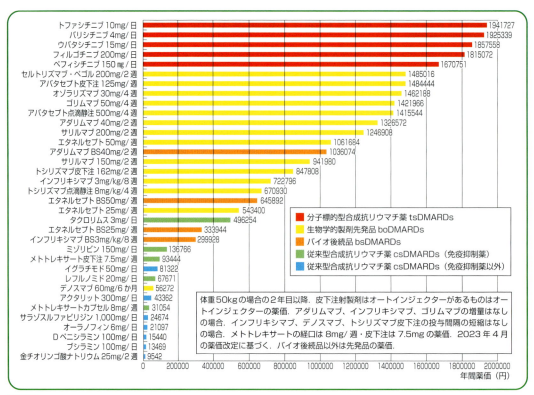

図7 1年間にかかる抗リウマチ薬の薬価

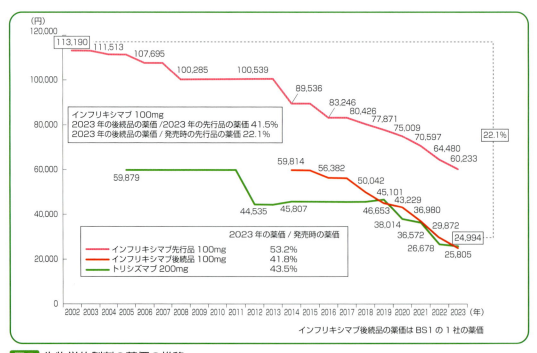

図8 生物学的製剤の薬価の推移

Column

EORA（高齢発症関節リウマチ）とは

近年、関節リウマチ患者さんの高齢化が進んでいます。その中には、治療の進歩にともなって余命が伸びて高齢化した、60歳未満で発症した若年発症関節リウマチ（young-onset rheumatoid arthritis；YORA）患者さんと、長寿化にともなって増加している、60歳以上の高齢になってから発症した、高齢発症関節リウマチ（elderly-onset rheumatoid arthritis；EORA）の患者さんが含まれます。

EORAはYORAと比較して、①男性の割合が高い、②肩や膝のような「大関節」で発症する割合が高い、③突然激しい症状が生じる「急性発症」の頻度が高い、④リウマチ性多発筋痛症のような筋肉痛を合併する頻度が高い、⑤関節破壊の予後不良因子とされるリウマトイド因子（rheumatoid factor；RF）と抗CCP抗体の陽性率は低いものの骨破壊の進行はYORAと同様である、ことが報告されています[7]。どちらの時期に発症した高齢関節リウマチ患者さんであっても、臓器機能の低下とポリファーマシー（多剤服用）による副作用発現リスクの増大や、認知機能の低下にともなう服薬アドヒアランスの低下が懸念されることから、キュアとケアの両面での積極的な介入が望まれます。

ては下がり方が顕著で、インフリキシマブを例に挙げると、関節リウマチへの効能追加から21年が経過して先行品の薬価は当初の53.2％にまで下がりましたが、後続品は9年のうちに41.8％にまで下がり、2023年には後続品の薬価は先行品の41.5％で、先行品の承認当初と比較すれば22.1％、すなわち21年前の四分の一弱の薬価で治療を受けられるようになっています（図8）。また、後続品がない生物学的製剤であっても、トシリズマブ点滴静注用を例に挙げると、市場拡大再算定と新薬創出加算の返還に伴い薬価が引き下げられて、2008年の効能追加時と比較すれば2023年には43.5％、すなわち15年前の半分弱にまで下がっています（図8）。ですので、今日、生物学的製剤イコール高額な薬では必ずしもありませんので、患者さんの費用負担も考慮しながら、必要な薬を必要なタイミングで使用することが大切です。

また、生物学的製剤の自己注射に関しては、剤形の主流がプレフィルドシリンジから、薬液が自動的に注入されるオートインジェクターへと代わったことで、手指の変形と機能の低下が生じている関節リウマチ患者さんでも自己注射をしやすくなり、導入へのハードルが下がりました。とはいえ、高齢リウマチ患者さんにとって自己注射は簡単ではありませんし、オートインジェクターの剤形もさまざまですので、各製剤の特徴を十分に理解しておく必要があります（第1章7参照）。

おわりに

関節リウマチ診療ガイドラインも、関節リウマチにおけるMTX使用と診療の手引

きも、前回の改訂からかなりの部分がアップデートされました。これからも、新しい抗リウマチ薬が登場したり、使い方が変わったりすることが考えられますので、常に新しい情報の収集に努めましょう。

Step Up ● MTX 注射薬のコスト ●

2022年にMTXの注射薬が登場しましたが（p.60、第1章7参照）、注射薬7.5mgと経口薬8mgを比較した場合、注射薬の薬価は経口薬の先行品の2.7倍、後発品の4.1倍と高価な上に（2022年の薬価に基づく）、在宅自己注射指導管理料（750点／月、導入初期加算580点／月［最初の3カ月のみ］、2022年診療報酬に基づく）が生じることも考慮する必要があります（図7）。

Column

医薬品の安定供給への願い

2020年にジェネリック医薬品の抗真菌薬への睡眠導入薬の混入事件が起き、その後、複数の後発品メーカーで薬機法違反が判明し、業務停止等の行政処分が実施され、一時期、後発品全品目の約4割が出荷停止や限定出荷になりました。加えて、新型コロナウイルス感染症の流行により、消炎鎮痛薬などの需要が急増したため、必要な薬を確保できない事態が生じました。一方、バイオ後続品のエタネルセプトBSは発売当初、先行品からの切り替え需要に応えられるだけの供給がなかったり、原薬製造国のひとつのインドでの新型コロナウイルス感染症の感染拡大によって供給が滞り、2023年7月の時点でも一部メーカーは出荷していません。価格差が大きいため、バイオ後続品を先行品に簡単に切り替えることはできません。また、免疫抑制薬のレフルノミドは、フランスでの労働争議のため、2023年2～4月に出荷が一時停止され、後発品も代替薬もないため、服薬を中断せざるを得ないケースが生じました。

治療薬の変更を強いられたり、選択肢を狭められることがないように、医薬品の安定供給を切に願います。

引用・参考文献

1) 三浦靖史."関節リウマチ-リハビリテーション".リウマチ病学テキスト.改訂第2版.日本リウマチ財団教育研修委員会ほか編,東京,診断と治療社,2016,123-6.
2) 日本リウマチ学会編."治療方針".関節リウマチ診療ガイドライン2020.東京,診断と治療社,2021,16-115.
3) 日本リウマチ学会MTX診療ガイドライン小委員会.メトトレキサートを服用する患者さんへ第3版.2020.https://www.ryumachi-jp.com/pdf/mtx_2020.pdf（2023年5月7日参照）.
4) 日本リウマチ学会MTX診療ガイドライン小委員会編."禁忌と慎重投与".関節リウマチにおけるメトトレキサート（MTX）使用と診療の手引き2023年版.東京,羊土社,2023,19-26.
5) 前掲書4)."用量・用法".27-53.
6) 前掲書4)."副作用への対応".79-110.
7) 竹田剛.高齢関節リウマチ患者の治療戦略.日本臨床免疫学会会誌.39(6),2016,497-504.

第1章 これだけは知っておきたいリウマチ最新知識

9 手術治療の現在

宝塚市立病院 リウマチ科 部長
柏木 聡 かしわぎ・さとし

はじめに

関節リウマチ（rheumatoid arthritis；RA）の薬物治療は、メトトレキサート、生物学的製剤、JAK阻害薬の登場で劇的に変わり、関節破壊の抑制も期待できるようになりました。その結果、人工関節置換術や滑膜切除術といった手術が減少傾向にあるものの、手足など残存する関節障害に対する手術数は横ばいであるという報告もあります[1]。本稿では、手術治療の現状について述べていきます。

手術の目的

手術治療は、病状コントロールのために行う場合と、生活をより良くするために行う場合とがあります。前者は疼痛の緩和、炎症の鎮静、神経障害の改善などが、後者は日常生活動作（活動）(activities of daily living；ADL) の向上、歩行の改善、趣味獲得などが目的です。関節リウマチ患者さんは日々の動作を多少不自由でも時間をかけて工夫して行っていますが、より快適な生活を目指すために手術治療を選択することもあるわけです。薬物治療が進歩した今、後者を目的に手術を行うケースが増えています。

手術の種類

大きく分けて、滑膜切除術、関節形成術、関節固定術、人工関節置換術と、4つの手術があります。良好な関節状態（痛みがない、動く、安定している）を保つために、状況に応じた手術方法を選択します[2]。

1．滑膜切除術

関節が保たれているときに、炎症によって腫れた滑膜を取り除く手術です。関節鏡を用いて行うことが多く、脊椎を除いた多くの四肢関節が適応となりますが、術後に再発することもあります。一方、生物学的製剤を使用するなかで1つの関節のみに炎症が残っている場合には、滑膜切除術を行うことで寛解にもち込むことができる可能性もあります[3]。

2．関節形成術

関節がある程度保たれているときに、骨の一部を削って関節を整える手術です。手指、手関節、肘関節、足趾などが適応となります。

3．人工関節置換術

破壊された関節の動きを保つために、人工物を用いて関節を再建する手術です。脊椎を除いた多くの四肢関節が適応となりますが、手術を行う関節によってその長期成績は異なります。

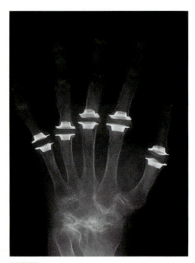

図1 人工指関節置換術

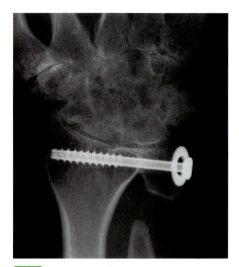

図2 手関節形成術

4. 関節固定術

破壊されて安定性を失った関節を固める手術です。関節を安定させることで痛みを取り除くことはできますが、動きは制限されます。手指、手関節、足関節、足趾、頚椎などが適応となります。

手術を行うときに大切なこと

手術治療は決して100%成功するものではありません。成功させるために大切なことは、関節リウマチの疾患活動性が落ち着いていること、手術のタイミングを誤らないこと、手術の目的を明確にすること、患者さんが手術に対して理解し高いモチベーションをもつこと、などです[4]。しっかり手術治療の目的と内容を共有して、患者さんに納得していただくことが重要です。

各部位に対する手術

1. 上肢の手術

上肢はADLの多くを担います。関節が腫れたり壊れたりしたときには、その病状を抑えたり、関節を再建することを考えていきます。関節リウマチの疾患活動性が落ち着いていても、より良い生活を求めるときや外観改善を求めるときにも適切な手術治療を選択していきます。

a. 手指の手術

関節が保たれているときは、滑膜切除術や関節形成術が行われます。関節破壊が強いときは、関節固定術や人工関節置換術が行われます（図1）。

b. 手関節の手術

関節が保たれているときは、滑膜切除術、関節形成術、人工関節置換術が行われます（図2、3）。関節破壊が激しく脱臼をしているときは、関節の部分固定や全固定が行われます（図4）。滑膜炎が続くと

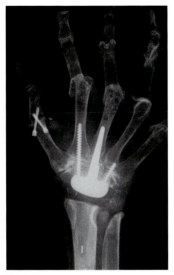

図3 人工手関節置換術

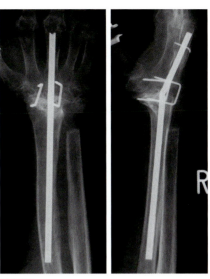

図4 全手関節固定術

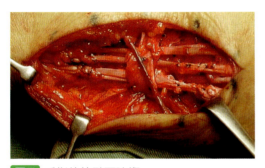

図5 手指伸筋腱再建術

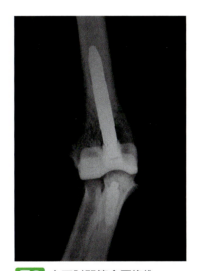

図6 人工肘関節全置換術

腱が切れることもあり、指は動かなくなります。そのときはすみやかに腱をつなぐ手術が行われます（図5）。

c. 肘関節の手術

　関節が保たれているときは、滑膜切除術や関節形成術が行われます。関節破壊が激しいときは、人工関節置換術が行われます（図6）。

d. 肩関節の手術

　関節が保たれているときは、滑膜切除術が行われます。関節破壊が激しいときは、人工骨頭挿入術や人工関節置換術が行われます（図7）。腱板が切れていても、リバース型人工肩関節置換術を用いて手術を行

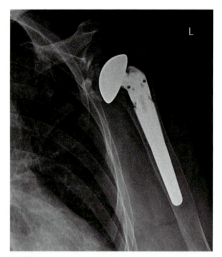

図7 従来型人工肩関節全置換術

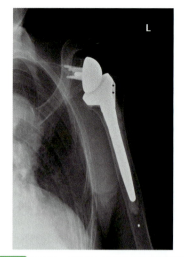

図8 リバース型人工肩関節置換術

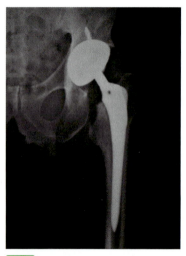

図9 人工股関節全置換術

うこともあります（図8）。

2. 下肢の手術

下肢は移乗動作を担います。関節が腫れたり壊れたりしたときに、自分で移動できる能力を維持すること、より歩行を安定させることを目的に、手術方法を選択していきます。

a. 股関節の手術

関節が保たれているときは、ごくまれに滑膜切除術が行われることがあります。関節破壊が激しいときは、人工関節置換術が行われます（図9）。

b. 膝関節の手術

関節が保たれているときは、滑膜切除術が行われます。関節破壊が激しいときは、人工関節置換術が行われます（図10）。

c. 足関節の手術

関節が保たれているときは、滑膜切除術が行われます。関節破壊が激しいときは、関節固定術や人工関節置換術が行われます（図11、12）。

d. 足趾の手術

足趾の変形によって足底に胼胝を形成することがあり、痛みによる歩行障害につながります。その状況に応じて、骨頭切除術、関節形成術、関節固定術、人工関節置換術などを使い分けて行われます（図

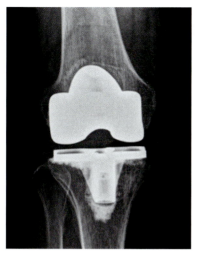

図10 人工膝関節全置換術

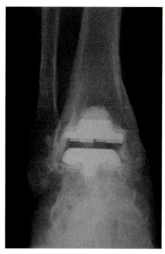

図11 人工足関節全置換術

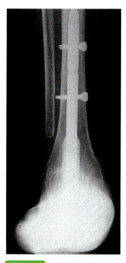

図12 足関節固定術

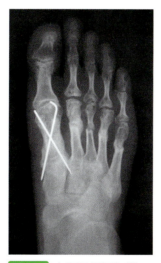

図13 中足骨骨切り術

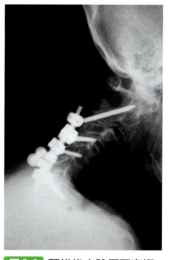

図14 頚椎後方除圧固定術

13）。

3. 脊椎の手術

　薬物治療の進歩で新たな頚椎病変の発生は減少しましたが、既存病変の進行によって手術数は増加傾向にあります[5]。頚部由来の神経障害を起こすと、時に四肢麻痺や呼吸停止につながりますので、頚椎固定を行う必要があります（図14）。

おわりに

　いざ手術を受けるとなると、患者さんは不安でいっぱいになります。しかし、人生の目標を設定し、そのときに手術治療が有効であると判断したなら、積極的に行うこ

Step Up ● ナビゲーションシステムとロボティックアーム支援システム

内視鏡手術支援ロボットである「ダビンチ」はよく知られていますが、近年、整形外科領域においてもコンピューター手術支援システムが取り入れられています。とくに、股関節と膝関節の人工関節置換術において用いられており、インプラントを正確なアライメントで設置することができるナビゲーションシステムが使用されています。さらに、ナビゲーションシステムが進化して、アームを持つロボットが手術器械を正確な位置で保持して、術者を直接サポートするロボティックアーム支援システムが2017年に承認され、導入が進んでいます（図15、16）。（編者：三浦靖史）

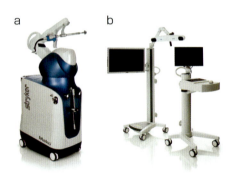

図15 ロボティックアーム支援システム（Mako™、画像提供：日本ストライカー社）
a：ロボティックアーム、b左：カメラスタンド、b右：ガイダンスモジュール

図16 ロボティックアーム支援システムを用いた人工膝関節全置換術の模擬手術（Mako™、画像提供：日本ストライカー社）

とが望ましいと考えます。単に関節が壊れているから手術を行うのではなく、今おかれている状況を十分に評価し、最良の選択をすることで、手術治療は最大の効果を発揮すると信じています。

引用・参考文献

1) Tominaga, A. et al. Surgical intervention for patients with rheumatoid arthritis is declining except for foot and ankle surgery: A single-centre, 20-year observational cohort study. Mod Rheumatol. 33（3）, 2023, 509-16.
2) リウマチ情報センター. 治療―手術療法, http://www.rheuma-net.or.jp/rheuma/rm400/rm400_4.html,（2023年5月参照）.
3) 神戸克明. 関節リウマチに対する滑膜切除術の有効性と問題点. 関節外科. 30, 2011, 56-60.
4) 中川夏子. RA上肢手術の新しい流れ：手について. 臨床リウマチ. 28, 2016, 232-9.
5) Stein, BE. et al. Changing trends in cervical spine fusions in patients with rheumatoid arthritis. Spine. 39(15), 2014, 1178-82.

10 リウマチと肺疾患

神戸大学医学部附属病院 膠原病リウマチ内科 准教授
三枝 淳 さえぐさ・じゅん

はじめに

関節リウマチ（rheumatoid arthritis；RA）患者さんにおいて肺病変を認めた場合には、間質性肺炎などの関節リウマチそのものによる病変に加え、結核菌、非結核性抗酸菌、真菌などによる肺感染症、さらには薬剤性肺炎を鑑別する必要があります。関節リウマチ患者さんの半数以上がなんらかの肺障害を有するともいわれており、しばしば生命予後を左右するために、すみやかな診断と治療が求められます。

関節リウマチそのものによる肺病変

関節リウマチそのものによる肺病変はリウマチ肺とも呼ばれ、広義には間質性肺炎、胸膜炎、肺胞出血、肺梗塞などの多彩な病態が含まれますが、臨床現場では関節リウマチに伴う間質性肺炎をリウマチ肺と呼ぶことが多いです。

1. 間質性肺炎

肺は肺胞という小さな部屋がたくさん集まってできています。吸った空気が気管や気管支を通過して、この肺胞で酸素と二酸化炭素のガス交換が行われることによって、肺は呼吸という役割を果たします。この肺胞の薄い壁に炎症が起こって壁が厚く硬くなり（線維化）、ガス交換がうまくできなくなる病態が間質性肺炎です（図1）。初期症状としては、痰を伴わない咳（乾性咳嗽（がいそう））や、階段や坂道での息切れ（労作時呼吸困難）が多いです。進行すると、着替えなどの日常生活動作（活動）（activities of daily living；ADL）にも支障をきたすようになります。胸部聴診で、パチパチ、パリパリといった音（捻髪音（ねんぱつおん）、ベルクロ音）

Step Up ● 間質性肺炎の病理組織学的分類 ●

関節リウマチに伴う間質性肺炎は、組織型によって細かく分類されています。関節リウマチでよくみられるのは通常型間質性肺炎（usual interstitial pneumonia；UIP）と非特異性間質性肺炎（nonspecific interstitial pneumonia；NSIP）というタイプで、慢性に経過することが多いです。特発性器質化肺炎（cryptogenic organizing pneumonia；COP）はステロイドへの反応がよく予後良好なタイプです。一方、びまん性肺胞障害（diffuse alveolar damage；DAD）は関節リウマチに合併することはまれですが、急速進行性、治療抵抗性で予後不良です。

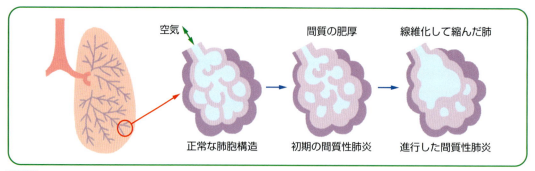

図1 間質性肺炎の進行

が聞かれることが特徴的です。

　治療はステロイドと免疫抑制薬によってなされることが多いですが、間質性肺炎は組織学的にいくつかのタイプに分類され、予後や治療反応性はタイプによって異なります。また、最近は抗線維薬も使用されるようになりました。

　また、関節リウマチ治療のアンカードラッグといわれ、関節リウマチ患者さんの7～8割で使用されているメトトレキサート（methotrexate；MTX）は、1～7％の頻度で間質性肺炎をきたします。MTX以外の抗リウマチ薬にも間質性肺炎をきたすものがあり、関節リウマチそのものによる肺病変との鑑別に苦労するケースもよくあります。薬剤性の可能性がある場合には原因薬剤の中止が最優先されます。

2. そのほかの関節リウマチ固有の肺病変（広義のリウマチ肺）

　肺を覆っている膜である胸膜に炎症が起こる胸膜炎も比較的高頻度にみられる合併症です。胸膜に炎症が起こると肺の外に水がたまります。大量に水がたまると胸痛や呼吸困難をきたすこともありますが、大部分の患者さんではたまる水の量は少量で、無症状のことが多いです。

　肺の肺胞毛細血管が炎症を起こして破綻し、肺胞出血という病態を呈することもあります。出血によって肺胞腔内に血液が充満して呼吸困難や喀血をきたします。また、肺動脈が閉塞して肺梗塞をきたすこともあります。肺胞出血や肺梗塞は、関節リウマチに血管炎を合併した悪性関節リウマチ（欧米ではリウマトイド血管炎と呼ばれる）という病気で認められることが多いです。

関節リウマチ治療薬による肺感染症

　治療中の関節リウマチ患者さんは、生物学的製剤や免疫抑制薬、さらにはステロイドの使用によって免疫抑制状態であることが多いため、細菌性肺炎以外にも、通常ではあまりみられない感染症をきたすこともよくあります。また、関節リウマチ固有の肺病変や気道病変を合併している患者さんのほうが肺感染症をきたしやすいことも知られています。

1. 肺結核

　肺結核は、結核菌によって引き起こされ

る肺感染症です。肺結核は1940～1950年代ごろまではわが国において死因の上位を占めていましたが、結核の治療薬が開発され、予防にも力が注がれてきた結果、結核による死者は大幅に減少しました。しかし、依然としてわが国は先進国のなかでは結核罹患率が高いため、結核は決して過去の病気ではなく「現代の病気」であるという認識が必要です。

結核の症状として、喀血が有名ですが、初期症状は咳、痰、微熱など、風邪とよく似た症状のことが多いです。それらの症状が長く続いた後、体重減少や盗汗なども認めるようになります。

結核は、関節リウマチに対する生物学的製剤の臨床試験時に欧米の結核非多発地域で発症が相次いだため、リウマチ領域で注目されるようになりました。現在わが国では、生物学的製剤の導入前に必ずインターフェロン-γ遊離試験またはツベルクリン反応、胸部X線などによってスクリーニングを行い、潜在性結核（結核菌が体内にあるが発病はしていない状態）が疑われる場合には、生物学的製剤開始前から抗結核薬の予防投与を行うことになっています。しかし、ツベルクリン反応が陰性の患者さんや予防投与が行われた患者さんからも生物学的製剤投与後に活動性結核が認められたとの報告があり、つねに結核発症に対して留意する必要があります。

2. 非結核性抗酸菌症

抗酸菌とは酸に対して抵抗力を示す細菌の総称で、結核菌がその代表です。そして、非結核性抗酸菌は、結核菌とらい菌以外の抗酸菌の総称です。非結核性抗酸菌による感染症のうち、わが国では8割以上が *Mycobacterium avium* か *Mycobacterium intracellulare* によるもので、これらを合わせて *Mycobacterium avium* complex（MAC）症と呼んでいます。1割ほどが *Mycobacterium kansasii* によるもので、残りがそのほかのさまざまな菌で占められています。

非結核性抗酸菌は、形は結核菌にそっくりですが性質はずっと穏やかです。進行は結核菌よりもゆっくりで、慢性感染症の形態をとることが多いです。さらに、結核菌とは異なりヒトからヒトに感染することはないので、患者さんから非結核性抗酸菌が検出されても隔離の必要はなく、一般病棟や外来で治療を行うことができます。ただし、非結核性抗酸菌症は治療法がまだ確立されていません。通常、結核に準じた治療が行われますが、治療反応性は限定的であることも多く、とくに高齢者などでは無投薬で観察することもあります。

3. そのほかの肺感染症

生物学的製剤や免疫抑制薬を使用中の患者さんや、ステロイドを長期間服用している患者さんなどでは、免疫力の低下によって、潜伏感染していた弱毒微生物が増殖して肺炎を発症することがあります。代表的なものは、ニューモシスチス肺炎とサイトメガロウイルス肺炎です。

第1章 これだけは知っておきたいリウマチ最新知識

11 リウマチと肝疾患

大阪医科薬科大学 内科学講座（Ⅳ）専門教授
武内 徹 たけうち・とおる

はじめに

肝疾患は関節リウマチ（rheumatoid arthritis；RA）に多い合併症の一つです。原因としては、薬、自己免疫、肝炎ウイルスなどが挙げられます。関節リウマチでは、メトトレキサート（methotrexate；MTX）を中心とした免疫抑制薬による治療が主流ですが、肝疾患があると関節リウマチの治療は大きく影響されます。そのため、関節リウマチ診療において肝疾患を知っておくことは大切です。本稿ではウイルス性肝炎を中心に解説します。

なぜ関節リウマチにおいて肝炎が注目されているのか？

B型肝炎ウイルス（hepatitis B virus；HBV）にかかると、多くの人は症状が出ることもなくウイルスが体から排除されます。また、一部の人は過去に肝炎を発症したものの今は回復していて、この人たちを既感染者と呼びます。最近、B型肝炎の既感染者でも長期間にわたり肝臓の細胞に肝炎ウイルスの遺伝子が残ってしまうことがわかってきました。また、免疫機能が未熟な乳幼児などにHBVに感染すると、ウイルスが排除されず体内に残ることがあり、キャリアと呼びます。わが国では関節リウマチ患者さんの20％前後が既感染者あるいはキャリアであると報告されています。これらB型肝炎の既感染者やキャリアに対して強い免疫抑制薬による治療をしている間やその後にHBVが血中に検出されることがあり、これをB型肝炎の再活性化といいます。HBVが増加すると肝炎を起こす場合があり、まれに重症化することがあります。

> **Step Up** ● *de novo* B型肝炎とは？ ●
>
> 水平感染によって成人がB型肝炎に感染した場合は急性肝炎を起こし、免疫系がはたらくとHBVは除かれ肝炎はいったん治ります。しかし、肝細胞に感染したHBVは完全二本鎖閉鎖環状DNA（cccDNA）をつくり、長期間にわたり肝細胞に残っていることがわかっています。さらに、HBV cccDNAが残っている既感染者に強い免疫抑制治療やがん化学療法などを行った場合、HBVの再活性化が起こり肝炎を起こすことがあり、*de novo* B型肝炎とよばれています。*de novo* B型肝炎の頻度は低いですが、劇症化することがあり、関節リウマチ治療においても注意が必要です。

まず患者さんに対してどう対応したらいいの？

1. 問診および血液検査

関節リウマチ患者さんに対して、肝疾患の既往歴・家族歴や飲酒歴を聴きます。また、血液検査では、肝機能検査に加えて肝炎ウイルス（HCV抗体・HBs抗原）の検査を行います。肝炎ウイルスの再燃に注意が必要な薬は、MTX、タクロリムス、レフルノミド、生物学的製剤、JAK阻害薬、ステロイドが挙げられ、これらの薬で治療する、あるいは治療の予定がある患者さんには必ず肝炎ウイルスの検査を行います。また、今後登場する治療薬についても同じ対応が必要です。

2. ウイルス性肝炎への対応

急性あるいは慢性ウイルス性肝炎がある場合には肝炎の治療を優先するため、またHBs抗原陽性のHBVキャリアの患者さんである場合には肝炎の増悪の可能性があるため、日本肝臓学会肝臓専門医（肝臓専門医）にコンサルトします。HBs抗原が陰性の場合にはHBs抗体およびHBc抗体を測定します。いずれかが陽性の場合を既感染者と呼びます。既感染者ではガイドライン[1]に従いHBV-DNAウイルス量を測定し、陽性であれば肝臓専門医にコンサルトします。陰性であっても1〜3カ月ごとにモニタリングします。B型肝炎ワクチンを受けたことのある人もHBs抗体のみ陽性になるので注意が必要です。

HCV抗体陽性の患者さんに関しては、DMARDsによる治療がHCV感染に大きな影響を与えません。HCVに対する抗ウイルス薬による治療は有効で、肝臓専門医にコンサルトするとともに通常の関節リウマチ治療を行います。

肝炎ウイルスが陰性である場合には、薬、肥満、飲酒、自己免疫性肝疾患などの原因が考えられます。薬の見直しや生活指導、腹部エコーあるいはCT、抗核抗体や抗ミトコンドリア抗体などを追加します。エプスタイン・バーウイルス（Epstein-Barr virus；EBウイルス）やサイトメガロウイルスなどの肝炎ウイルス以外のウイルスでも肝障害を起こすことがあるので、困ったときは肝臓専門医にコンサルトします。

肝疾患ではどんな症状が出るの？

だるい、疲れやすい、食欲がない、悪心、上腹部の痛みなどの消化器症状、かゆみなどがみられます。肝疾患に特徴的な症状は少なく、これらの症状がみられる場合には肝疾患も疑うことが大切です。

関節リウマチ治療中の患者さんが肝炎ウイルスのキャリア・既感染者の場合は？

先に挙げた薬による免疫抑制療法を急に中止することは、かえって肝炎を重症化させたり、劇症化させたりする可能性があります。免疫抑制療法を続けるのか、中止す

Column

肝炎ウイルスに対する治療の進歩

近年、肝炎ウイルスを標的とした新しい薬が開発され、ウイルスをコントロールあるいは排除できるようになってきました。B型肝炎に関しては、抗ウイルス薬であるエンテカビル、テノホビルによってウイルスを陰性化できますが、抗ウイルス薬を中止するとウイルスは再出現します。C型肝炎においても2014年以降に新たな抗ウイルス薬が登場し、ウイルス排除が可能となってきました。肝炎ウイルスキャリアの数は減少し、初回供血者からの推計から2011年時点で80万人程度とされていますが、肝炎ウイルスに対する知識・検査の普及や治療の進歩によって今後も減少すると思われます。

Case 関節リウマチ治療中に HBV キャリアが判明した症例（図1）

60歳代の男性、約20年前に関節リウマチを発症しました。MTX、ステロイド、ブシラミンなどで治療していましたが、4年前に交通事故による頭部外傷をきっかけにタクロリムス1mg/日で治療を開始しました。X年2月までの採血では肝機能異常はありませんでした。同年6月13日、肝炎ウイルスの検査を実施したところ、ALT：119 IU/L、HBs抗原：1,489/IU/L、HCV抗体陰性と判明し、6月に消化器内科に紹介となりました。その際、HBe抗原陽性、HBV-DNA：7.2 logCopy/mL。B型肝炎ウイルスキャリアからの肝炎発症と診断され、ただちに抗ウイルス薬エンテカビルの投与を行いました。肝炎の悪化はなく軽快し、肝臓専門医と相談の上タクロリムスは継続となりました。

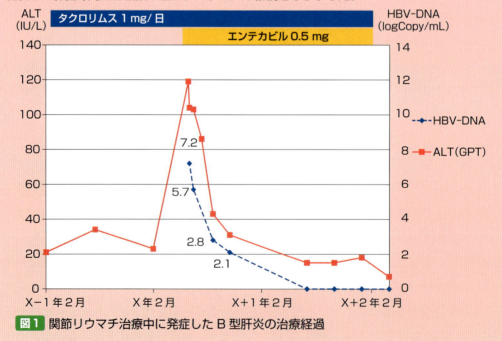

図1 関節リウマチ治療中に発症したB型肝炎の治療経過

るのかは、肝臓専門医とともに慎重に相談して決めます。現時点では抗ウイルス薬を投与していれば免疫抑制療法を続けることができると考えられています。いったん止めた免疫抑制療法の再開は、リスク・ベネフィットバランスを考える必要があります。

引用・参考文献

1) 日本肝臓学会 編. B型肝炎治療ガイドライン. 第4版. 2022. https://www.jsh.or.jp/lib/files/medical/guidelines/jsh_guidlines/B_v4.pdf（2023年5月参照）
2) 日本肝臓学会 編. C型肝炎治療ガイドライン. 第8.2版. 2023. https://www.jsh.or.jp/lib/files/medical/guidelines/jsh_guidlines/C_v8.2_20230316.pdf（2023年5月参照）

12 リウマチと骨粗鬆症

松原メイフラワー病院 整形外科 医長
前田俊恒 まえだ・としひさ

はじめに

　関節リウマチ（rheumatoid arthritis；RA）とは、炎症滑膜が多発性に増殖し、関節の骨軟骨が破壊される自己免疫疾患です。関節リウマチの初期では、滑膜炎に起因して炎症関節近傍の骨量が減少する傍関節性骨粗鬆症が問題となります。しかし、炎症が慢性化し関節局所にとどまらず全身に波及すると全身性骨粗鬆症をきたし、骨の脆弱化につながり骨折リスクが増大します。骨粗鬆症は、関節リウマチ患者さんの約半数が合併しており、関節リウマチの合併症のなかで最も多いものです[1]。本稿では、関節リウマチと骨粗鬆症の関係性、および骨粗鬆症の検査や治療について概説します。

関節リウマチと骨粗鬆症

　関節リウマチにおける骨粗鬆症は、関節局所の滑膜炎に起因する傍関節性骨粗鬆症と、関節リウマチの炎症が慢性化した全身性骨粗鬆症に大別されます。

1. 傍関節性骨粗鬆症

　関節リウマチでは発症早期から炎症関節周囲に骨量減少がみられます。進行すると骨びらんを形成しますが、これは原発性を含むそのほかの骨粗鬆症にはみられない特徴であり、滑膜炎に起因する関節リウマチに特異的な所見です。

2. 全身性骨粗鬆症

　関節リウマチにおける全身性骨粗鬆症には複数の因子が関与しています。関節リウマチでは腫瘍壊死因子α(tumor necrosis factor-α；TNF-α)、インターロイキン1（interleukin-1；IL-1）、インターロイキン6（interleukin-6；IL-6）などの炎症性サイトカインが大量に産生されますが、それらが破骨細胞分化誘導因子（receptor activator of NF-κB ligand；RANKL）を誘導して、あるいは直接的に破骨細胞を活性化し、また骨芽細胞にも作用して高骨代謝回転になり、骨粗鬆化に至ると考えられます。さらに、ステロイドや免疫抑制薬などの薬剤、活動性の低下や加齢、閉経による性ホルモン分泌減少、カルシウムの吸収低下や体重減少などが要因として挙げられます。

骨粗鬆症とは

　WHO（世界保健機関）では、「骨粗鬆症は、低骨量と骨組織の微細構造の異常を特徴とし、骨の脆弱性が増大し、骨折の危険性が増大する疾患である」と定義しています。わが国の骨粗鬆症患者は1,300万人以

上と推測され、今後ますます増加していくと考えられています[2]。骨折を起こすと、日常生活動作（活動）（activities of daily living；ADL）の障害および生活の質（quality of life；QOL）の低下をきたし、生命予後を悪化させます。厚生労働省が発表する「平成25年国民生活基礎調査」によれば、介護が必要となったおもな原因で、転倒・骨折は上位に位置します。骨粗鬆症治療の目標は、骨折を予防することです。

骨粗鬆症の診断

骨粗鬆症を惹起する特定の原因が認められる場合を続発性骨粗鬆症といい、それ以外の骨粗鬆症を原発性骨粗鬆症といいます。関節リウマチに伴なう骨粗鬆症は、続発性骨粗鬆症に分類されます。病歴や食生活、運動習慣などの聴取、身長短縮や円背、低体重などの身体診察、X線や二重エネルギーX線吸収法（dual-energy X-ray absorptiometry；DXA）による骨密度測定、骨代謝マーカーも含めた血液尿検査を行い、続発性骨粗鬆症や低骨量をきたすほかの疾患の有無を検索します。

WHOが提唱した骨折リスク評価ツールであるFRAX®（Fracture Risk Assessment Tool；骨密度と臨床危険因子から個人の今後10年間の骨折の確率を算出するツール）においては、関節リウマチ、ステロイドの使用は独立したリスク因子として挙げられています。関節リウマチ診療においては、メトトレキサートや生物学的製剤、ヤヌスキナーゼ（Janus kinase；JAK）阻害薬の登場によってステロイドの使用頻度や量は以前より少なくなったとはいえ、長期に投与される場合もあり、骨粗鬆症の予防・治療に努める必要があります。また、ステロイドを使用していなくても、プロスタグランジンやサイトカインなどの炎症作用によって、関節リウマチ自体が骨粗鬆症のリスクとなることが知られています。

骨粗鬆症の治療

骨粗鬆症の治療の目的は、骨折を予防し、健康寿命を改善しQOLを維持することです。骨粗鬆症の治療は、食事、栄養指導、運動療法、薬物治療からなります。とくに重要な栄養素として、カルシウム、ビタミンDのほか、ビタミンK、ビタミンBなどが挙げられます。ビタミンDは食事からの摂取以外にも、日光を浴びること

Case　脆弱性骨折に伴う身体症状

椎体骨折が多発し脊柱が後弯して、逆流性食道炎や呼吸機能障害、腹部症状を引き起こしたり、大腿骨近位部骨折によって歩行能力が低下し、フレイルさらには寝たきりに結びつくこともあります。

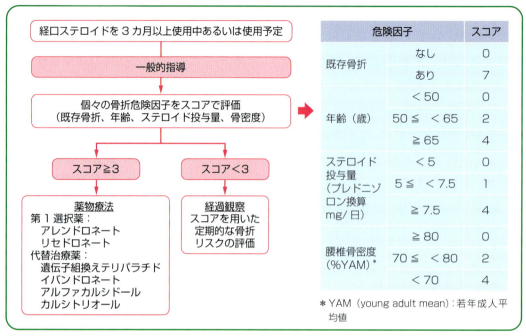

図1 ステロイド性骨粗鬆症の管理と治療ガイドライン：2014年改訂版

経口ステロイドを3カ月以上使用中あるいは使用予定の患者は一般的指導を行い、既存骨折、年齢、ステロイド投与量、骨密度から個々の骨折リスクをスコア化し、合計スコアが3以上であれば薬物療法を行う。経過観察時でもスコアを用いて定期的にリスクの評価を行う。

（文献2より作成）

によって皮膚で合成されます。運動は、筋力を維持して転倒を予防するのみならず、骨への直接的な刺激によって骨形成を促進するのにも効果的です。

ステロイドを使用することも多い関節リウマチに伴う骨粗鬆症では、『ステロイド性骨粗鬆症の管理と治療ガイドライン：2014年改訂版』（図1）[2]も考慮して治療を行います。骨粗鬆症の治療薬として、①ビスホスホネート製剤や抗RANKL抗体製剤、選択的エストロゲン受容体モジュレーター（selective estrogen receptor modulator；SERM）などの骨吸収抑制薬、②副甲状腺ホルモン（parathyroid hormone；PTH）製剤などの骨形成促進薬、③カルシウムや活性型ビタミンD_3製剤などのそのほかの薬剤に分類されます（表1）[2]。関節リウマチの炎症による骨吸収作用やステロイド

> **Step Up** ● ワルファリン服用患者さんの注意点 ●
>
> ビタミンKは骨粗鬆症の治療に用いられます。抗凝固薬であるワルファリン服用者は、納豆などビタミンKを多く含む食品の摂取を制限する必要があります。

表1 ステロイド性骨粗鬆症の治療薬剤の推奨

製剤	薬剤名	推奨度*	剤型・用量
ビスホスホネート製剤	アレンドロネート	A	5 mg/日、35 mg/週 経口、900 μg/4週 点滴
	リセドロネート	A	2.5 mg/日、17.5 mg/週、75 mg/月 経口
	エチドロネート	C	200 mg、400 mg、2週間/3カ月 間欠投与経口
	ミノドロン酸	C	1 mg/日、50 mg/4週 経口
	イバンドロネート	B	1 mg/月 静注、100 mg/月 経口
	ゾレドロン酸	―	5 mg/年 点滴
活性型ビタミンD₃製剤	アルファカルシドール	B	0.25 μg、0.5 μg、1 μg/日 経口
	カルシトリオール	B	0.25 μg、0.5 μg/日 経口
	エルデカルシトール	C	0.5 μg、0.75 μg/日 経口
ヒト副甲状腺ホルモン(1-34)	遺伝子組換えテリパラチド	B	20 μg/1日1回 皮下注
	テリパラチド酢酸塩	C	56.5 μg/週1回、28.2 μg/週2回 皮下注
ビタミンK₂製剤	メナテトレノン	C	45 mg/日 経口
SERM	ラロキシフェン	C	60 mg/日 経口
	バゼドキシフェン	C	20 mg/日 経口
ヒト型抗RANKLモノクローナル抗体	デノスマブ	C	60 mg/6カ月 皮下注

推奨度*
A：第1選択薬として推奨する薬剤
B：第1選択薬が禁忌などで使用できない、早期不耐容である、あるいは第1選択薬の効果が不十分であるときの代替薬として使用する
C：現在のところ推奨するだけの有効性に関するデータが不足している

(文献2より改変)

Step Up ● 骨吸収抑制薬の合併症、副作用①

ビスホスホネート製剤や抗RANKL抗体製剤による治療の合併症の一つである顎骨壊死の発症防止には、口腔内を清潔に保つことが重要です。また、ビスホスホネート製剤や抗RANKL抗体製剤の長期投与に伴う非定型大腿骨骨幹部骨折や抗RANKL抗体製剤の投与初期の低カルシウム血症に注意が必要です。

Step Up ● 骨吸収抑制薬の合併症、副作用②

エストロゲンとは異なりSERMは乳がんの発症リスクを下げますが、静脈血栓症に注意が必要です。

使用を考慮すると、骨吸収抑制薬が適します。作用機序や用法、服薬のタイミングや注意すべき副作用はそれぞれの薬剤で異なります。長期にわたって治療することも考慮して、患者さんの背景や状況に応じて慎重に薬剤を選択することが重要です。

骨粗鬆症リエゾンサービス（OLS）

わが国では2012年に、骨粗鬆症を包括的にマネジメントする骨粗鬆症リエゾンサービス（Osteoporosis Liaison Service；OLS）が開始されました。日本骨粗鬆症学会は、その担い手としての骨粗鬆症マネージャーと骨粗鬆症認定医を育成、認定する制度を発足させました。骨粗鬆症患者さんの診療支援サービスを展開することで、骨粗鬆症診療の向上に大きく寄与することが期待されます。

骨粗鬆症の新規治療薬

2019年3月に抗スクレロスチン抗体製剤のロモソズマブが、2023年1月にhPTHrP（1-34）アナログ製剤のアパロパラチド酢酸塩が、さらに、2019年11月に遺伝子組み換えテリパラチドのバイオシミラーが、2022年9月にテリパラチド酢酸塩の後発品がそれぞれ販売開始され、近年、骨粗鬆症治療薬の選択肢が広がっています。

ロモソズマブは、骨細胞から分泌される糖タンパク質のスクレロスチンに結合し、WNTシグナル伝達の抑制を阻害することで、骨形成を促進しつつ骨吸収を抑制する2つの作用を併せもつ薬剤で、骨折の危険性が高い骨粗鬆症患者さんに月1回、12カ月間皮下注射します。

アパロパラチド酢酸塩は、ヒト副甲状腺ホルモン関連蛋白質（hPTHrP）のアミノ酸配列の一部を改変したアナログ製剤で、骨折の危険性が高い骨粗鬆症患者に1日1回、18カ月間皮下注射します。専用の電動式注入器（オスタバロ®インジェクター）には、操作手順や注射の履歴、各種お知らせ機能など、患者の服薬アドヒアランスを向上させる機能が搭載されているのが特徴です。

おわりに

関節リウマチの治療では、発症早期から炎症を抑制し、局所の骨破壊や全身の骨粗鬆化を防ぐことが重要です。骨破壊に至る関節局所の炎症を抑制するDMARDsや生物学的製剤、JAK阻害薬に加えて、骨代謝回転を改善する骨粗鬆症治療薬を用いることで、骨折リスクを軽減することが大切です。

引用・参考文献

1) 日本リウマチ友の会編. 2015年リウマチ白書＜啓発編＞. 流. 317, 2015.
2) 日本骨代謝学会編. ステロイド性骨粗鬆症の管理と治療ガイドライン：2014年改訂版. 2014, http://jsbmr.umin.jp/guide/pdf/gioguideline.pdf,（2023年5月参照）.

第1章 これだけは知っておきたいリウマチ最新知識

13 リウマチと感染症

兵庫医科大学医学部 臨床検査医学 助教
森本麻衣 もりもと・まい

はじめに

関節リウマチ（rheumatoid arthritis；RA）は、本来感染症や悪性腫瘍から身を守るために備わっている免疫機能が破綻し、自身の関節の成分に対し異常な免疫反応を起こすことにより、関節炎や関節破壊をきたす疾患です。異常な免疫反応を抑えるためには、免疫機能自体を抑制する治療を行う必要があります。そのため、疾患自体もその治療もともに感染症のリスクを高めます。

感染症の観点から見た関節リウマチ患者さんの看護ケアにおいて重要なのは、予防と早期発見と情報共有です。予防のためには患者さんごとに適切なリスクの評価を行い、それに応じた指導・対策を計画する必要があります。また、患者さんに最も近い存在である看護師だからこそ、わずかな異変や患者さんの訴えからいち早く感染を発見できることから、重篤化を未然に防ぐ中心的役割を担っています。さらにチーム医療において、迅速で正確かつ必要十分な情報共有は、適切な医療につなげ、患者さんの命を守るために必要不可欠なものです。

予防について

手洗い、うがい、口腔内の清浄、感染症流行時には人混みを避ける、睡眠や栄養をしっかりとり体力を温存する、といった一般的な感染症予防以外に留意すべき、関節リウマチ患者さんの感染リスクとその対策について挙げていきます。

関節リウマチ患者さん特有の感染リスクとして、疾患そのものによるものと治療によるものとが挙げられます。疾患活動性、変形の度合い、関節外症状や合併症の有無、治療内容などによりリスクは十人十色であり、患者さんごとのリスク要因を精査し看護計画を立てる必要があります（**図1**）。

1. 関節リウマチそのものによる感染リスク

a. 免疫異常によるもの

関節リウマチは自己免疫疾患であり、本来感染症や悪性腫瘍から体を守るためのシステムである免疫機能が破綻し、免疫反応の矛先や反応の強度、反応期間の適正な調節が難しくなります。矛先が病原体のみならず自己のタンパク成分にまで及ぶため、病原体に対して十分に反応できず、易感染をきたします。また、自己のタンパク成分に異常に活性化された免疫が病原体に対して過剰に反応しすぎると命にかかわるような肺炎や血球貪食症候群を起こしますし、

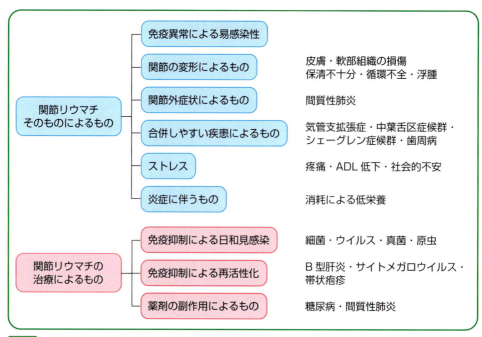

図1 関節リウマチ患者さんの感染リスク

反応しなさすぎると保菌をしたり、慢性的な感染の持続を起こしたりします。また、感染症が終息しても、免疫反応が鎮静化せず、関節リウマチの症状が増悪することもあります。

b．関節変形によるもの

関節の変形によって日常生活動作（活動）（activities of daily living；ADL）が低下し、手指や皮膚の清潔が保ちにくい場合があります。また、変形が原因となるものに浸軟部位の白癬、爪の食い込みや摩擦による皮膚損傷や褥瘡からの細菌感染、人工関節置換術後の感染が挙げられます。

〈対策〉変形の部位や度合いに応じた保清の指導や補助具や保護、装具などの検討、リスク部位の注意深い観察が必要です。それぞれの変形に応じた手洗い指導や泡で出てくる洗浄剤、流しに吸盤で固定できるブラシや口腔内保清用のスポンジの流用などの工夫の提案が必要となります。外科的介入の要否については整形外科医、補助具・装具については整形外科医やリハビリテーション医、セラピスト、皮膚症状については皮膚科医との情報共有やコンサルテーションが有用です。

c．関節外症状によるもの

"リウマチ肺"と呼ばれる間質性肺炎を併発している症例では、正常にガス交換ができる肺の面積が狭く、予備能が低いため肺炎が増悪しやすいです。また、感染症を契機に致死的な肺炎の増悪をきたすことがあります。

〈対策〉呼吸器症状の注意深い観察、特に安静時には問題がなくても労作時に呼吸困難感やSpO₂（酸素飽和度）の低下がある場合、咳嗽の増悪がある場合はすみやかな主治医への情報提供が必要です。

d. 関節リウマチに合併しやすい疾患によるもの

二次性シェーグレン症候群の合併例では、唾液量の低下による齲歯や舌炎、歯肉炎のリスクが上昇します。中葉舌区症候群の合併例が他疾患よりも多く、非結核性抗酸菌症の温床となることがあります。

〈対策〉口腔内の保清指導、乾燥対策の指導（唾液腺マッサージやノンシュガーガムなどの工夫）

e. 炎症によるもの

炎症が遷延すると炎症性サイトカインによる影響で貧血が進行したり、消耗により栄養状態が低下したりします。予備能が低下し、さらに易感染状態になりやすく、感染症が重症化しやすくなります。

〈対策〉栄養状態や食事量の把握、食べやすい食事形態の提案（例えば手指の状況に応じておにぎりへの変更、顎関節炎がある場合の柔らかい食事への変更など）、管理栄養士との情報共有とコンサルテーション（栄養補助食品の併用など）。

f. ストレスによるもの

疼痛やADL低下、就職や進学の制限、経済的負担など、関節リウマチ患者さんはストレスを抱えていることが多く、ストレスは免疫力を下げることが知られています。

〈対策〉思いの傾聴、除痛、保温、医療社会福祉部門・リエゾン部門への情報共有、患者会の紹介。

2. 関節リウマチの治療による感染リスク

a. 薬剤由来のもの

関節リウマチの原因は免疫機能の破綻であり、異常な免疫反応の亢進を抑えるために免疫抑制効果のある薬剤による治療が必要となります。現段階では異常な免疫反応にだけ抑制効果のある薬剤はなく、薬剤により程度の差はあるものの、免疫機能の低下をきたし、易感染状態となります。易感染状態になると、日和見感染や再活性化（健康なときに感染し、体内で免疫力により抑えられていたウイルスや結核菌などが、免疫力が低下することで増殖し病原性をきたすこと）を起こしやすくなります。治療薬やその使用法の進歩に伴い、重篤な感染症をきたす症例数は以前と比較して減少傾向とはいえますが、薬剤の性質上リスクが高いことには変わりなく、注意が必要です。また、TNF阻害薬使用時の結核、JAK阻害薬使用時の帯状疱疹のような、薬剤によって特にリスクが上昇する感染症があるので注意が必要です。

b. 薬剤の副作用によるもの

ステロイドやタクロリムスによる耐糖能異常、メトトレキサートなどによる薬剤性の骨髄抑制による白血球減少、間質性肺炎などが挙げられます。

感染の早期発見について

　主な病原菌の侵入門戸としては、気道や尿路、皮膚の損傷部、留置針やカテーテルなど医療器具の挿入部が挙げられます。感染症が疑われた場合は、一般的なバイタルサインとともにそれらの侵入門戸の異常を早急に察知する必要があります。

　関節リウマチ患者さんは、活動性が高いと炎症による発熱や倦怠感がありますが、免疫治療を行うと炎症反応が抑制され、発熱や血液検査での炎症反応の亢進が抑えられ、感染症の発見が困難であることがあります。特にIL-6阻害薬を使用中の患者さんは薬の性質上CRPが低く抑えられてしまいます。一般常識での感染徴候が通用しないことがしばしばあり、たとえ平熱でも患者さんがいつもと違う、と感じているときには注意して感染徴候をチェックする必要があります。

　細菌感染については大腸菌の場合、十分な栄養があり、体温程度の温度である条件下では20分で2倍に増えるとされ、40分で4倍、80分で8倍…と増殖していくため、早期発見は大切です。日和見感染症の中でも重症化しやすいニューモシスチス肺炎では労作時のSpO_2低下が先行することがあるため、労作時の息切れがある場合、SpO_2の測定や入念な聴診が早期発見につながることがあります。

情報の共有について

　感染症が疑われた場合、関節リウマチ患

Step Up ● 日和見感染について ●

　免疫力が低下し易感染状態になると、通常なら感染しないような弱い病原性の微生物に感染してしまうことがあり、これを日和見感染と呼びます（表1）。とくにニューモシスチス肺炎は重篤化するリスクが高く、進行も早いため、生物学的製剤やプレドロゾニン換算で6mg/日以上のステロイドを使用する際には、ST合剤の予防内服やβ-D-グルカンの定期的なフォローアップを並行して行います。また、日和見感染のなかでもB型肝炎ウイルスやヘルペスウイルス、サイトメガロウイルスは、以前に感染して治癒していたり、潜伏感染し不活性化したりしていたウイルスが免疫抑制を契機に再び活性化され、宿主の体内で増殖する再活性化を起こすことがあります。

表1　おもな日和見感染症

細菌性	・緑膿菌感染症 ・非結核性抗酸菌症 ・MRSA（メチシリン耐性黄色ブドウ球菌）感染症 ・クロストリディオイデス ディフィシル腸炎
真菌性	・ニューモシスチス肺炎・カンジダ症・クリプトコッカス症
原虫性	・トキソプラズマ症

者さんは免疫が抑制されていたり、過剰な免疫反応を起こしたりする傾向があり、重症化しやすいため、より早急に適切な情報共有を行い、速やかに治療へとつなげることが重要です。

一般的なバイタルサインはもちろん、疑っている症状によって必要とされる情報が異なります。気道感染症を疑う場合、SpO_2（とくに労作時SpO_2低下の有無）、咳嗽の有無と性質、痰の有無と性状、可能ならば喀痰などのサンプル採取が提示できればスムーズです。尿路感染症なら残尿感や排尿時痛、下腹部の違和感などの症状の有無、尿の性状（可能ならサンプル採取）、家族や同室者の感染症罹患の有無、皮膚の感染症なら患部の性状、可能ならば膿汁などのスワブや患部写真などのサンプル採取…といったように、平時からシミュレーションをしておくと慌てずに済みます。

再活性化について（表2）

1. B型肝炎ウイルス

B型肝炎ウイルスが再活性化すると、劇症肝炎と呼ばれる非常に重篤な肝炎を引き起こすことがあります。そのため、生物学的製剤の使用前にガイドラインに従って必ずHBs抗原を測定し、陽性の場合は核酸アナログ製剤での治療、陰性の場合でもHBs抗体、HBc抗体を確認し、少なくともどちらかが陽性の場合は、定期的にHBV-DNAをチェックし、検出感度以上になる場合は核酸アナログ製剤で治療を行います。

表2 再活性化をきたすおもな病原微生物

細菌	・結核
ウイルス	・帯状疱疹ウイルス ・B型肝炎ウイルス

2. 水痘帯状疱疹ウイルス

水痘帯状疱疹ウイルスは小児期にみずぼうそうとして発症し、治癒後も神経節にDNAの形で潜伏感染し、免疫抑制を契機に再活性化、帯状疱疹として回帰発症します。発疹が出て3日以内に抗ウイルス薬による治療を開始しないとウイルスの増殖を抑制するのが困難となり、帯状疱疹後神経痛や頭痛、難聴などの神経症状に長く苦しめられることとなります。

関節リウマチの治療の中でもとくにJAK阻害薬は他の抗リウマチ薬の2倍、さらに日本人では他民族と比較して4倍の帯状疱疹発症リスクがあるため、可能ならJAK阻害薬開始前に水痘帯状疱疹ワクチンの接種を行い、患者さんにも帯状疱疹のリスクが高いことと皮疹が現れたら直ちに医療機関を受診するように説明をしています。

3. 結核菌

わが国は2021年に結核蔓延率が人口10万対10を切って、ようやく結核低蔓延国になったばかりです。とはいえ、未だ高蔓延率の地域も存在しており、結核は過去の病気ではありません。

結核菌を吸い込み感染した人の多くは、

免疫機能により結核菌の増殖を阻みます。結核菌は活動性を失いますが、体内で生き延びます（潜在性結核感染症）。潜在性結核感染症の方の多くは一生発症しませんが、免疫力が低下すると再活性化をすることがあります。生物学的製剤の中でも抗TNF阻害薬、特にインフリキシマブ使用患者さんでは発症リスクが4倍上昇し、しかも粟粒結核の罹患率が高いことが知られています。そのため生物学的製剤を使用する前には十分な問診と胸部の画像スクリーニング、インターフェロンγ遊離試験（IGRA：クォンティフェロンまたはT-SPOT検査）を行い、陽性であったり、過去に罹患歴があったりした場合には抗結核薬の予防内服を行います。

Step Up ● COVID-19と関節リウマチ ●

　関節リウマチ患者さんのなかには、治療による免疫抑制のせいで新型コロナウイルス感染症（Coronavirus disease 2019；COVID-19）にかかりやすくなるのではとか、逆にCOVID-19の治療に一部の抗リウマチ薬が有効であったことから治療薬を使用しているのでCOVID-19に感染しても重症化しにくいのでは、といった誤解をしている方もいるかもしれません。

　2023年7月時点では、関節リウマチ患者さんだから、免疫抑制治療をしているからといってCOVID-19にかかりやすくなるといったデータはありません。また、COVID-19に感染した際に重症化のリスクが高くなると報告されている基礎疾患に関節リウマチは該当していません（糖尿病、高血圧、慢性腎臓病、心血管疾患、喫煙者、慢性閉塞性肺疾患、妊娠後期、BMI 30以上の肥満が該当します）。現段階ではCOVID-19の感染予防のために減量や中止が必要なリウマチ治療薬は報告されていません。

　一方、関節リウマチのコントロールが悪いときにCOVID-19に感染すると、重症化しやすくなる可能性があると海外では報告されています。治療薬の減量や治療の中止によって関節リウマチのコントロールが悪くなるほうがCOVID-19感染時の重症化リスクが高くなるため、誤解による治療の中断がないように適切な説明をする必要があります。

　COVID-19の基本的な感染対策として、身体的距離の確保、不織布マスクの着用、30秒程度かけた石鹸による手洗いまたは濃度70％以上のエタノールによる手指消毒が効果的です。

　ワクチンについては、現段階ではワクチン接種によって明らかに関節リウマチが悪化するといった報告はありません。一方、疾患活動性が高いときの接種は推奨されていません。欧州・米国の両リウマチ学会の提言では、ワクチンの接種は追加接種も含め推奨する、としています。

　COVID-19についてはエビデンスの蓄積が不十分であり、常に最新の情報に従って対応を刷新していく必要があります[1]。

> **Step Up** ● 非HIVニューモシスチス肺炎とそのマーカーについて ●

　ヒト免疫不全ウイルス（human immunodeficiency virus；HIV）のニューモシスチス肺炎（PCP）は菌体そのものによる肺炎であるのに対し、非HIV-PCP（HIV感染者でないPCP）は菌体に対する過剰免疫反応によるものであり、前者の10分の1の菌体数でも発症することが知られており、喀痰や気管支肺胞洗浄液中の菌体の確定が困難です。そのため喀痰のPCR検査で診断しますが、結果が出るのに時間がかかるため、発熱、乾性咳嗽、呼吸困難の3徴候と併せ、補助的に深在性真菌感染症のマーカーであるβ-D-グルカンを用いて診断していきます。

　わが国で最も汎用される和光純薬のβ-D-グルカン検査での深在性真菌感染症のカットオフ値は11pg/mLですが、全般的なPCPのガイドライン上の診断カットオフ値は31.1pg/mLとされています。非HIV-PCPがわずかな菌体量で発症することを考えると、非HIV-PCPにおけるカットオフ値はより低い可能性が高く、わが国からの報告では8.5pg/mLが妥当なのでは、との報告があります[2]。

　非HIV-PCPは非常に重篤な間質性肺炎をきたすことから、間質性肺炎のマーカーであるKL-6やSP-Dも診断や病勢の把握、予後予測因子として用い、基準値はそれぞれ500U/mL未満、110.0ng/mL未満です。急速に酸素化が低下した症例に遭遇した場合、身体所見と併せて検査データも確認してみると病態や予後予測の一助となると思います。

Column

関節リウマチの原因のひとつは歯周病だった!?

　関節リウマチの原因としてシトルリン化タンパクが挙げられ、それを認識する抗CCP抗体（抗シトルリン化ペプチド抗体）は関節リウマチのマーカーとして知られています。このシトルリン化タンパクは生体由来ではなく、ペプチジルアルギニン・デアミナーゼ（PAD）によってアルギニンから作られます。歯周病菌である *P. gingivalis* はPADを有する唯一の細菌であることから、関節リウマチの発症や悪化に歯周病が密接に関与しているのではと考えられています。実際に歯周病のある関節リウマチ患者さんの歯周病を治療すると、関節リウマチの活動性が低下するとともにシトルリン化タンパクの血中濃度も下がることが報告されており、口腔ケアは誤嚥性肺炎とはじめとする感染リスクを低下するのみならず、関節リウマチの増悪リスクも低下させることが明らかになりました[3]。

引用・参考文献

1) 新型コロナウイルス（COVID-19）・ワクチンについて. 日本リウマチ学会. https://www.ryumachi-jp.com/information/medical/covid-19/（2023年4月参照）
2) Taniguchi, J. et al. Low cut-off value of serum (1,3)-beta-D-glucan for the diagnosis of Pneumocystis pneumonia in non-HIV patients : a retrospective cohort study. BMC Infectious Diseases. 21 (1), 1200, 2021.
3) Okada, M. et al. Periodontal treatment decreases levels of antibodies to Porphyromonas gingivalis and citrulline in patients with rheumatoid arthritis and periodontitis. J Periodontol. 84, e74-e84, 2013.

リウマチケアと多職種連携 第2章

第2章 リウマチケアと多職種連携

1 リウマチ患者さんとかかわる必要のある医療職

兵庫医科大学看護学部
療養支援看護学 教授
神崎初美 かんざき・はつみ

神戸大学大学院保健学研究科
リハビリテーション科学領域 准教授
三浦靖史 みうら・やすし

　本稿では、リウマチ医療に携わる看護師と連携する多職種の役割について説明します。

医師（Doctor；Dr）

　関節リウマチ（rheumatoid arthritis；RA）は、発病の仕組みからみれば自己免疫疾患で膠原病の一つですし、病変がおもに生じる部位からみれば運動器疾患になります。したがって、診断や治療が必要な状況になった際に、どの診療科を受診すればよいのか、具体的には膠原病内科（免疫内科）か整形外科か悩む関節リウマチ患者さんは少なくありません。この回答は、1996年から標榜が認められた「リウマチ科」を受診することです。とはいえ、リウマチ科の標榜がある医療機関は限られており、また、標榜は自由にできますので、リウマチ専門医を探して受診することが望ましいです。リウマチ専門医は日本リウマチ学会のホームページ（https://pro.ryumachi-net.com/）で検索することができます。

　なお、リウマチ専門医は、専門医の資格としてサブスペシャリティーとなりますので、内科、整形外科、小児科、リハビリテーション科など、基礎領域の専門を必ず有していますが、内科医か整形外科医かで薬物療法に違いがないことが報告されていますので、診療科にこだわる必要はありません。もちろん、手術が必要になった場合には、整形外科を受診することになります。

　通院が困難なため、訪問診療や訪問看護サービスを受けている場合は、かかりつけ医（家庭医）が基礎疾患に加え、関節リウマチを診ている場合もあります。その場合、いつもの治療をしていても関節リウマチの調子が悪くなった場合には、リウマチ専門医を受診することになります。

　通常、大きな病院にいることが多いリウマチ専門医とかかりつけ医の**役割分担**が明確になっている医療が、理想的だといえます。リウマチ専門医とかかりつけ医との緊密な連携のもとに、関節リウマチの病状が安定しているときにはかかりつけ医のもとで、病状が安定しないときにはリウマチ専門医を受診することが推奨されます。かかりつけ医は上手に選ぶ必要がありますが、リウマチ専門医から紹介を受けるのも一つの方法です。

看護師（Nurse；Ns）

　外来通院でも入院でも、関節リウマチ患

者さんが最も多くかかわる医療職は**看護師**でしょう。しかし、外来の看護師はいつも忙しそうにしていると患者さんは言います。身近であるはずの看護師に声をかけづらいのが現状です。なぜ忙しそうなのかについては、理由は２つあると思われます。

1つは、外来を受診する患者さんの数に比べて外来看護師の数が少ないことが挙げられます。病院での看護体制は、入院病棟を重視する傾向があります。実際に、その必要もあるのですが、この何年もの間で状況は変化しています。患者さんの入院日数を減らそうとする国の方針のなかで、外来患者さんはすでに増加し重症化しているのにその対応への修正が行われていません。外来看護の重点化が急務でしょう。

看護師が忙しそうなもう1つの理由として、患者さんの声を聞こうとしない看護師がいるという可能性があります。その理由が忙しさの場合もありますが、患者さんがなにかに困っていたり、不安そうだったら、表情にも言動にも出ると思います。看護師から「どうなさいましたか？」と声をかけられたらどれだけ患者さんは安心することでしょう。

最近の関節リウマチ治療の進歩と複雑化によって、患者さんが多くの治療のなかから自分で治療方法を選べる時代となり、治癒の可能性が広がってきました。

しかし、選択肢が増えるほど患者さんは混乱しています。多くの医師は治療の選択肢を早口で説明し、「自分で選べるので好きな方法を選択して！　わからなければ看護師さんに聞いて！」と言います。こんなときは、看護師の出番なのです。

インターネットの普及によって情報入手は容易になっても、医療の現場では患者さんが適切な情報を入手し自分で選択することはいまだに困難な状況です。

看護師は、医師が患者さんに対して行った診断や治療について、実際にそれがなにを意味するのか具体的に説明します。病状をわかりやすくていねいに、患者さんが理解できることばで簡潔に説明し、時には解剖生理図やモデル、図表を用います。専門用語ではなく、患者さんが理解できることばを使います。必要な治療を説明し、治療が患者さんに与える影響を知らせます。患者さんは、治療を選択できる権利があります。十分に説明した後に患者さんの決断した内容を聞いて意思決定ができない場合は、さらに情報提供し、意思決定ができるように促します。

看護師は、指導・教育だけでなく、患者さんの具合や悩みごと、あるいは考え方や行動について聴きます。患者さんとの会話のなかで偏った考え方があっても、否定するのではなく、丁寧に聞き取りながら、一方で現在との矛盾に患者さんが気づくように質問するようにします。良き相談相手になれるようかかわることが大切です。

このように、看護師の役割は多岐にわたります。医療のほぼすべての局面にかかわっているので、多職種連携のキーパーソン

だといえます。

理学療法士（physical therapist；PT）

患者さんの身体的障害に対して、医師からの指示のもとで、基本的な動作能力の回復を図れるように運動療法を行います。運動療法には、関節可動域（range of motion；ROM）の増大、筋力の増強、神経生理学的運動練習などのほかに、寝返り・起き上がり・起立・歩行などの練習・指導を含みます。補助手段としてホットパック・渦流浴・電磁波・低周波・牽引・マッサージなどの物理療法を行います。

関節リウマチ患者さんに対して、医師がPTにどのような指示を出し、PTはどのようなメニューをどのくらい行っているのかを看護師は把握する必要があります。そして、リハビリテーション（リハビリ）室だけでなく、病棟や自宅で患者さんがそのメニューを安全に行える方法を患者さんに教育し、見守るのも看護師の役割となります。介護する家族にもその内容を伝え適切な支援が受けられるようにすることも必要です。

看護師は患者さんをリハビリ室に送り迎えするだけでなく、リハビリ中の様子（意欲や運動の程度）や、PTの行ったアセスメントを聞いてみるなど、積極的にPTと連携する必要があります。また、患者さんが、将来、自宅や施設でもできるだけ自立するにはどのような運動療法が重要かを、看護師全員が把握するようにします。

作業療法士（occupational therapist；OT）

作業療法とは、人々が日常生活の営みに参加できるよう「応用動作能力と社会的適応能力を回復させる」ことをいいます。OTは、関節リウマチ患者さんに対して、社会復帰するために必要な日常生活動作（活動）（activities of daily living；ADL）に関するリハビリを行います。

移動・食事・排泄・入浴などのADLに関するリハビリは、時には患者さんにとって痛みが出るなどつらい場合もあります。やる気をなくしている場合もあります。

看護師は、リハビリ中の様子（意欲や運動の程度）や、OTの行ったアセスメントを聞いて、看護師がみることの多い、日常動作や生活活動における援助に生かすようにします。

義肢装具士（prosthetist and orthotist；PO）

関節リウマチ患者さんの身体機能の低下を補ってスムーズな日常生活を過ごせるようにさまざまな装具が用いられますが、身体の採型や採寸を行って、身体に適合した装具を作製するのが義肢装具士です。特に、足部の変形に悩む患者さんにとって足底装具や靴形装具の作製は大きなメリットです。装具の作製は医師の処方に基づいて行われますが、看護師は患者さんとのコミ

ュニケーションから装具の適応性を見出して、医師や義肢装具士につなぐ役割を担っています。

歯科衛生士 (dental hygienist)

　関節リウマチ患者さんのなかには、手指関節の変形や肩・肘の痛みなどによって歯ブラシで歯みがきができなかったり、含嗽できない人がおり、口腔内の清潔が保てない場合があります。抗リウマチ薬やステロイドの副作用でも口腔内細菌が繁殖しやすくなります。口腔内環境の悪化は、歯周病、口腔カンジダ症、さらには、誤嚥による肺炎などを引き起こす場合もあります。看護師は日ごろから患者さんに対して、ADLが円滑に行えているか、行えていない場合は口腔ケアについて尋ねるようにして、早めに歯科衛生士と連携できるよう医師に相談し、指示を受けることが重要です。

管理栄養士 (registered dictitian)

　口腔ケア不足によって歯周病やう歯になるなど口腔環境が悪化し、食物摂取が困難な場合には、摂取しやすくするための工夫が必要となります。ステロイドの副作用で、骨粗鬆症になっている患者さんにはカルシウム摂取が必要となりますし、糖尿病になっている患者さんには適切な栄養指導が必要になります。抗リウマチ薬の副作用で腎障害を起こす患者さんもいます。疾患活動性が高い場合は、貧血傾向となっている関節リウマチ患者さんも多いです。

　これらの状況を考えると、なんらかの栄養指導が必要となる場合が多く、看護師は患者さんの状況をアセスメントした上で、管理栄養士と連携して、適切な栄養管理ができるように、栄養指導の実施を調整する必要があります。

薬剤師 (pharmacist)

　関節リウマチ治療における薬物療法の効果はめざましい一方、副作用の危険性はいつもあります。したがって、正しく服用することについての教育指導やその方法と工夫に関する患者さんへの情報提供が重要となります。看護師は、患者さんの身近な存在としていつもその役割を担うことになるため、患者さんの状況をよく把握した上で、薬剤師からのより専門的な知識による説明を依頼することも必要となります。

医療ソーシャルワーカー (medical social worker ; MSW)

　保健医療機関において、社会福祉の立場から患者さんや家族が抱える経済的・心理的・社会的問題の解決、調整を援助し、社会復帰を支援する職種です。

　関節リウマチ患者さんは、治療開始にともなう経済的負担や、身体的な障害から就労が困難になるなど、生活環境を変更せざ

るを得ない場合もあります。そういう場合に、患者さんがMSWに相談することで、MSWは患者さんや家族が必要な情報を提供するとともに、関連する各所に連絡を取るなどの援助を行います。ときには、医師や看護師などの病院スタッフから患者さんに関する相談を受け、患者さんの社会復帰や社会参加に関する調整と支援が始まることもあります。福祉と医療スタッフとの連携なしでは成り立たない仕事であるといえます。

第2章 リウマチケアと多職種連携

2 在宅療養中のリウマチ患者さんの注意すべきポイント

医療法人千寿会 道後温泉病院
リウマチセンター看護部
大西亜子 おおにし・あこ

医療法人千寿会 道後温泉病院
リウマチセンター看護部
松浦深雪 まつうら・みゆき

医療法人千寿会 道後温泉病院
リウマチセンター看護部
山内めぐみ やまうち・めぐみ

　関節リウマチ（rheumatoid arthritis；RA）の治療は、発症早期から生物学的製剤を導入するなど積極的に行うことによって大きく進歩しました。通院治療だけで病状のコントロールが可能な患者さんが増えましたが、一方で在宅自己注射など治療が複雑化し、患者さんが治療薬を自己管理し、チーム医療の一員として治療に参加することが求められるようになりました。また、医師だけでは指導できる時間に限りがあり、専門性の高い看護師による指導やケアが重要となっています。

高齢関節リウマチ患者さんに注意

　現在、当院で治療を受けている関節リウマチ患者さんの約3割が後期高齢者です。メトトレキサート（methotrexate；MTX）を服用している高齢関節リウマチ患者さんで、体調を崩したため食事はあまり摂らずにMTXの服用を続けていたら、腎機能の悪化と骨髄抑制を起こした例がありました。また、徐々に通院間隔を延長していた例では、認知症を発症していたため服薬できておらず、関節リウマチが悪化していました。高齢関節リウマチ患者さんは、予備能力が低下しているため、ちょっとした体調悪化も放置せずに、指導に気を配り、家族へはたらきかけることが必要となります。

転倒を予防しよう

　患者さんは73歳の女性で、関節リウマチ歴44年です。関節リウマチの治療の進歩とともにそのときどきの最新の治療薬を使って治療をしてきました。生物学的製剤も発売開始当初から使用していますが、それまでに関節破壊は進行しており、両股関節と左膝関節に人工関節置換術を受けていますが、肘関節に不安定性がある状態です（図1）。

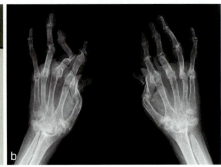

図1 病歴の長い関節リウマチ患者さんの一例
a：手の外観、b：手のX線写真、c：全身像。

〈患者情報〉
握力：右 50 mmHg、左 54 mmHg
自宅：1人暮らし、バリアフリー
移動：歩行器使用
家族：夫はグループホームに居住
キーパーソン：兄
身体障害者手帳：1級
介護保険：利用なし
宅配サービス：夕食のみ利用

この患者さんがもしも段差でつまずいたらどうでしょう。何かにつかまって体を支えることはできず、顔から倒れたら顔面打撲、手をついたら肘や手の骨折、そして大腿骨近位部骨折をする可能性が高いでしょう。その結果、寝たきりになるかもしれません。ですので、高齢者においては転倒予防は大きな課題です。

転倒予防のパンフレット[1]を活用しながら、大腿の筋力を鍛える大腿四頭筋訓練、散歩、足の裏体操、自宅の段差の改善や靴選びなどの指導にも力を入れましょう。

セルフコントロール能力の低下した高齢者への服薬指導

自宅で生活できている高齢の関節リウマチ患者さんには、1人暮らし、もしくは老老介護の状態の人が多くいます。高血圧症・心臓病などで厳格な服薬管理が必要な患者さんや、生物学的製剤の自己注射を行っている患者さんもいます。当院では、定期的に通院している患者さんが「薬が余っているから」と急に通院間隔を延ばしたら、薬が服用できていないのではないかとアセスメントしたり、予約日に来なかった患者さんには連絡するなどの対策を行って

います。また、患者相談に週替わりで看護師が応じて、自宅で何かトラブルが起きたときに電話対応を行うとともに、ケアマネジャー、訪問看護師などと連携し、家族や家族以外の仲のよい友人などキーパーソンを含めて指導するなど、高齢関節リウマチ患者さんのサポート体制を整えています。スタッフ間のカンファレンスでは、認知症の患者さん、要注意の患者さんなどの議題が毎回上がり、情報を共有しています。急に入院となったときには、病棟スタッフと情報交換できるツールを作成し、連携して対応しています。

女性関節リウマチ患者さんへの配慮

関節リウマチ患者さんの多くは女性です。女性の一生には、結婚、妊娠、家事、育児、介護など、さまざまなライフイベントがあるため、発症時期によって、患者さんの悩みは多岐にわたります。

1. 関節リウマチと家事

家庭において家事労働を行う必要のある女性患者さんが大半です。日常生活動作（活動）（activities of daily living；ADL）の障害の程度はHAQ-DI（健康評価質問票を用いた機能障害指数）からある程度とらえることが可能ですが、女性にとって大切な家事労働については十分把握できない現状があります。

a. 患者さんが困っている家事労働

家事労働のなかで「料理の入った鍋やフライパンを持つ」「布団を干す」「アイロンをかける」など、重たい物を持つことに不便さを感じることが多くみられます。また、「洗濯ばさみをつまむ」「野菜の皮をむく」など、手先の作業についても不便さを感じることがみられます。掃除の場面においては「しゃがんで床掃除をしたい」と健常者同様の動作を希望する声も聞かれます。

b. 患者さんが工夫している内容

患者さん自身、関節に負担がかかる動作は避けるべきであると理解しており、床掃除にはモップを使用したり、野菜の皮むきにピーラーを使用するなど、方法や手段を考えながら家事労働をしています。

機能的寛解をしていても、家事労働に不便さや不満を感じている患者さんもいます。患者さんにとって看護師は最も身近な医療職です。在宅での生活に注目し、家事に携わる女性患者さんには「お料理やお掃除はどうされていますか」と声をかけるだけでいろいろな情報が得られます。家事労働のなかで困っていることに対しどのような工夫ができるか、経験を活かした指導や

表1 家事動作において患者さんの工夫している内容

	工夫など
料理場面での工夫	・ガスコンロからIHクッキングヒーターに変更した ・両手鍋を使用する（2重・3重の厚底鍋は使用しない） ・小さい鍋を使う ・調味料（醤油、みりん、料理酒など）はあらかじめ小さいボトルを買う ・無洗米を使用する ・お米を洗うときは泡立て器やしゃもじを使って洗う ・布巾は絞れないのでキッチンペーパーを使う ・固い野菜はレンジで柔らかくしてから切る ・内釜の軽い炊飯器を使う ・軽い食器を使う ・食器を洗うときは水で洗うと後で手が痛くなるため、湯で洗う ・きゅうりなどをしぼるときはジューサーを使う
洗濯場面での工夫	・絡むのを防ぐためすべて洗濯ネットに入れる ・洗剤は小さめの容器入りを買う ・バスタオルなどの大きい物は強めに脱水して軽くする ・アイロンは使わない、干すときにしわをのばして干す ・物干し竿は低い位置にする
掃除場面での工夫	・床掃除は足で拭く ・長い柄のモップで壁や天井などを拭くときはバランスを崩すことがあるため注意する ・日当たりの良いところにベッドを置く ・軽い掃除機を使う

（松浦深雪ほか. 生物学的製剤投与中の女性患者における家事労働の実態調査. 臨床リウマチ. 27（3）, 2015, 171-7 より改変）

アドバイスを行います（**表1**）。しかし、看護師のかかわりには限界があり、実際の動作に対する指導や自助具や装具の作製などの検討は、作業療法士、理学療法士と連携することが重要です。患者さんの不便さや不満を改善することで患者さんのQOL向上へとつなげることが期待できます。

2. 関節リウマチと妊娠・出産

「第3章3 リウマチ患者さんの妊娠・出産の支援」（p.228～）を参照のこと。

抗リウマチ薬の服用について

1. MTXの服薬指導

現在の関節リウマチ治療の主役であるMTXは、関節リウマチ患者さんの70%が服用しているといわれています。きちんと管理すればMTXは決してこわい薬ではありません。インターネットなどで調べると、「抗がん剤」と書かれているために、自己判断で中止する患者さんがいまだにいます。確かにもともとはがんの治療薬として開発されましたが、がん治療時よりもはるかに少ない量で関節リウマチには効果を発揮します。患者さんに正しい知識・情報を伝え、途中で服用を中断したりしないようアドバイスしてください。

どんな薬剤であっても副作用はつきものですが、予防するのはもちろんのこと、多くの副作用は治療できるので早期発見が大切です。MTX処方の際には、まず医師か

表2 MTXの服用を一時休む必要がある体調の変化

感染症が疑われるとき	かぜ症状（のどの痛み、頭痛など）が強いとき、微熱が続くとき、38℃以上の高熱が出たとき、咳や痰の多いとき、いつもと違う息苦しさがあるとき、リンパ節の腫れ、排尿時の痛みなどの膀胱炎症状があるときには、服用を一時中止しましょう。
以前にはなかった口内のただれがあるとき	メトトレキサートの副作用に口内炎があります。メトトレキサートを飲みはじめたり、増やした後に新しい口内のただれがいくつも出てきたときには服用を一時中止しましょう。
脱水症状（尿の出が悪い、口が強く渇く）が強いとき	熱中症、食欲低下、嘔吐、下痢などで脱水症状（尿の出が悪い、口が強く渇く）が強いときにはメトトレキサートの副作用が出やすいので、服用をやめましょう。
皮膚に症状が出たとき	帯状疱疹（チクチク痛む水疱がまとまってできる）、蜂巣炎（皮膚・皮下の細菌による化膿性炎症）や、体の広い範囲に皮膚の症状が出たときには服用を一時中止しましょう。

（文献2より作成）

ら説明がなされます。その後、看護師は日本リウマチ学会が作成した患者向け小冊子[2]などを使い、補足説明をします。その際に「MTXの服用を一時休む必要がある体調の変化」が記載されたページ（**表2**）[2]だけは必ず読んで、「いつもと違うな？あれ体調がおかしいかな？」と思ったときに早めに連絡してくださいとお伝えしています。たくさん話すのではなく、要点をしぼって説明することが大切です。

2. 生物学的製剤投与中の副作用への対策

生物学的製剤もまた、副作用対策が大切です。副作用のなかでも感染症が最も高頻度です。

a. 呼吸器感染症

感染症の4〜5割が呼吸器感染症です。

細菌性肺炎の症状は咳、痰、息切れなどの呼吸器症状と発熱です。症状が出た場合には、すぐに主治医に相談するように勧めましょう。とくにIL-6阻害薬であるトシリズマブ（アクテムラ®）やサリムマブ（ケブザラ®）の投与中は自覚症状の発現が抑えられるため発見が遅れ、重症化してしまう可能性があるので注意が必要です。

● 結核

体内に侵入した結核菌はマクロファージによって貪食され、肉芽腫に封じ込められます。TNF阻害薬はTNF-α産生細胞であるマクロファージを攻撃・破壊するためにいったん封じ込められていた結核が再燃してしまうことがあります。ですので、TNF阻害薬導入後しばらくは抗結核薬を予防内服するなど十分な注意が必要です。なお、MTXによる結核の発症も報告されています。とくに日本においては、結核の罹患率が米国の4倍以上と高いので注意が必要です。結核を疑う症状は、倦怠感、微熱、寝汗、体重減少、咳、リンパ節腫脹などです。

● ニューモシスチス肺炎

ニューモシスチス肺炎は、真菌の一種ニューモシスチス・イロベチイによって引

き起こされる肺炎で、日和見感染症の一つです。症状は、発熱・咳・呼吸困難で、SpO_2の低下などが急速に進行して重症化し予後が悪いので注意が必要です。リンパ球数が$1,000/mm^3$以下に低下していると、ニューモシスチス肺炎を発症する危険性が高くなるため、定期的な血液検査でリンパ球数をチェックします。ニューモシスチス肺炎の予防にスルファメトキサゾール・トリメトプリム合剤（ST合剤）が使用されます。

b. 皮膚感染症

呼吸器感染症に次いで頻度が高いのが皮膚感染症です。蜂窩織炎、帯状疱疹など、いずれも早期治療が重要ですので、小さな変化だからと放置せず、早めに連絡するよ

Step Up ● 退院指導 ●

当院では入院時から「退院支援シート」を使用し、患者さんと家族の思うゴール（目標）を確認し、希望に添えるように考えています。自宅退院希望の患者さんには、できるだけ早期に自宅訪問を行い住宅状況や生活状況を確認し、必要に応じて住宅改修・自助具などのアドバイスをします。そして、入院中からベッドの配置や乗り降りの仕方、生活習慣など可能なかぎり自宅に近い環境にして訓練を行っています。地域のケアマネジャーやソーシャルワーカーなどを交えてカンファレンスを繰り返し、在宅生活を続けるために生活環境を整えることが退院指導で重要となっています（図2）。

長期入院がむずかしい現在、関節リウマチ患者さんのケアは地域でする時代です。訪問看護ステーションの看護師やケアマネジャーと病院の看護師との情報共有が必要です。

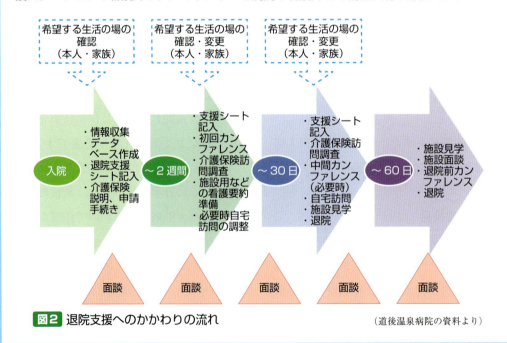

図2 退院支援へのかかわりの流れ　　　　　　　　　　　　　　　　（道後温泉病院の資料より）

うにお伝えしています。

c. そのほかの副作用

今までは、B型肝炎ウイルスは感染しても、一度治ると再活性化しないと考えられていました。しかし、生物学的製剤のような強い免疫抑制薬を使用すると、体に残ったウイルスが再活性化することがわかってきました。

そのほかにも、IL-6阻害薬の副作用である消化管穿孔、TNF阻害薬による全身性エリテマトーデス（systemic lupus erythematosus；SLE）の誘発など、注意してみていく必要があります。いずれも、患者さんによるふだんからの自己管理と定期的な診察・検査が重要です。

オーバーユースについて

生物学的製剤を使用し、関節リウマチの症状が改善されると、患者さんの多くは、ふだんの生活において健常者と同じくらい無理をしたり、仕事をこなそうとしてしまいます。生物学的製剤を使用することにより関節の痛みが一気に改善するため、生物学的製剤を使用する前にすでに軟骨が変性するなど関節破壊が出現しはじめていた関節に、重い荷物を持つなど日常生活で過度に負担をかけてしまい、関節破壊を促進してしまう可能性があります。患者さんには無理をしないことと、疲れを感じたら、休養をとるように声をかけてあげてください。

Column

地域のリウマチ専門病院として患者さんにより良いケアを提供するために

地域の限られたリウマチ専門医療機関として、高度化・複雑化するリウマチケアに向き合い、患者さんにより良いケアを提供するために、必要な仕組みやツールを作成し、試行錯誤を重ねてきました。一人一人の患者さんに寄り添い、患者・家族・職員が笑顔になれるような一歩踏み込んだ看護を今後も提供できるように取り組んでいきたいと思います。

引用・参考文献

1) 日本転倒予防学会監修（武藤芳照）. 転ばない暮らし方ガイド. 東京, 中外製薬株式会社, 2014.
2) 日本リウマチ学会メトトレキサート診療ガイドライン策定小委員会. メトトレキサートを服用する患者さんへ. 第3版. 東京, 日本リウマチ学会, 2020, https://www.ryumachi-jp.com/pdf/mtx_2020.pdf,（2023年6月参照）.
3) 後藤喜代美ほか. "在宅でのリハビリテーション". 納得！実践シリーズ：リウマチ看護パーフェクトマニュアル—正しい知識を理解して効果的なトータルケアができる！. 村澤章ほか編. 東京, 羊土社, 2013, 161-3.

第2章 リウマチケアと多職種連携

3 看護師が知っておきたい外来診療

医療法人千寿会 道後温泉病院 リウマチセンター看護部
大西亜子 おおにし・あこ

はじめに

関節リウマチ（rheumatoid arthritis；RA）治療の主軸が入院から外来へ移行しています。そこで当院では看護師がリウマチ外来でケアを行っています。外来診療において看護師が知っておきたいことを記述します。

関節リウマチの基本的な治療を知ろう

リウマチ看護を行うためには、関節リウマチの基本的な治療を知ることが必要です。

外来看護師が身近で関節リウマチの基本的な治療を学ぶことができる場所は、診察室です。医師が患者さんに説明している内容を聞くことで、本を読むよりも多くのことを学べます。診察室に入ってくる患者さんの歩き方や表情を見ることから始まり、患者さんが語る診察日までの日常の様子を聞き、そして全身の関節をていねいにくまなく観察します。治療の変更内容や必要なリハビリテーションなど、平易なことばで説明されているため、その内容をメモしておけば、後で患者さんから質問を受けたときや悩んでいるときのアドバイスに役立ちます。

関節リウマチ治療の4本柱

1．薬物療法

関節リウマチの治療において中心的役割を担うのが薬物療法です。炎症の原因となる免疫反応を抑える薬や腫れ・痛みを和らげる薬が使用されます。

リウマチ看護における服薬指導や、生物学的製剤投与中の患者さんの生活指導は最重要課題です。服薬継続の有無、副作用対策、感染症予防など、患者さん自身が自分の病気を理解し、対処できるように支援していくことが大切です。

2．手術療法

薬物療法が進歩したとはいえ、今でも手術療法が必要な患者さんもいます。

3．リハビリテーション

リハビリテーションの目的は、全罹病期間を通じた「痛みの軽減」と「関節の変形予防」、「日常生活機能の維持と改善」です。発症早期からの関節保護動作の指導やホットパックなどの物理療法、装具療法、関節可動域訓練や筋力訓練などの運動療法、日常生活動作訓練などの作業療法が実施されます。介護が必要となった場合には、日常生活機能や生活の質（quality of life；QOL）を維持するために、自宅改修・整備を行います。

4. ケア

今日の関節リウマチ治療においては患者さんはチーム医療の一員として、治療に参加し、自己管理できることが求められるようになりました。自己管理をサポートするには医師だけではなく、より専門性の高い看護師によるケアが必要です。

患者さんとともに設定した目標の達成を目指しましょう

1. 新患患者

関節リウマチの治療は飛躍的に進歩し、リウマチと診断されたと同時に治療が開始されます。患者さんはリウマチと診断されたことの衝撃に加えて、「なにかよくわからない薬を飲まなくてはいけない」「どうしてこんなに検査があるの」など、不安でいっぱいです。患者さんから受診予約があった時点で、お薬手帳や既往歴のわかる資料を持参していただくように説明しています。薬物治療の開始にあたっては、患者さんの既往歴（とくに結核や肝炎）、結婚・妊娠、出産を控えていないかなどの情報を収集しておく必要があります。図1は当院で使用している、患者さんが記入する新患問診票です。

この用紙には、リウマチ以外に乾癬や脊椎炎、膠原病などの症状を記入できる欄を設けました。リウマチ患者さんの中には、皮膚の症状などは関係ないと思っている方がいるので、それをできるだけ見逃さないようにと考え改良しました。もう1つ工夫した点は、足趾、足底の症状を記入できるようにしたことです。リウマチ患者さんは女性が多く、足を医師に見せることをためらう方もいますが、いかに早期から足の変形予防を意識してもらえるかが大切だと考えました。この新患問診票に改良したことによって医師の診察時間が短縮され、患者さんがこれまで以上に治療に参画できるようになったと思います。

また、新しい治療を始めたときや、治療薬を変更したときの診察後に患者さんに声をかけると、「私になぜこの薬（メトトレキサート［methotrexate；MTX］）を使うのですか」「サラゾスルファピリジンとMTXってどう違うのですか」などと質問されることがあります。そんなときに看護師は、薬の特徴だけでなく患者さんの背景を知っておくことが必須です。例えば、予後不良因子の1つである抗CCP抗体が陽性の患者さんであったら、「関節破壊が進みやすいおそれがあるので、MTXで早期に関節破壊を抑えるためだと思いますよ。MTXは、関節リウマチ患者さんの7割が使っているお薬ですから安心してください」と話してあげてください。

2. 再診患者

当院では、すべての再診患者さんへ予約票の裏側に再診問診票を印刷しています（図2）。

患者さんが次に受診する際に「前回の受診から変わったことはないか」「医師に質問はないか」など、5つの項目を記入して

【　問診票　】

記入年月日　　年　　月　　日

☆現在服用中の薬剤情報（お薬手帳）や医療機関での検査情報がございましたらお見せください。

氏名	年齢	性別	利き手	身長	体重
	歳	男・女	右・左	cm	kg

何人で暮らしていますか：　　現在または以前の職業：

受診目的：診断・治療・セカンドオピニオン・検査・その他（　　　）

当院をお知りになったのは…医療機関の紹介・友人/知人・当院患者様・インターネット・その他（

いつから、どこに、どんな症状がありますか。また検査等を含め、ご希望があればお書きください。

リウマチが心配、またはリウマチの検査を希望しますか　はい・いいえ

家族歴 関節リウマチ/膠原病/リウマチ性疾患　なし・あり（　　　）

かかったことのある病気について教えてください。

治療中の場合は、治療中に○をして通院している病院名を記入してください。

これまでにかかった病気		
	心臓病（　）歳 治療中【　　】	肝炎 A型（　）歳 治療中【　　】
	糖尿病（　）歳 治療中【　　】	B型（　）歳 治療中【　　】
	高血圧（　）歳 治療中【　　】	C型（　）歳 治療中【　　】
	喘息（　）歳 治療中【　　】	歯周病（　）歳 治療中【　　】
	結核（　）歳 治療中【　　】	骨折（　）歳 治療中【　　】
	その他〈いつ頃〉	〈病名〉
	手術〈いつ頃〉	〈手術内容〉

現在使用中の薬を教えてください（処方された病院名）

使用中のサプリメント・漢方　なし・あり（　　　）

当てはまるものに○をして内容をご記入ください。

その他		
	アレルギー　なし・ある　薬：	その他：
	アルコール　飲まない・飲む　何を？量は？	/日、いつやめた：　　年頃
	タバコ　吸わない・吸う　いつから？量は？　から	/日、いつやめた：　　年頃
	現在の日常生活動作で介助が必要なものはありますか	いいえ・はい（移動・食事・更衣・排泄・入浴）
	現在、妊娠中または授乳中ですか	いいえ・はい
	この1年間で特定健診および高齢者健診を受診しましたか	いいえ・はい
	介護サービス等を利用していますか	いいえ・はい（　　　）

道後温泉病院　2019.4作成　2020.1改訂　2022.12改訂　記載者氏名（　　　）

図1-1 新患問診票①

※RAまたは膠原病、リウマチ性疾患を疑われる方は、看護師が以下を記入。

【問診表２】

氏名（　　　）　記入年月日　　年　　月　　日

症状があるものに✓をして、詳細を記入してください。

□痛みと腫れ	痛いところに✓　腫れているところに○をしてください
□足趾・足底の変化	タコ・うおのめ・外反母趾・（　　　）
□皮膚症状	紫斑・皮疹・レイノー症状・紅斑・浮腫・潰瘍 部位（　　　）
□爪の変化	爪周囲、爪のあま皮の黒色出血点・爪の異常・（　　　）
□腰背部痛	いつ頃から（　　　）
□しびれ	部位（　　）種類：ジンジン、感覚異常、感覚低下、（　　　）
□脱力	部位と程度（　　　）
□呼吸器症状	息切れ・空咳・痰を伴う咳　SpO2（　　）%
□乾燥症状	目・口腔・鼻腔・（　　　）
□口内炎	いつ頃から（　　　）
□消化器症状	胸やけ・便秘・下痢・腹痛（部位：　　）・吐き気 いつ頃から、頻度は（　　　）
□発熱	（　　）℃　いつ頃から（　　　）
□体重減少	（約　　）kg　いつ頃から（　　　）
□眼症状	結膜充血・眼痛・視力低下・視野障害・飛蚊症・（　　　） いつ頃から（　　　）
□その他	脱毛・疲労感・めまい・（　　　）

道後温泉病院　2019. 4

図1-2 新患問診票②

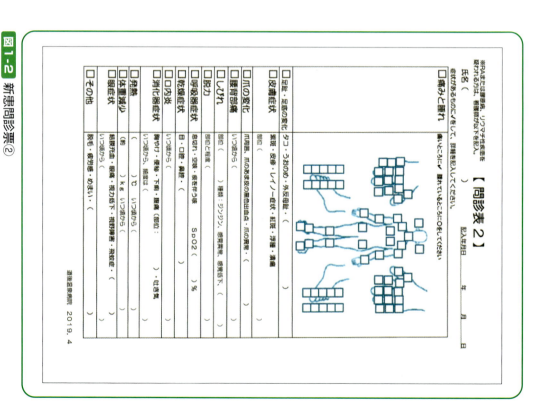

次回　　月　　日希望　**再診問診票**　　　　　月　　日

Bio製剤（在宅／病院）・内服・骨粗鬆症製剤（　　　　　）	氏名

①体調の変化はありましたか 風邪症状・痛み・嘔気・嘔吐・下痢 発疹・膀胱炎症状・口内炎・その他	はい・いいえ	いつから・どこが・どのように・受診は？
②先生に質問はありますか	はい・いいえ	
③その他		

④内服薬の残数と予備について

残数	予備
	要・不要
	（　　　）

NS	

・・・・Bio製剤注射している方のみ・・・・・・・・・・・・・・・・・・・・・・・・・・・・・

最終注射日	残数
月　　日	本

☆廃棄BOX・酒精綿　確認（未・済み）

☆手帳

⑤自己注射について困っていることや、気になっていることはありますか

図2 再診問診票

いただいています。とくに残薬の確認ができるので、患者さん自身が服薬管理をする意識付けになっていると考えています。

関節リウマチの治療は選択肢が増えたことによって、患者さん自身がどんな治療を受けるか選ばないといけない場面が増えました。日本リウマチ学会のガイドライン2020にも、治療法を選択する上で患者さんとの情報共有、共有意思決定（shared decision making；SDM）が大切といわれています。看護師が忙しい業務のなかで、いかに患者さんの意思決定にかかわっていけるかが大切だと考えています。

生物学的製剤導入時には不安の軽減が重要

初めて自己注射を行う患者さんは不安を抱えています。医療スタッフが連携して導

入前の患者説明をていねいに行うことが求められます（**表 1**）。特に生物学製剤導入を断念する理由の約半数が経済的負担であることに注意が必要です。

自己注射指導の実際（図 3）

自己注射のデバイスは各製剤により異なり、簡単に注射ができるように工夫されています。一方で、デバイスごとに操作方法や室温に戻す時間が異なるために、針刺し

表 1 自己注射導入時の患者説明のポイント

同意	・医師から患者さんに説明 ・看護師がスケジュールを説明し、不安・疑問がないか確認 ・医療ソーシャルワーカーや薬剤師などが補足する
リスク評価、合併症の検索、予防剤投与	・全身検査 ・結核予防投与、ニューモシスチス肺炎予防投与（ST 合剤） ・不活化ワクチン（肺炎球菌ワクチン、インフルエンザワクチンなど）接種 ※生ワクチン（水痘、麻疹風疹、流行性耳下腺炎など）接種不可
治療薬の選択	・投与経路、疾患活動性、合併症などに注意 ・併用薬や費用などを考慮
経済的負担の解消	・治療の意義を理解してもらうとともに社会保障制度の活用を促す ・医療費助成制度を知らない患者さんがほとんどなので、詳しい内容は医事課に相談を指示 ・制度は患者自身の申請が必要

生物学的製剤 自己注射指導チェックシート 【 ペン型 ・ シリンジ型 】 (RA用)						患者氏名(　　　　)	
	指導開始日		自己注射トレーニング期間			再指導日(次回受診日)	
月/日	/			/	/	/	
達成目標	□ 自己注射への意欲がもてる		□ 注射手順を理解でき、自己注射に移行できる □ 副作用の理解ができる　□休薬について相談するタイミングが分かる			□ 正しい手技を継続している □ 投与時副作用なく終了できる	
処置薬剤	□ (　　　)		□ (　　　)			□ (　　　)	
準備	□外来保管のBIO必要物品キット		□ BIO必要物品キットの準備			□ 患者手帳(体調管理ノート)	
	(デモ器・補助器具・準備マット・アルコール綿・練習パット・患者手帳(体調管理ノート)・患者カード他)		□手術や体調不良時に相談する必要性について説明		※□ビリーブ説明	□手術や体調不良時に相談する必要性について説明	
			□注射動作前に必ず手洗いをする		(アクテムラのみ)	□ 自己注射の手技確認と指導(口頭もしくは実際に)	
	□払い出しノートにサイン(借用時、返却時)		□ DVD視聴の有無、理解度を確認(有 ・ 無)			□ 手技に対する不安を確認	
指導	□ 自己注射確認チェックシート		□ 注射準備から投与後までの手技確認と指導(チェックシート参照)			□ 持参した「患者手帳」の記入方法の確認	
	□「患者手帳」を渡し、注意すべき症状の説明		□ 手技に対する不安を確認(不安内容は記録し、次回の指導に継続)				
	□ 副作用発現時、体調変化時の連絡方法の確認		□ 持参した「患者手帳」の記入方法の指導				
	□ 自宅での注射実施者の確認(本人 ・ご家族)		□ アルコール綿・廃棄ボックスを渡し、廃棄ボックス回収時期の説明				
	□ DVD視聴案内		□ 薬局で保冷パックの受け取りを指示(次回受診時の保冷剤持参について説明)				
バイタル	カルテ参照		カルテ参照			カルテ参照	
観察	【投与部位】	腹部　大腿 (R ・ L)	【投与部位】	腹部　大腿 (R ・ L)	腹部　大腿 (R ・ L)	【投与部位】	腹部　大腿 (R ・ L)
	【皮膚反応】	有 ・ 無 (発赤 腫脹 痒み 疼痛)	【皮膚反応】	有 ・ 無 (発赤 腫脹 痒み 疼痛)	有 ・ 無 (発赤 腫脹 痒み 疼痛)	【皮膚反応】	有 ・ 無 (発赤 腫脹 痒み 疼痛)
	□ 発熱	有 ・ 無	□ 発熱	有 ・ 無	有 ・ 無	□ 発熱	有 ・ 無
	□ 咳	有 ・ 無	□ 咳	有 ・ 無	有 ・ 無	□ 咳	有 ・ 無
	□ 発疹、皮膚掻痒感	有 ・ 無	□ 発疹、皮膚掻痒感	有 ・ 無	有 ・ 無	□ 発疹、皮膚掻痒感	有 ・ 無
	□ 口内炎	有 ・ 無	□ 口内炎	有 ・ 無	有 ・ 無	□ 口内炎	有 ・ 無
	□ 疲労感、倦怠感	有 ・ 無	□ 疲労感、倦怠感	有 ・ 無	有 ・ 無	□ 疲労感、倦怠感	有 ・ 無
	□ 不安訴え	有 ・ 無	□ 不安訴え	有 ・ 無	有 ・ 無	□ 不安訴え	有 ・ 無
結果	□ 自己注射への本人希望	(1回目・自信つくまで)	□ 自己注射の理解	(○ ・ ×)	(○ ・ ×)	□ 正しい手技の継続	(○ ・ ×)
	□補助器具の使用	有 ・ 無	□ 副作用の理解	(○ ・ ×)	(○ ・ ×)	□自己注射導入後の気持ちや、日常生活で改善された事を聞き、記録に残す	
			□再指導日(次回受診日)の設定・カルテへ付箋紙をはる(○・×)				
看護記録							
サイン	/			/	/	/	
次回予定日							
						H30.6月改定	

図 3 生物学的製剤自己注射指導チェックシート

表2 自己注射指導のポイント

- 初回の患者指導が大切
- デモ器で練習を繰り返し、その後なるべく実薬で投与し自立へ
- 副作用（肺炎、アレルギー反応、アナフィラキシーショックなど）は患者自身が早期発見できるように指導する
  → 息切れ、空咳、全身のだるさ、激しい腹痛やむくみ、呼吸困難等の症状が現れた際には副作用を疑うことを伝える

Column

自己注射指導ではここにも気をつける!

患者さんの体型や注射への恐怖心も加味して、患者さん1人ひとりに合った注射方法を提案することが大切です。例えば、痩せている患者さんで皮下脂肪が1cmつまめない方には自動注射器（オートインジェクター）に代えて、プレフィルドシリンジ製剤の使用を提案したり、大腿部に注射する患者さんには大腿の裏にタオルを置いてみるなどの指導を検討してみてください。

事故や注射部位選択のとまどいも生じています。各製品の特徴を把握し、患者さんへの自己注射の的確なアドバイスが必要となります（**表2**）。

服薬指導が重要

当院では自己注射指導記録のほかにDMARDs（抗リウマチ薬）やJAK阻害薬などの経口服薬指導看護記録を作成しました（**図4**）。DMARDsが効果不十分な患者さんにJAK阻害薬を選択できるようになったこと、院外処方のため生物学的製剤使用時の患者さんより目が配りにくくなるからです。新規経口薬開始時には、看護師または院内薬剤師が服薬指導を行っています（**表3**）。

笑顔・おもてなしの心で

外来看護師は「病院の顔」です。患者さんに接する前に笑顔・声の調子を整え、接する心構えができているでしょうか（**図5**）。

看護師にとっては大勢のなかの1人の患者さんですが、患者さんにとって看護師は、たった1人の存在ともなり得ます。最高のおもてなしをしてください。しんどそうにしている患者さんがいたら「どうされましたか？ 横になられますか？」と声をかけ、いつもと違う服装をしていたら、「素敵な服ですね。今日はどこかに行くのですか？」などちょっとしたことですが、患者さんに声をかけましょう。そうすると、患者さんは喜ばれます。まずは、それが信頼関係をつくる一歩だと思います。

関節リウマチ患者さんの看護対象は、発

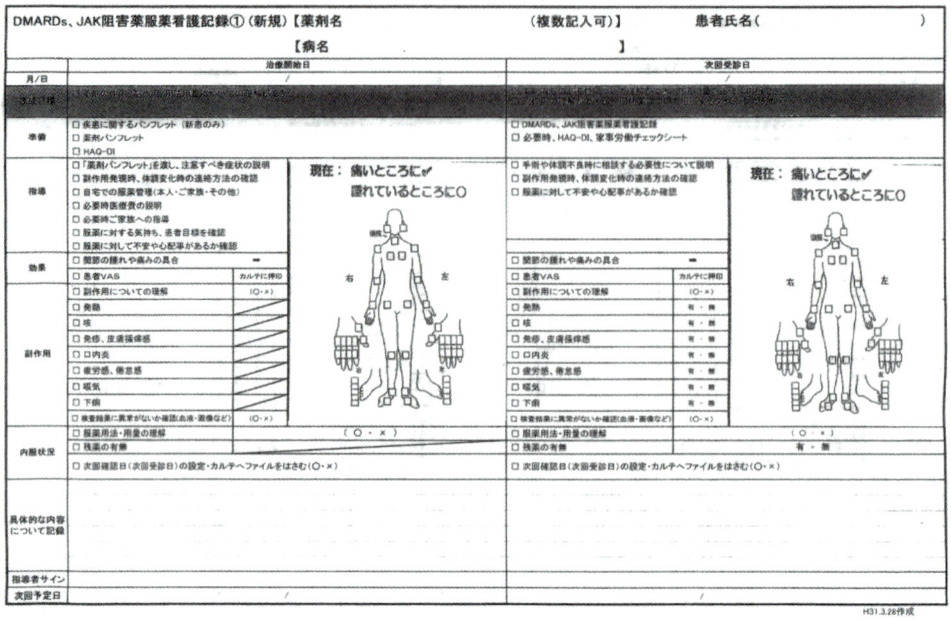

図4 服薬指導看護記録

表3 服薬指導のポイント

・的確な服薬指導でアドヒアランスが向上
・看護師全員が指導できる用紙を作成する
・副作用を見逃さない
・定期的に服薬効果判定を行う
・各製剤の患者向けパンフレットを活用する
・医療費で困っている患者さんには、社会保障制度等の案内をする
・再診時には残薬確認を徹底する

症早期から関節破壊が進行した長期療養中の患者さんとさまざまです。それぞれの患者さんに合ったケアを見いだし、忙しい外来診療のなかでいかにかかわっていくか模索し、患者さんのニーズに沿ったケアを行っていくことが大切です。

図5 外来での対応1分間チェックリスト

(神崎初美作成)

リウマチ看護の醍醐味

　看護師の仕事は、「病の人を看る」仕事です。しかし、この10年、関節リウマチ治療の進歩で「病気が良くなっていく人を看る」機会が増えました。関節リウマチになって、痛みとこの先の不安しかなかった患者さんが元気になり、「結婚しました！子どもができました！」と病院に通ってくる姿をたくさん目の当たりにして、私は患者さんから元気をもらっています。

　リウマチ看護に心酔してしまう理由は、そこにあります。今後も関節リウマチになって不安でいっぱいの患者さんに寄り添いながら、「大丈夫。きっとこの先は、明るいよ」と伝えていきたいと思います。そして多くの看護師がリウマチ看護に携わり、この楽しみを見いだしてくれることを願っています。

Column
看護師だからこそできること

　ある若い関節リウマチ患者さんから、「近々結婚するかもしれないので、相手の男性を連れて受診してよいですか？」と尋ねられて、祝福のことばとともに快諾しました。しばらくして、その患者さんがいつもどおりに受診されて、診察もそろそろ終わりというころに突如泣き出されたので、驚いて事情を尋ねると、相手の両親が病気を理由に会ってくれず、男性も結婚に腰が引けてしまって、破談になってしまったということでした。
　どのようなことばで慰めてよいのか途方にくれる私に代わって、看護師が患者さんの話を傾聴してくれたおかげで、気分が落ち着いた患者さんは笑顔で帰っていかれました。
　専門性の高いリウマチケアはもちろん大切ですが、多職種で行う関節リウマチ患者さんのトータルマネジメントにおいては、ほかのどの職種よりも患者さんに寄り添える看護の特性を最大限生かしていただければと思います。（編者：三浦靖史）

第2章 リウマチケアと多職種連携

4 災害時の対応

兵庫医科大学看護学部 療養支援看護学 教授
神崎初美 かんざき・はつみ

　本稿では、これから起こる可能性のある災害に対して、被災地で関節リウマチ（rheumatoid arthritis；RA）患者さんに出会った場合の適切な支援方法、具体的には、災害直後の関節リウマチ患者さんが抱える薬の問題、避難所で生活する際の患者さんの課題と必要な支援、福祉避難所への移送の検討、災害中長期に患者さんが抱える問題について述べます。

災害直後の患者さんが抱える薬の問題

　関節リウマチ患者さんが災害後に避難所等で薬を持っていない場合、幸いにもリウマチ治療薬には数日飲まなくても待てる薬が多いのですが、ステロイドを服用している場合の急な中断は症状がかえって増強することがあります[1]。また、血中濃度が安定せず、倦怠感・関節痛・吐き気・頭痛・血圧低下などのステロイド離脱症候群を起こした場合は緊急処置が必要となります[1]。残量が少ない場合は、中止はせず1日当たりの服用量を半量にするなどして必要最低限の血中濃度を維持できるように服用を続けるのが望ましいです。ステロイド以外の抗リウマチ薬、免疫抑制薬、生物学的製剤は中止しても、2週間は効果が継続されるため心配する必要はありませんし、生物学的製剤は中止が5カ月以内であれば関節破壊ははじまらないとされています[2]。災害に備えるという点においては、関節リウマチ患者さんには、1週間分くらいの薬は平時から備えておくよう伝えておくのが望ましいでしょう。

避難所で生活する際の患者さんの課題と必要な支援

　避難所はトイレが少ないことに加えてバリアフリーでない場合が多く、トイレまでの移動距離も長いため、歩行援助を積極的に行います。暑さ寒さの厳しい避難所では健康管理と衣服調整が必要で、多くの人がともに暮らす空間での感染症対策に十分注意を払います。感染症対策は、コロナ禍でなくとも常に準じた対策を継続するのが望ましいです。避難者へのうがい手洗い励行を啓発し、感染予防の知識について口頭やポスターで伝えます。

　避難所で清潔ケアができない場合、ウェットティッシュや水のいらないシャンプーを使ったり、カセットコンロでミネラルウォーターを沸かして拭くなどして援助します。

福祉避難所への移送の検討

災害発生時、人々は一次避難所に避難することになります。一次避難所の多くは小中学校であり、教室はいずれ学校教育が再開されるため、避難者は体育館で居住することになります。したがって、関節リウマチ患者さんは、硬い床で寝起きするなど関節に負担がかかる生活を強いられることになります。また、避難所環境が日々悪化する可能性も高く、ストレス増加で症状を悪化させやすいです。医療従事者は、巡回診療で避難所に出向いた際に、居住困難な関節リウマチ患者さんを見つけることが多くあります。このような場合は、福祉避難所への移送を検討します。

避難所に常駐している行政担当者に福祉避難所の存在確認をし、移送を依頼します。福祉避難所は災害救助法の適用となる場所で、介護保険等の制度が適用され、緊急入所措置を検討できる場所です。関節リウマチ患者さんにとって一次避難所よりは過ごしやすい場であるため、できるだけ早く対象者を見つけ、適用の判断をし、迅速に移送します。しかし、多くの福祉避難所は、家族は一緒に居住できない場合が多く、対象者が拒否する場合もあるため、移送に関しては対象者の意思決定を支援し、意向に沿う必要があります。

災害中長期に患者さんが抱える問題

被災地では、災害に遭って生きる気力を失い、抑うつ傾向となって活動しようとしない高齢被災者によく出会います。明らかに災害前の日常生活動作（活動）（activities of daily living；ADL）を維持できておらず、長期の避難所生活によって生活が不活発になり、関節拘縮やフレイル、廃用症候群を起こすおそれがある状況です。そのような場合、話をよく傾聴し、身体を少しでも動かすことの必要性を説明し、マッサージや朝夕のラジオ体操やストレッチ体操を一緒に実施することも重要な支援となります。

災害後には、自分が生き続けるべきでない、災害時に十分なことができなかったと自分を責める人もいます[4]。これらを総じてサバイバー・ギルト（生存者罪悪感）と呼びます。被害の大小にかかわらず被災された人々はみな、このような心の傷を負っているのだという前提に立って支援していく必要があります。

避難所では、関節リウマチ患者さんは在宅酸素療法患者さんや血液透析患者さんのように急を要する状況ではないため、注目されない要援護者となっていることが多くみられます。そのような患者さんに出会った場合には、患者さんの困っていることや抱えている困難を明らかにし、必要な医療支援と生活援助を迅速に的確に行う必要があります。患者さんが災害時の体験を話しはじめたら、耳を傾け頷きます。関節リウマチ患者さんは、他者に自分のつらい体験を話すことで自身を客観化し論理を整理することができ、それがストレスの緩和につ

ながります。避難所では患者さんが話しやすいと思えるような関係性づくりに努めることが重要です。

Step Up ● 災害時の対応について （大西亜子）

地震や水害が各地で起こるたびに、災害について不安を漏らす患者さんがいます。日頃から患者さんへ災害時の指導を行うことで、患者さんがあわてず、考えて行動できるように手助けすることができます（**表1**、**図1**）。

表1 災害時の備え

- お薬は1週間分は余分に処方してもらっておき、自分自身で備えておきましょう！
- 抗リウマチ薬や免疫抑制薬の服用、生物学的製剤自己注射は、2週間は効果が持続されますので、焦らず一時中止しておきましょう！
- プレドニゾロンが不足する場合は半量にするなどして継続して飲めるようにしましょう！
- お薬手帳や薬のメモ、処方箋は持ち歩きましょう！
- 家族の方にもお薬の情報をもっておいてもらいましょう！
- 一緒に住んでる家族の方々の財布にもメモを入れておいてもらいましょう！
- 携帯電話に薬剤情報提供書・処方シールなど写真で保存しておいてもらいましょう！
- FAXやメールで情報を送り保存しておいてもらいましょう！

（神崎初美作成資料より一部改変）

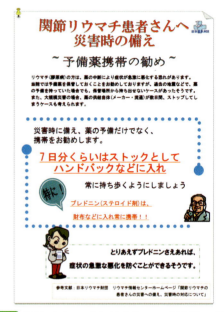

図1 関節リウマチ患者さんへ　災害時の備え
―予備薬携帯の勧め―

（道後温泉病院重松紀之看護師作成）

引用・参考文献

1) 内閣府. 福祉避難所の確保・運営ガイドライン. https://www.bousai.go.jp/taisaku/hinanjo/pdf/1604hinanjo_hukushi_guideline.pdf（2023年7月参照）

2) 日本リウマチ学会. メディカルスタッフのためのライフステージに応じた関節リウマチ支援ガイド. 130, 2022. https://www.ryumachi-jp.com/jcr_wp/media/2022/03/life_4-1.pdf（2023年7月参照）

第2章 リウマチケアと多職種連携

5 看護師と訪問看護はこうして連携する

いまふじ内科クリニック 看護師
板垣綾子 いたがき・あやこ

はじめに

　訪問看護ステーションで働く訪問看護師の役割は、在宅療養に必要な支援をはじめ、それぞれの患者さんの「自分らしい生活」を支えていくことです。関節リウマチ（rheumatoid arthritis；RA）患者さん（以下、患者さん）の病状変化に伴う身体面、生活面をはじめ心理面の変化にも目を向けながらケアにかかわる必要があります。

　近年、関節リウマチの治療は、抗リウマチ薬などの薬物療法により関節炎の緩和や関節破壊を抑制し、寛解を目指せるようになりました。すぐれた治療効果が期待できる一方で、間質性肺炎などの合併症や免疫抑制による感染症などには注意が必要です。

　訪問看護師は、日ごろから関節リウマチの知識を深め、入退院などの際には医療機関の主治医や看護師、理学療法士、作業療法士、医療ソーシャルワーカー（medical social worker；MSW）などの多職種と連携し、患者さんの在宅療養を支える役割が求められます。

治療を受けながら療養生活を送ること

1. 治療と在宅療養を継続するための側面的ケア

　患者さんは病気や治療についての説明を受け、必要性について理解したとしても、受け止める段階でいろいろな不安や悩みをもち続けています。治療薬は比較的高額なものが多く、費用の心配を抱く人は少なくありません。副作用に対する抵抗感や恐怖心から、痛みなどの症状が治まると自分の判断で服薬を中止してしまうような場合も考えられます。さらに適切な服薬管理ができないことの埋由として、忙しくて飲み忘れる、手指の関節痛がひどく薬袋が開けられない、薬の種類が多すぎてややこしいな

どが考えられます。適切な服薬管理ができなければ、治療効果が得られず関節破壊が進行し、日常生活に影響を及ぼす可能性もあります。訪問看護師は患者さんの服薬状況を把握するとともに、「正しく服薬できない理由」を探りながら、納得して飲めるようにサポートしていくかかわりが重要です。入院されたときには、適切に情報提供し、患者さんが実践できる療養方法の支援を共有する必要があります。

患者さんは朝のこわばりや関節痛など、関節リウマチから起こる症状によって仕事や家事がスムーズに行えなくなると、職場の人たちや家族からも「休んでばかりいる」と思われてしまうなど、疾患への無理解からくる非協力的な態度などに対してジレンマや悩みをもつことがあります。このような生活場面において訪問看護師は、患者さんの療養生活のなかで生じる葛藤や心の痛みに寄り添いながら、乗り越えていけるようにかかわっていくことが求められます。

2. 薬物の管理や副作用、体調不良へのケア

関節リウマチの治療に使われるステロイド、抗リウマチ薬、生物学的製剤は免疫のはたらきを抑えるため、感染症を起こしやすい状況にあります。感染症の原因は真菌や細菌、ウイルス、結核菌などさまざまですが、最も多いのは呼吸器感染症で、重篤化することもあり注意が必要です。また、関節リウマチは間質性肺炎を合併しやす

Column

多職種連携にICT*を活用する

急性期治療を終えた患者さんが在宅生活の場へ安心して戻るための方策として、入院中の退院支援が重要視されています。在宅療養支援を進めるために、医療機関が行う退院前カンファレンスをはじめ、退院前後の訪問、ケアマネジャーが退院後の在宅療養の方向性を話し合う担当者会議などに診療報酬や介護報酬がつくようになっています。

訪問看護ステーションに認められた報酬には「退院時共同指導加算」や「特別管理指導加算」などの算定があり、事業収益を考えれば、押さえておきたいところです。患者さんの在宅療養支援に多職種連携が大切なのは言うまでもありませんが、少人数で訪問業務を担っている訪問看護ステーションもあり、管理者が訪問業務を行いながら退院前カンファレンスにも参加しなければならないような多忙な現状があります。こうした少規模の事業所では、退院支援にかかわる人員の確保や現地に足を運ぶための移動時間にも苦慮するところです。コロナ肺炎の流行を機に、患者さんの入院医療機関でのカンファレンスに参加できない場合であっても、タブレットやビデオ通信で通話が可能な機器を用いて参加することで「退院時共同指導加算」が診療報酬で算定できるようになりました。

＊ICT；information and communication technology（情報通信技術）

く、薬物治療がきっかけとなって発症する場合もあります。このように、関節リウマチ患者さんには肺炎を起こしやすいさまざまな要因があるため、注意すべき感染症を知っておく必要があります。

メトトレキサート（methotrexate；MTX）やほかの抗リウマチ薬を投与している患者さんでは、服薬を確認し症状をすみやかにアセスメントし、感染症や副作用を疑うときは服薬の中止を指示する必要があります。とくに抗リウマチ薬の服用開始後1年以内では注意が必要です。訪問時には咳嗽、発熱の有無を含めたバイタルサインを確認するとともに、患者さんへの感染予防対策を繰り返し指導していくことが大切です。また流行期に備えてインフルエンザワクチンや肺炎球菌ワクチン、新型コロナウイルスワクチンなどの不活化ワクチンを接種しておくことは、感染予防対策の1つとして有効です。ほかにも気をつけなければならない感染症として、皮膚感染症や尿路感染症があります。血管炎を合併すると血流障害が起こり、皮膚潰瘍をきたしやすくなります。また、足底の胼胝から蜂窩織炎を引き起こすこともあり、日ごろから各部位の観察や保清の状況の確認などをつねに行う必要があります。

3. 関節への負担を考慮した生活方法の見直しなどのマネジメントを行う

日常生活のなかで関節を守ることが、痛みの軽減や変形の予防につながるため、ふだんから多くの関節にかかる負担を分散していく工夫が大切です。炎症が起き、骨が破壊されている関節は、意識して保護する必要があります。関節保護の例としては、以下のようなものがあります。

- なにをするにも根を詰めず、休み休み仕事をするようにする。
- コップや茶碗は手のひらで受けるようにして、指関節などの小さな関節を使わない。
- 下肢の関節を保護するため、長時間の立ち仕事や歩行を避ける。
- リストサポーターを装着し、手関節の痛みの緩和を図る。
- 枕は低いものを使うか、丸めたバスタオルなどを代用するなど、首の曲がりすぎを避ける。
- 和式の生活から洋式の生活（テーブルや椅子、電動ベッド、入浴椅子など）に変更する。

そのほかに、座ったままで作業できるようにキャスター付き椅子を使う、コンロ・調理台・流しを使いやすい高さにする、座ったまま手の届く位置に器具や材料を置く、蛇口やコンロのつまみをレバー式に変更するなど、ライフスタイルに応じて関節負担の軽減を図っていきます。なにより、患者さん自身が関節のこわばりが強くない時間帯に用事を行うなどの工夫も有効です。住宅改修や介護用品、自助具などについてはケアマネジャーや作業療法士に相談しましょう。

Case 関節リウマチ患者さんの人生と支えてきた家族の語り

Aさんは若くして関節リウマチに罹患し、息子のBさんはまだ中学生でした。当時、関節リウマチの治療薬は限られており、激しい痛みを伴う関節の破壊や変形に苦しむなか、Bさんは社会的サポートのない時代にたった1人でAさんを介護してこられました。その後、Cさんとの結婚を機に、Aさんの療養を2人3脚で支えてこられました。これまで日常生活動作の多くを家族に支えられながら暮らしてきたAさんでしたが、病状が進行するにつれ、手先が思うように動かせなくなり、排泄後の後始末やお風呂で頭や身体を洗う動作にも介護が必要になってきていましたが、家族に求めてこられる介助はトイレまでの手引き誘導だけでした。Bさん夫婦は、これまでAさんの意向を汲みながら在宅療養を支えてきましたが、(Aさんが)羞恥心を伴う場面での介護について、Bさん夫婦に手助けを求めてこない状況を心配し、Aさんと話し合い、訪問看護師に入浴介助を依頼することになりました。家族は訪問看護師が療養支援を行ってくれるならAさんも入浴や排泄の介助に応じてくれるのではないかと期待をしていました。しかし、実際に訪問看護を利用したAさんの口から出た言葉は「もう訪問看護には来てもらわなくてもいい」と、受け入れは「No」でした。その理由は次のような内容でした。「私を老人と思っている、子ども扱いしないで」「(できないことを)してあげると言わないで。私のなにを知っているっていうの?」と。さらにお嫁さんであるCさんの胸中は次のようなものでした。

"夫は30年以上も母の介護をしてきました。今で言うヤングケアラーです。ご縁があり、私も夫とともに母の介護をしてきましたが、頼られるからなんでも手伝うのでなく、本人ができることを残してあげたいから自分でしてもらうように仕向けてきました。だから母にはよく鬼嫁と言われました。でも甘えと甘やかしすぎの境目を見極めることが大切だと思っています。主人が優しくするところを私が厳しいことも言う。これまでそうしてやってきました。本当はお風呂に入って洗ってもあげたい。身体が洗えていないのもわかっていました。でもどんなに困っても息子や私には恥ずかしくて見せたくなかったんだろうと思います。だからこちらも無理強いできませんでした。介護疲れが限界だったころ、訪問看護師さんが来てくれたら(Aさんが)身内が言っても応じてくれないことを受け入れてくれるかと期待していました。だけど、訪問看護師さんには、子どもに言うような声のかけ方や年寄り扱いされたことが本人はとても嫌だったみたいです。私も看護師さんに「お尻がただれていますよ。おうちの方も看てあげてください」って言われたんです。家族に指導をしてくださるんじゃなくて、私たちの気持ちを聞いてほしかった"

患者さんはかけがえのない自分の人生を病と向き合い、困難に直面し、多くのことをあきらめてきたかもしれません。こうした療養をそばで支えてきた家族もまた患者さんと同様に苦しみ、歩んできた歴史があります。訪問看護師はこうした患者さんや家族の生活や病の歴史に耳を傾け、想いを受け止め、家族も看護の対象者であることを忘れてはいけません。生活の場に訪れる医療者が療養者のこれまでの歩みを理解しようとする姿勢が、信頼関係の礎を築く第1歩になるのです。

病院看護師から訪問看護師へつなぐ

　リウマチの治療や療養目的で入院をするときは、療養場所をはじめ診療や看護を行う医療者が変わり、患者さんや家族は療養環境の変化から不安になりがちです。在宅医が入院先の医療機関へ作成する診療情報提供書だけでなく、訪問看護師やケアマネジャーからも在宅療養や家庭の様子、介護保険サービスの利用などを情報伝達することは、患者さんの安心につながります。入院中の医療機関は、退院後の生活に戻った後、患者さんが少しでも自分で療養管理ができるようはたらきかけながら、外来・訪問看護師やケアマネジャーと連携し、退院支援を進めていくことが大切です。在宅側と病院側がしっかりと連携することで入退院がスムーズに行われると、患者さんは安心して在宅療養へ戻ることができます。

　入院中のリハビリテーションのゴール設定では、患者さんとともに在宅の生活導線をイメージし、日常生活動作（活動）（activities of daily living；ADL）の評価を進めていくことが大切です。例えば「フロアを〇周くらいすると膝折れする」現状がある場合、「カートを押して、スーパーで買い物ができる」「段差を〇段昇降できれば、自宅の玄関や居室に出入りできるようになる」など退院までの目標を具体的にイメージすることが重要です。

　薬物療法の導入場面では、患者さん自身が主体的に治療に参加できるような進め方が大切です。特に生物学的製剤の自己注射について手技指導を行う場合、患者さんの手関節の技巧性や、習得度を確かめながら進めますが、すべての人がスムーズに導入できるとはかぎりません。変形した指先がうまく使えなくて薬剤の準備や施注に苦労する、恐怖心が強く針が刺せない、視力低下や認知症などによる理解力の低下など、患者さん個々の状況に応じたかかわりが求められます。内服管理も同様に、自己管理が難しい人もいます。在宅での治療が円滑に行えるよう、訪問看護師は患者さんができる・できない部分（手技）を補い、服薬管理の支援を行う必要があります。

　また、入院中の療養支援内容も退院後の生活につながる大切な情報となるため、退

Step Up　退院支援に試験外泊や訪問看護を利用しましょう

　関節リウマチ患者さんが入院中の病状変化やADLの低下などにより、在宅での生活に戻ることに不安を感じている場合には、在宅での療養環境の見直しが必要です。入院先の主治医に相談し、試験外泊や退院前訪問などを利用し、退院後の療養環境をイメージしてみましょう。試験外泊の際は、医療保険での訪問看護が利用できます。新型コロナ肺炎の流行期には多くの医療機関で家族の面会や外泊などの制限がありましたが、入院先の医療機関に確認しながら、患者さんの退院支援に試験外泊や退院前訪問を活用していきましょう。

院までに申し送りを受けるか、スケジュールを調整し、入院先の療養指導の場面に同席させてもらう方法もあります。入院中の医療機関が開催する退院前カンファレンスの場面では、患者さんや家族を交え、主治医や病棟看護師、リハビリテーションスタッフ、薬剤師などが、在宅療養にかかわる家族や在宅医、訪問看護師をはじめとする在宅ケアチームが患者さんや家族と顔を合わせ、退院後の療養課題を共有して方策について話し合い、十分な合意形成を図っておくことが重要です。

引用・参考文献

1) 川合眞一ほか. "関節リウマチの治療とケアの実践". 納得！実践シリーズ：リウマチ看護パーフェクトマニュアル―正しい知識を理解して効果的なトータルケアができる！. 村澤章ほか編. 東京, 羊土社, 2013, 83-173.

第2章 リウマチケアと多職種連携

6 地域包括ケアシステムの構築
—看護師とソーシャルワーカーはこうして連携する—

社会福祉法人洋和会ほのみこども園 ソーシャルワーカー／金沢市共生社会推進サポーター
馬渡徳子 まわたり・のりこ

連携する上でソーシャルワーカー*の役割を知ることは大切です。

本稿では、ソーシャルワーカーとしての支援実践場面で大切にすべき事柄を述べ、併せて多職種協働する際、またフォーマル・インフォーマルな支援者との「患者さん自身と共同作成するアセスメントツール」についても紹介します。

1. チームアプローチの「リーダーは患者さん自身」であり、支援者も「課題解決の主体者は患者さん自身」という価値と姿勢がぶれないこと

● カンファレンスのメンバーは患者さん自身に選んでもらう

まずは、関節リウマチ患者さんに「あなたの、これからのことを決めていく話し合いの場面に参加してほしいと思う方は、どなたですか?」と聞きましょう。

支援者側が、支援を促進すると思われる都合のよい人を、先んじて決めてはいけません。患者さん自身が誰を選ぶのか、また、話し合いの場に参加しようとどんな人が日程調整をするかを観察することは、個人因子・環境因子をアセスメントする絶好のチャンスととらえましょう。

2. 支援プロセスの全過程において、「患者さん自身の主体性」を促す「場づくり」を心がける

● 面接を可視化するために患者さんと共同作成するジェノグラム、エコマップ面接

図1は、看護師よりつながれた経済的支援が必要な患者さんとの面接例です。1回の面接での完成を目指さずに、あえて患者さんの「宿題」にすることで、この後に患者さんがどう動くかをみるのもポイントです。コピーを持って患者さん自身が家族と相談したり、他職種と相談したり、他機関に相談に行くという行動につながります。ジェノグラムを作成することで、患者さんの個人因子・環境因子を俯瞰できます。

3. 患者さんを「地域で暮らす、今を生きる生活者」として、生活全般をとらえる

● 個人・環境因子シート（後述図8）と、家屋状況（図2）

患者さん自身の実際の暮らしぶりを面接で可視化することで、患者さんと支援者の双方に気付きを促し、患者さん自身の個人因子・環境因子の強みと課題を直視してもらうことができます。患者さんにコピーを手渡し、患者さんを通してリハビリテーシ

*なお、医療ソーシャルワーカーとは、医療保健分野に所属するソーシャルワーカーを限定して指します。

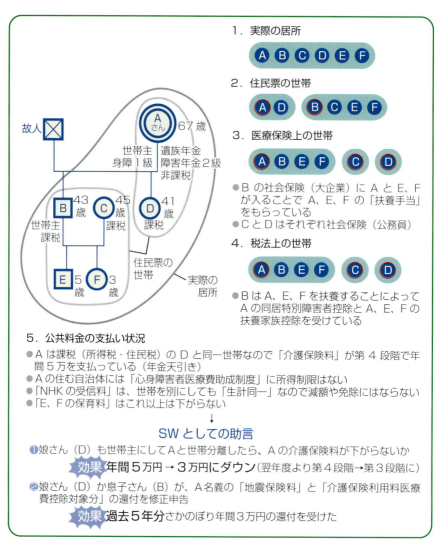

図1 ジェノグラム面接：税の申告状況と社会保障制度（国、自治体レベル）利用の際の影響（具体例）

ョン専門職や看護師につなげることで、改善策を主体的に検討する機会になります。患者さんの自己承認の絶好の機会にもなります。

4. 患者さんを「個人」として、また「家族全体」としてもとらえる

- 経済的な支援のポイント（図3）、年間スケジュール（図4）

　実は、ソーシャルワーカーや専門機関の相談員のなかにも、「患者さん個人」の状況だけを聞いて社会保障制度活用の可能性

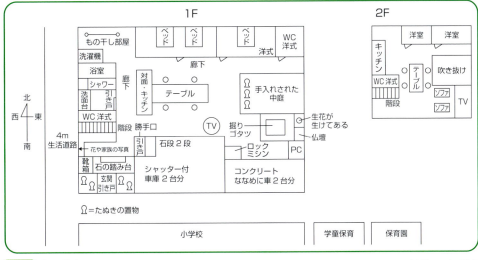

図2 家屋状況

(文献1より引用)

図3 経済的な支援を考えるときのポイント

1月	2月	3月	4月	5月	6月	7月	8月	9月	10月	11月	12月
	確定申告・家賃減免申請（管理人さんへ）		自動車税減免申請→医療機関事務へ		負担限度額申請（介護保険、後期高齢者医療制度）	指定難病更新・心身障害者医療費助成制度更新	誕生日企画打ち合わせ	デイケア誕生日企画	ふるさと祭、○△高校同窓会	介護保険認定更新申請	確定申告書類準備（オムツ証明書依頼）

図4 今後のセルフマネジメントにつなげる年間スケジュール（高齢者の例）

の有無を答えている人は意外に多いです。しかし、患者さん本人だけでなく、家族に目を向けると解決策が見いだせることがあります。高額な医療費の選択提案で、医師、看護師、薬剤師よりつながるケースがいちばん多いです。

また、社会保障制度には申請時期の特徴があるので、患者さん自身がそこに着目し、手続きを遂行できるような「年間スケジュール」を立てましょう（図4）。また、この表に個人・家族としてのイベントなどを記入すると、目標になります。

このシートも医師やリハビリテーション専門職とも共有すると、療養生活の具体的なプラスの目標が可視化され、患者さん自身の士気がアップします。

5. 患者さんを、「これまでも、患者さんなりの暮らしを継続してきた方」としてとらえる

●時系列の家族史（図5）

社会保障制度の活用につなげる目的で、職歴、ねんきん定期便、これまでの制度活用、加入医療保険の種類、資格取得、生命保険や損害保険などの活用の情報も載せます。障害年金の裁定請求や埋もれた年金が見つかることもあります。

時系列の家族史を作成することでセルフマネジメント力の評価（自己・他己）と、支援者からのコーピングクエスチョンによって、自己承認の機会になります。過去の対処力や、うまくいった・いかなかったことのパターンや癖に気付いてもらい、これからを生きる力につなげていきましょう。また、看護師や他職種につなげて、チームで共有しましょう。

6. 患者さんの心配事や困りごとからではなく、「暮らしぶりから、その人となりを知っていく」ことを意識化した質問技法を展開する

●セルフマネジメント（図6）

1年間や1カ月、1週間といった単位で、ベクトルの浮き沈みで痛みや気持ちの変化と活動状況を表現してもらい、転機のエピソードを聞きます。例えば、年度末に残業が多く体調を崩す、パートナーが週の半ばに公休で、自分の休暇とズレていることをうまく生かして家事を頼めている、などのように、うまくいっているときや、逆にうまくいかないときのパターンに気づいてもらうと予防にもつながります。

7. 患者さんと家族が、「今と将来のライフステージ」と「これからの暮らしぶりのイメージ」を意識化できるようにする

●ジェノグラム面接、時系列の家族史、週間スケジュール表、年間スケジュール表

「1年後のあなたは、どのような時期を迎えていらっしゃると思いますか」といったように、1年後、5年後など、患者さん自身の家族のライフステージの転機をとらえたはたらきかけを行いましょう。

週間スケジュール（図7）は、一緒に暮らす家族の欄を設けて、お互いの生活ぶ

	乳児期	幼児期	児童期	思春期	青年期	成人初期	成人中期
自身の出来事		公立保育園	公立小学校	公立中学校 部活でフルートを始める	公立高校 吹奏楽で県内の私立短大へ 推薦で県内の私立短大へ 系列私立幼稚園就職	通信教育で音楽療法士の資格取得 ボランティア活動	結婚 RA発症 患者会入会 不妊治療 第1子出産 育児休暇後職場復帰
	1983年(0歳)	1985年(2歳)	1990年(7歳)	1995年(12歳)	1998年(15歳) 2000年(17歳) 2001年(18歳) 2003年(20歳)	2011年4月(28歳)	2015年7月(32歳) 2017年4月(34歳) 2019年7月(36歳) 2022年4月(39歳) 2023年4月(40歳)
暮らし向き よい↑ふつう↓わるい							
家族の出来事		きょうだい誕生	父永眠		母パート→正社員へ きょうだいが不登校に	きょうだいと2人でアパート暮らし 母再婚	きょうだいが結婚し外国へ
日本の出来事		消費税(1989年)			リーマンショック(2008年)	東日本大震災(2011年)	新型コロナ禍(2020〜2023年)
社会保障・福祉		児童手当	児童手当	児童手当 遺族厚生年金／就学援助制度(1998年・きょうだい)	社協の生活福祉資金奨学金貸与 あしなが育英会の奨学金取得 母の社会保険へ 自分の私立学校共済組合へ(2003年〜)		自治体の不妊治療助成(2019〜2022年)

図5 時系列の家族史（40歳のAさんの例、ライフ曲線は本人記入）

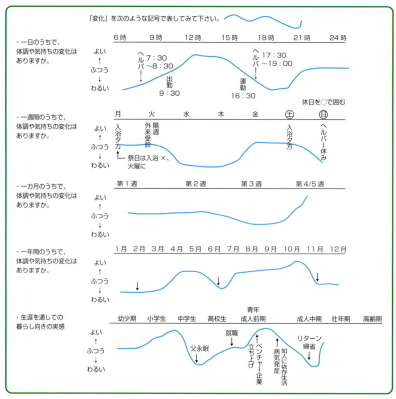

図6 患者さん自身によるセルフチェックを基に、他職種やセルフケア計画につなげるシート（例）

	月		火		水		木		金		土		日	
	Aさん	夫・子	Aさん	夫・子	Aさん	夫・子	Aさん	夫・子	Aさん	夫・子	Aさん	夫・子	Aさん	夫・子
6:00	起床		起床		起床		起床		起床		起床		起床	
	仕度		仕度		仕度		仕度		仕度					
7:00											授乳		授乳	
											朝食準備			朝食準備
8:00	保育園送り		保育園送り		保育園送り		保育園送り		保育園送り					
9:00														
											授乳		授乳	
10:00												子 仮眠		子 仮眠
11:00													買い物	
											昼食準備		外食	
12:00	育児 時短勤務		育児 時短勤務		育児 時短勤務		育児 時短勤務		育児 時短勤務		昼食・授乳		昼食・授乳	
13:00														
14:00												子 午睡	掃除他	子 午睡
15:00														
16:00														
		義母・保育園お迎え	保育園お迎え		保育園お迎え		保育園お迎え		保育園お迎え					
17:00	定期通院・薬局													
18:00														
	買い物	義母夕食	夕食準備		夕食準備		夕食準備		夕食準備		夕食準備			夕食準備
19:00	夕食・授乳		夕食・授乳		夕食・授乳		夕食・授乳		夕食・授乳		夕食・授乳		夕食・授乳	
20:00	洗濯・翌日準備	入 浴	洗濯・翌日準備	入 浴	洗濯・翌日準備	入 浴	洗濯・翌日準備	入 浴	洗濯	入 浴	洗濯	入 浴	洗濯・翌日準備	入 浴
	授乳		授乳		授乳		授乳		授乳		授乳		授乳	
22:00	入 浴		入 浴		入 浴		入 浴		入 浴		入 浴		入 浴	
23:00														

かかりつけ医	通院先	△クリニック リウマチ膠原病内科 ○○先生 ①代表電話	リウマチ科看護師	○○さん	※両立支援コーディネーター
	入院希望先	□病院 リウマチ膠原病内科 ○○先生 ①代表電話	リハビリ担当	PT ○○さん OT ○○さん	
	かかりつけ薬局	○薬局 △△さん ①代表電話	担当 MSW	○○さん	※両立支援コーディネーター
職場の担当者	産業医	○○先生	難病支援センター	○○保健師 ①代表電話	
	衛生管理者	○○さん ①部署電話	市障害福祉課	①代表電話	

図7 週間スケジュールの例

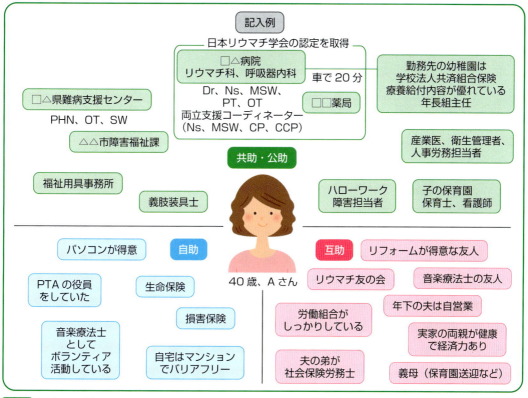

図8 個人・環境因子シート

Dr；医師、Ns；看護師、MSW；医療ソーシャルワーカー、PT；理学療法士、OT；作業療法士、CP；臨床心理士、CCP；公認心理師、PHN；保健師、SW；ソーシャルワーカー

りを尊重する気づきを促します。譲れない時間や行動の特徴がわかると、支援者と連絡する際の約束事や、患者さんの暮らしぶりを尊重した治療計画を立てやすくなります。また、状況が変化したときの相談先を、あらかじめ教示・記載しておくと、いざというときに、患者さん・家族が主体的に行動できます。忘れがちですが、かかりつけ薬局や入院・入所希望先も記入してもらいましょう。大規模災害のときにも、このシートは生かせます。

8. 支援に活用する社会資源をとらえて（図8）、アセスメント・行動計画シートに可視化し、活用する（図9）

- 本人のもつ力：自助
- 家族のもつ力：互助
- 友人・知人・職場・地域など、取り巻く周囲のもつ力：互助・共助
- 社会保障関連制度：共助・公助

忘れてはならないことは、患者さん・家族自身が主語の課題解決手段を合意・検討し、実行計画とすることです。専門職だけが主語の支援計画になっていないでしょう

	プラス	マイナス	課題	対応策	担当者	期限
本人						
家族						
職域・地域						
制度						

図9 アセスメント・行動計画シート

か。リウマチ患者会も互助の大きな力です。患者さん自身の士気が上がる「その気になる書き方」をしましょう。

2018年度から国の治療と仕事の両立支援政策により、医療機関の両立支援コーディネーター（看護師・社会福祉士・公認心理師）の認定資格を取得した者が、多職種チームで患者さんの勤務先の産業医や衛生管理者と連携し、労働環境を整備していくことが診療報酬に位置づけられました。該当病名は2年ごとの改定で広がっています。この実績を積んでいくことが求められます。

各シート共同作成者　「いしかわ家族面接を学ぶ会」事務局
　寺本紀子　寺本社会福祉士事務所
　中　恵美　金沢市地域包括支援センターとびうめ
　林田雅輝　地域活動支援センターいしびき
　馬渡徳子　金沢市共生社会推進サポーター

引用・参考文献

1) 寺本紀子, 馬渡徳子ほか.「アセスメント見える化ツール」で自身がつく！：ケアマネジャーのためのアセスメント力向上BOOK. 大阪, メディカ出版, 2019, 150p.
2) 団士郎. 対人援助職のための家族理解入門：家族の構造理論を活かす. 東京, 中央法規出版, 2013, 134p.
3) 早樫一男. 対人援助職のためのジェノグラム入門：家族理解と相談援助に役立つツールの活かし方. 東京, 中央法規出版, 2016, 134p.
4) 岩間伸之. ソーシャルワークにおける媒介実践論研究. 東京, 中央法規出版, 2000, 205p.
5) 寺本紀子, 馬渡徳子ほか. 実践に活かすソーシャルワーク技術：利用者が主役になる支援：ケアマネジャー＠ワーク. 東京, 中央法規出版, 2012, 213p.

第2章 リウマチケアと多職種連携

7 リウマチ患者さんを支える社会資源の活用
―治療時の経済的負担を軽くするために―

明陽リウマチ膠原病クリニック 看護師長
松田真紀子 まつだ・まきこ

背 景

　近年、関節リウマチ（rheumatoid arthritis；RA）の治療法は患者さんに画期的な効果をもたらし、寛解を目指せるようになりました。一方で治療にかかる費用の負担も大きく、また病気の治療や治療のために仕事を休まなくてはならないこともあり、経済的な問題を抱えてしまうこともあります。関節リウマチ患者さんの経済的負担を軽減するためには、社会資源の活用が必要ですが、患者さんの自己負担額は保険の種類や年齢や収入によって異なります。また、現在活用できる社会資源は限られています。

関節リウマチ患者さんが活用できる社会資源

　現在、関節リウマチ患者さんが活用できるおもな社会資源は、大きく分けて、①医療費、②経済的な保障、③福祉・介護サービスに関するものがあります。それぞれの制度のサービスにはほかの制度と重複しているものもあります。ここではおもに活用できる社会資源について解説していきましょう（図1、2）。

1. 医療費に関するもの：医療制度

a. 難病医療費助成制度

　血管炎などを合併している悪性関節リウマチと診断された患者さんを含む指定難病の治療にかかる医療費を公的負担する制度です。収入によって自己負担限度額が設けられています。2018年4月からは、若年性特発性関節炎（juvenile idiopathic arthritis；JIA）が指定難病に認定されました。よってJIAの患者さんの中でも小児慢性特定疾病医療費助成制度を利用し、16歳未満に発症した全身型若年性特発性関節炎と関節型若年性特発性関節炎の患者さんが成人に達したら指定難病に切り替えることができます。

b. 高額療養費制度

　月初（1日）から月末までにかかった医療費の自己負担額が高額になった場合に、一定の金額（自己負担額）を超えた分を申請することにより払い戻される制度です。限度額適応認定証の取得により自己負担額を越える分について窓口での立て替え払いが不要になります。

　また、医療費が高額になり、自己負担の支払いが困難な場合には高額医療費貸付制

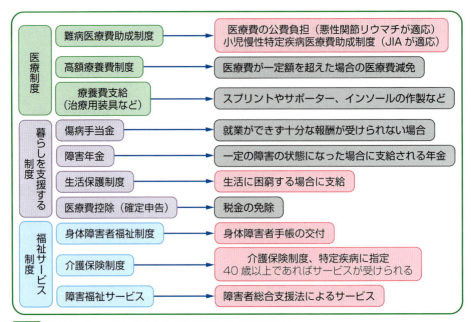

図1 関節リウマチ患者さんに活用できる各支援制度

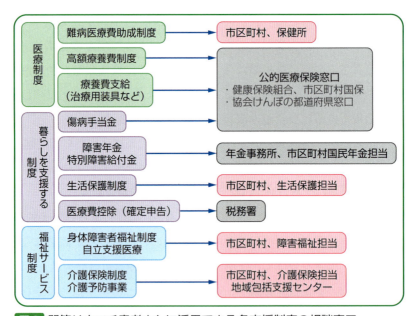

図2 関節リウマチ患者さんに活用できる各支援制度の相談窓口

度も利用できます。高額療養費として支給される見込み額の8〜9割程度を、無利子で貸し付けできる制度です。

c. 療養費支給（治療用装具など）

治療のために医師の指示で治療用具などを作製した場合に支給されます。関節リウ

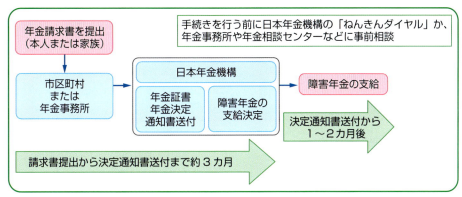

図3 障害年金の請求手続きから支給まで

マチ患者さんの場合には、インソールやコルセットなどを作製したときに利用できます。いったんは費用を患者さんが全額負担し、申請により一部負担割合に応じた自己負担額を差し引いた額が払い戻されます。

2. 経済的な保障に関するもの：暮らしを支援する制度

a. 傷病手当金

社会保険の被保険者が、病気やケガの療養のために働けない場合に支給される手当です。4つの支給条件があります。①療養のための休業であること、②働くことができないこと、③連続する3日以上を含み4日以上休んでいること、④給与の支払いがないこと（または少額であること）です。すべての条件に該当し、支給開始から1年6カ月を限度として、標準報酬日額の6割程度が支給されます。

b. 障害年金

障害基礎年金は、病気やケガで一定の障害の状態になった場合に支給される年金です。国民年金に加入している間に、法令により定められた障害等級表による障害の状態にある場合に支給されます（図3）。厚生年金に加入している場合は、障害基礎年金に上乗せして障害厚生年金が支給される制度です。また、国民年金の任意加入期間に加入していなかったことにより障害基礎年金などを受給していない場合で、国民年金法により障害年金の対象となる患者さんには、特別障害給付金が支給されます。

c. 生活保護制度

資産や能力などを活用しても生活に困窮する人に対し、困窮の程度に応じて必要な保護と生活を保障し、自立を助成する制度です。生活で必要な各種費用（医療費も含まれる）が支給されます。

d. 医療費控除（確定申告）

生計をともにする家族が1年間に支払った医療費のうち、一定の所得控除を受けることができます。対象は年間医療費が10万円（総所得金額等が200万円未満は総所得金額の5％の金額）以上で、保険などで補填される金額を差し引いた金額で200万

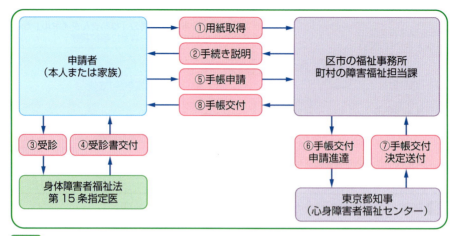

図4 身体障害者手帳の交付申請の流れ（東京都の場合）

円が限度とされています。

3. 福祉・介護サービスに関するもの：福祉サービス制度

a. 身体障害者手帳（図4）

身体障害者福祉法に基づいて、障害の程度に該当すると認定された場合に交付され、各種の福祉サービスを受けることができます。原則として、障害が一定以上永続することが条件とされています。等級表により1～6級に分類されています（肢体不自由のみ1～7級。7級の障害が1つのみでは手帳の交付は受けられません）。

b. 介護保険制度

介護を必要とする状態になっても、できる限り自立した日常生活を送ることができるようにするための制度です。介護サービスの支給対象者は基本的には65歳以上ですが、40～64歳で関節リウマチ患者さんを含む16の特定疾病によって介護認定を受けた場合にサービスを受けることができます（図5）。介護サービスを利用した場合には、原則1割の自己負担です。しかし、介護度により支給限度額が設定されていて、超過した場合には超過分は患者さんの全額自己負担となります。

c. 障害福祉サービス

身体障害者手帳を持つ方と、関節リウマチを含む366の対象疾患（2021年11月現

Column

医師による申請書の記載について

難病医療費助成制度や身体障害者手帳の申請書は、それぞれの指定医が記載すると定められています。しかし、障害年金の申請書は、指定医でなくても医師であれば記載することができます。新規の申請は認定まで数カ月かかります。更新の場合は更新の申請期間を過ぎると新規申請扱いになり、認定までにやはり数カ月はかかるので注意が必要です。

在）に罹患する方が対象になります。介護サービス、訓練等サービス、自立支援医療、補装具、相談支援などが受けられます。

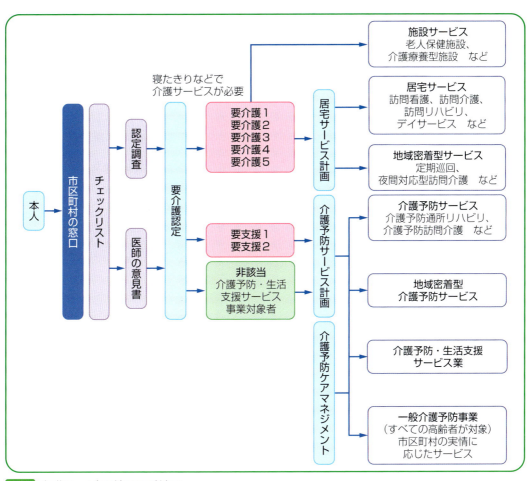

図5 介護サービス利用の手続き

> **Case** 患者さんによって違う高額療養費の限度額
>
> 患者さんの加入している医療保険の種類や年齢と所得区分によって、ひと月あたりの高額療養費の限度額にかなり差があります。保険証には区分や負担率のみで上限額の記載はありません。患者さんが自己負担額の上限を知らないことも多く、まずご自身で加入保険の窓口に確認してもらいましょう。

Step Up ● 障害福祉サービスと介護保険制度 ●

障害福祉サービスは身体障害者手帳をもたない関節リウマチ患者さんでも利用できるサービスです。しかし、介護保険と重複するサービスは介護保険が優先されますので注意してください。

引用・参考文献

1) 田中榮一ほか. 生物学的製剤の時代における関節リウマチの医療経済学. Pharma Med. 29(4), 2011, 107-16.
2) 村山隆司ほか. "患者のライフサイクルからみた生活支援制度と利用法". 納得！実践シリーズ：リウマチ看護パーフェクトマニュアル—正しい知識を理解して効果的なトータルケアができる！. 村澤章ほか編. 東京, 羊土社, 2013, 209-19.
3) 松田真紀子. 関節リウマチ患者を支える社会資源の有効活用. 臨牀看護. 39(14), 2013, 2028-33.
4) 厚生労働科学研究費補助金免疫・アレルギー疾患対策研究事業研究班編. ライフステージに応じた関節リウマチ患者支援ガイド. 2021, 109-23. https://www.ryumachi-jp.com/medical-staff/life-stage-guide/（2023年4月参照）

第2章 リウマチケアと多職種連携

8 薬剤師による支援
―外来通院患者さん・在宅療養患者さん―

薬局ファミリーファーマシー長田店 薬剤師
舟橋恵子 ふなはし・けいこ

はじめに

　関節リウマチ（rheumatoid arthritis；RA）には、10代から90代で発症する人までさまざまな年齢の方がいます。しかし実際に多くを占めているのは60歳以上の患者さんで、全体の約70％です。また関節リウマチ患者さんの約半数がリウマチ専門施設以外を受診しており、高齢の患者さんほどリウマチ医の治療を受けていない現状があります。このような現状を踏まえ、本稿では高齢関節リウマチ患者さんの支援を中心に述べます。

薬局薬剤師との連携
　―外来通院患者さん―

　関節リウマチ治療の大きな柱が薬物治療であることはすでに第1章で述べられていますが、薬物治療を正しく実践していくには、服薬管理が重要です。多くの関節リウマチ患者さんは病院や診療所の外来診療にて治療を受けており、一部の点滴製剤や院内薬局がある医療機関を除き、院外薬局にて薬剤を受け取ることになります。

　したがって、副作用を含む体調の変化を院内スタッフに相談することができなかった場合や、残薬が生じているときは、院外にいる薬剤師に相談することになります。薬剤師は服薬管理を行う義務があり、来局時には必ず副作用の有無や残薬確認を行っています。

　多くの高齢関節リウマチ患者さんは生活習慣病などの併発疾患を有しており、リウマチ医のいない病院や診療所で、併発疾患と合わせて関節リウマチの治療も受けていることが少なくありません。またリウマチ専門病院で関節リウマチの治療を受けている場合でも、併発疾患はかかりつけ医などの別の医療機関を受診していることが多い現状があります。

　薬局薬剤師は薬剤の相互作用確認を行う必要から、お薬手帳を毎回確認し、複数の医療機関で処方されている場合にはそれぞれの薬剤情報を入手します。今後マイナンバーカードの普及により、他施設で処方された薬剤の情報も院内にて入手可能となりますが、薬局薬剤師と連携をとり、院内で得られなかった情報を入手することは治療計画の上で極めて重要です。

　薬剤師との連携によって入手する必要がある情報を以下にまとめます。
　①副作用の有無
　②服薬アドヒアランス
　③他施設処方薬（重複処方やポリファーマシー解消も含む）

保険薬局には大手チェーン薬局、個人経営の薬局、ドラッグストア内にある薬局などいろいろな形態があり、それぞれ得意としている分野が異なります。そのため、患者さんが利用している薬局を把握することが重要です。厚生労働省は、「かかりつけ薬剤師・薬局制度」を推進しており、がんなどの一部専門分野を除き、かかりつけ薬局の薬剤師が一人の患者さんのすべての薬物療法を把握して管理、指導を実施することで、薬物療法の安全性と有効性の向上、医療費の適正化が期待されています。最近は薬薬連携と称し、病院薬剤師と薬局薬剤師が情報交換を行う体制もできてきましたが、リウマチ医がいても院内薬剤師がいない医療機関もあるため、医師や看護師が薬

Case ①リウマチ専門クリニックでアドヒアランス不良を把握できなかった生物学的製剤自己注射中の70代女性関節リウマチ患者さん（65歳時発症）

〈患者背景〉
- メトトレキサート（MTX）が投与されるも、効果不十分のため、発症1年後にエタネルセプト皮下注シリンジ50mg/週の自己注射を開始。
- 以後寛解となったため、エタネルセプトを25mg/週に減量しMTX 4mg/週と継続。
- オートインジェクター製剤が発売後もプレフィルドシリンジ製剤の利用を継続。

〈経緯〉
- 調剤薬局から「エタネルセプトの施注曜日を決めていないため、残薬が生じており、関節リウマチ悪化の懸念があること、調剤薬局で指導を行ったが改善されていない」と報告があった。
- クリニックでは、自己注射を12年継続している患者さんであること、定期的ではないが、不自然ではない間隔で来院されており、処方本数が少なくても風邪による休薬を理由にしていたことから、アドヒアランス不良とは見抜いていなかった。
- 院内薬剤師が詳細に聴取した結果、自己注射がいまだに怖いと感じていること、痛みが出ていないため、投与間隔が延びても問題ないと思っていたことが判明した。

〈解決に向けて〉
- 院内薬剤師から患者さんに尺側偏位が進んだ手指を確認していただき、注射薬が必要な理由は痛みを抑えることだけでなく、関節破壊予防のためであることを納得してもらう。
- 注射への恐怖を軽減するために針が見えないオートインジェクター製剤の使用を提案。

→寛解中や長期間通院している患者さんでは漫然と処方が継続されがちで、問題が見逃されていることがあります。保険薬局で、薬剤師が患者さんから聴き取ったアドヒアランスや副作用に関する情報など、即効性は低いものの医師に情報提供すべきと考えられる事項を伝えるためのトレーシングレポート（服薬情報提供書）の運用により、医療機関で気づかれていなかった問題点を解決できた事例です。

局薬剤師との連携を構築し、院内で得られない情報を入手することは極めて大切です。

訪問薬剤師との連携
―在宅療養患者さん―

厚生労働省によれば、日本における65歳以上の人口は3,500万人以上、全人口の3分の1を占めており、在宅医療を受けている患者さんも29万人以上になろうとしています。このため国は地域包括ケアシステムを推進しています。在宅医療を受けている関節リウマチ患者さんの実態は不明ですが、高齢化、関節破壊の進行、圧迫骨折など合併症の悪化、老老介護問題などで、外来通院することが困難になり、在宅医療を受けざるを得ない患者さんが少なからず存在します。

公益社団法人日本リウマチ友の会の「リウマチ白書2020」によれば、通院に付き添いが必要な関節リウマチ患者さんは31.9％、通院に1時間以上かかる方が85.6％おり、通院が大きな負担になっています。また介護保険制度を申請している方が27.2％、そのうち要支援1以上の認定を受けた方が95.8％、サービスを利用している方が77.4％であることから、今後関節リウマチ患者さんへの在宅医療のあり方を考えていく必要があります。関節リウマチ患者さんの場合、以下のことが大きな課題となります。

①治療薬が高額になる場合には介護施設での治療が継続できないことがある
②在宅診療医療チームにはリウマチに専門性を有する医療者が少ないため、関節症状や感染症リスク管理など関節リウマチ特有の事案への対応が難しい

これらに対応するには、訪問医がリウマチ医からアドバイスを受けて、使用できる薬剤の中で治療を行う医療連携と介護連携が必要となります。在宅医療では訪問看護師が大きな役割を果たしていますが、訪問薬剤師も加わることで在宅での適切な薬物療法の実施につながります。在宅医療チームにおいてどのように関節リウマチへの専門性を高めていくかが今後の課題ともいえます。

Case ②認知症を有し施設入所中の80代女性 多発性血管性肉芽腫患者さん

〈患者背景〉
- 元看護師、骨粗鬆症を合併
- プレドニゾロン 2mg、エルデカルシトール 0.75μg 1c、アレンドロン酸ナトリウム（ボナロン®）ゼリー 35mg（週1回）を処方されている
- 独居であったが認知症のため施設入所となり、在宅服薬支援を開始することになった
- 近くの市民病院に通院し、門前薬局で薬をもらっていたが、残薬が大量にあり2年ほど服薬できていなかった可能性がある
- 認知度：HDSR 18点、DASC-21 26点、介護認定：要介護1
- 元看護師のため、自分が膠原病で薬剤を服薬しなくてはならないことは理解している
- 認知症進行の中、適切な服薬支援がなかったため、服薬行為が習慣化されていない

〈問題点〉
- サービス付き高齢者向け住宅入居、自己管理が基本だったため目に付くよう部屋にお薬カレンダーを設置したが、1週間に2回程度しか服用できなかった
- ステロイドの継続服用のため、確実に服薬できる方法を考える必要がある

〈介入〉
- ケアマネジャー、訪問医との情報共有により、起床時服用するビスホスホネート製剤は中止して、朝食後だけの薬剤に集約。デイサービスの施設職員の協力を得て、施設内にお薬カレンダーを設置し、朝食後服用させてもらう協力を得た（図1）。

→ 他の医療スタッフは「難しい疾患を持っている」程度の知識しかありませんでした。認知症が服薬行為に及ぼす影響は人によって異なり、飲みすぎてしまう人もいるので、患者さんにかかわる看護師や介護職員さんなどの協力を得ながら、毎日確実に服用できる方法を模索していくことが必要です。

図1 お薬カレンダー

Step Up ● 新しい薬剤への対応 ●

ここ10年の間に新しいリウマチ性疾患の治療薬が数多く市場に登場したことによって、リウマチ性疾患の薬物療法への理解が進みつつあると思います。薬剤師はこれらの治療薬に関する多くの資料を取り扱い、また独自に作成していますので、治療薬について知りたい場合には、薬剤師から情報を入手して日々の業務に役立てていただければと思います。

Column
薬剤師の大事な役割

保険薬局にはさまざまな疾患を抱える患者さんが来局されます。なかには新しい薬剤が処方されたことで違った症状が現れていることがわかる患者さんもいます。特に消炎鎮痛薬などが処方された場合、患者さんに疼痛があることを示していますが、どこが痛いのでしょうか？とお聞きすることで新たな疾患がわかります。

ここ1年の間に、朝のこわばり、第2関節の腫れ、疼痛の継続などがあり、関節リウマチではないか？と思われる患者さんが4人おられました。主治医はリウマチ専門医ではないので、疼痛軽減のみを目的として処方しますが、そのような患者さんが現れたとき、関節リウマチの可能性を指摘し、主治医に相談の上、受診勧奨することも私たち薬剤師の大事な役割です。

第2章 リウマチケアと多職種連携

9 医薬情報担当者(MR)とのかかわり
―製薬会社が提供している情報を最大限に活用しよう―

神戸大学医学部附属病院 看護部
海津真依子 かいづ・まいこ

神戸大学大学院保健学研究科
リハビリテーション科学領域 准教授
三浦靖史 みうら・やすし

はじめに

関節リウマチ（rheumatoid arthritis；RA）患者さんが使用する治療薬は、年々増加しています。そのため、リウマチケアに携わる看護師が、薬に関する正しい知識を習得して、患者さんが必要とする支援を提供することがますます重要になっています。

薬の使用にあたって、内服薬なら服用の注意点の説明、自己注射薬なら自己注射手技の指導と確認、点滴薬なら投与中の注射時反応の管理など、看護師の役割は多岐にわたります。しかし、リウマチ患者さんが使用する薬の種類と数の多さに、どこから手をつけたらよいのかわからず、困ってしまった経験がある方も少なくないのではないでしょうか。

薬に関する知識を得るためには、まず、教科書などの書籍から学ぶことが大切ですが、さまざまな新薬や後発品、バイオシミラー（バイオ後続品）などが発売されるなかでは、書籍の改訂が追いつかず、最新の情報は記載されていない場合が少なくありません。そのため、書籍以外のリソースからも情報を集める必要があります。

さて、医薬品の紙の添付文書が2021年に廃止されて電子化されたように、今日、医薬品情報の収集はおもにインターネットで行われており、最新の情報が入手できるという点ですぐれています。しかし、インターネット上には、信頼できるかどうかはっきりしない広告や個人の意見があることに加え、同じキーワードで検索しても同じ情報にたどり着かないこともあり、患者さんがインターネットからどのような情報を得ているのか正確に把握することは困難です。

一方、製薬会社が作成して医療機関に配布している患者さん向けパンフレットは、外来の待合で患者さんや家族に読んでもらったり、メモを書き込んだり、自宅で読み返したりできることに加えて、患者さんと医師や看護師が同じ情報を共有できることは、紙媒体ならではの利点です。

在宅自己注射で生物学的製剤を導入する場合に、製薬会社が作成している自己注射用の資材をフル活用することで、在宅自己注射の円滑な導入を実現できます。なお、これらの資材の入手方法は、最近ではインターネット経由での請求も行えるようになってきましたが、製薬会社の窓口として、各施設を担当するMR（medical representatives；医薬情報担当者）を通じて、入手することが一般的です。

本稿では、患者さん向け資材や研究会の開催案内などの入手に際してのMRとのかかわり方、患者さんへの説明や指導の際に使用できる資材の種類、資材の請求方法、また、情報や資料の活用方法について記述します。

MRとのかかわりについて

MRは製薬会社に勤務し、自社の医療用医薬品が安全かつ効果的に使われるように、医師、薬剤師、看護師などの医療従事者に対し、医薬品の効果、使い方、副作用などの情報を提供するとともに、医療現場からの情報収集を行う職種です。自社の抗リウマチ薬はもちろん、自社の他の製品や他社の製品の知識も持っていて、「情報の提供と収集のプロフェッショナル」として、白衣こそ着ていませんが、チーム医療の一役を担っています。ただし、製薬会社ならびにMRは、日本製薬工業協会が定めている製薬協コード・オブ・プラクティスというルールに従ってプロモーション活動をしていますので、医師や看護師から依頼があってもできることとできないことがあることを理解しておく必要があります。

看護師が、製薬会社が作成している資材の補充をMRに依頼する機会は少なくないと思います。MRが資材を持参した際には補充を受けるだけでなく、自己注射製剤や注射補助具、資材の使い勝手などに関する看護師の感想を情報共有しておくと、すぐに反映されるわけではありませんが、製薬会社がこれらをアップデートする際に役立てられていますので、しっかりと伝えましょう。

また、薬についての知識を深めるために

Column

担当MRの名刺

関節リウマチの治療薬は、いわゆる抗リウマチ薬に加え、合併する骨粗鬆症の治療薬など多くの薬があることから、多くの製薬会社が関与し、必然的に多くのMRがかかわってきます。私たちの施設では、関与する20社ほどの製薬会社の担当MRの名刺をファイルに入れて整理しておくことで、連絡を取る必要が生じたときにすみやかに連絡を取ることができるように心がけています。そのためには、担当者が変わった際には、ファイルの名刺を必ず差し替えておきましょう。

しかし、コロナ禍の3年間のうちに対面で会う機会が激減し、知らない間に異動で担当者が交代していたり、異動していなくても、スタッフの誰もどんな顔だったかが思い出せない担当MRが近ごろでは増えてしまったように思います。その中で、「顔写真入りの名刺」を使用している会社の担当MRは、しばらく会っていなくてもすぐに思い出すことができたので、顔写真入り名刺はポイントが高いという話になりました。

は、施設での薬に関する説明会の実施をMRに依頼しましょう。新型コロナウイルス感染拡大時、いわゆるコロナ禍ではMRの訪問が制限されて施設内での説明会は困難でしたが、一方で、製薬会社が主催する講演会や共催する研究会の多くが会場での開催からリモートに切り替わったことで、以前より受講しやすくなっています。これらは貴重な学習の機会になっていますが、受講には時間を費やしますので、内容を鑑みて自分の必要なものに絞って受講しましょう。

パンフレットについて

関節リウマチに限定した使用可能なパンフレットは、自施設で調査したところ、約200種類ありました（2023年3月時点）。

関節リウマチは慢性疾患であるため、患者さんが長期的に疾患とうまく付き合っていくためにはたくさんの知識が必要ですが、製薬会社は薬に関するパンフレットだけでなく、感染予防、運動、フットケア、妊娠出産、災害対策についてなど、実にさまざまなパンフレットを作成しています。

これだけ多くのパンフレットを看護師だけで管理するのは大変であり、それぞれの必要性について医師と相談するのはもちろん、メディカルクラークや受付事務職員と協力して管理しましょう。また、効率的に管理するためには保管スペースの確保も必要です。

パンフレットは以下の5種類に大別されます。

①関節リウマチの病態と治療に関するもの
②特定の薬に関するもの
③社会・福祉制度に関するもの
④療養生活に関するもの
⑤その他：製薬会社による患者さん支援プログラム、インターネット上のコンテンツ、スマホアプリ、患者会の入会案内など

患者さんが新たに関節リウマチと診断された場合、まず①のパンフレットを配付します。外来で病名の告知を受けてショックを受け、十分に理解できていないことが少なくない患者さんが、帰宅後に気持ちを落ち着けてから改めて関節リウマチという疾患の病態と治療の概要を学習できるようにサポートしましょう。また、内服薬、注射薬のどちらであっても新たな治療を導入する場合には、薬を始める前に使用予定の薬に関する②のパンフレットを用いて、その薬の特徴や治療に際しての注意点、自己注射を導入する場合は手技について理解を促しましょう。

また、治療にかかる費用が高額になることが予想される場合には、③のパンフレットを用いて活用できる医療費助成制度について紹介しましょう。さらに、出産可能年齢の女性リウマチ患者さんに対しては、④に含まれる女性のライフスタイルに関するパンフレットを用いてプレコンセプションケアについても説明しましょう。

しかし、限られた外来での診察時間内にすべてのことを医師が説明するのは現実的ではありませんし、自己注射指導などの直接的な看護業務に含まれること以外の療養指導を、看護師が患者さん一人ひとりの事情に合わせて時間をかけて行うことは、他に多くの業務があるなかでは難しい施設が多いのが現状ではないでしょうか。

　そのようなときに、製薬会社が作成しているパンフレットを効率よく活用することが重要であり、そのためにはどのようなパンフレットがあるのか把握しておくことが欠かせません。

　なお、薬の適応症が拡大されたり剤形が追加されたりした場合や、医療制度などのように年ごとにアップデートされる項目もあることから、パンフレットが更新された場合にはMRにすみやかに用意してもらって、最新版に差し替えておくようにしましょう。

　パンフレットの分類を表にまとめました（**表1**）。

表1 パンフレットの分類

パンフレットの分類	パンフレットの内容	内容の詳細
①関節リウマチの病態と治療に関するもの	リウマチの概要について T2Tについて	・リウマチの治療方法 ・治療目標の話し合い
②特定の薬に関するもの	抗リウマチ薬について 生物学的製剤（バイオ）について バイオシミラー（バイオ後続品）について	・薬の作用機序、副作用、投与方法 ・生物学的製剤の特徴、有効性 ・先行品と比しての効果と安全性、費用
③社会・福祉制度に関するもの	医療費について	・医療費のしくみ ・医療費減免制度
④療養生活に関するもの	生活全般について 感染症の予防について 災害への備えについて リハビリテーションについて フットケアについて 口腔ケアについて 女性のライフスタイルについて 食生活について フレイル・サルコペニアについて	・日常生活の工夫 ・感染症を予防する重要性 ・よくある感染症（肺炎、尿路感染、帯状疱疹） ・予防接種（肺炎球菌、帯状疱疹） ・避難場所や災害時連絡方法の確認 ・予備薬の準備 ・運動（リウマチ体操、ロコモ体操） 　装具、整形靴、自助具 ・爪切り方法、靴の選び方 ・顎骨壊死、歯周病、歯磨き ・プレコンセプションケア、女性疾患のケア ・食材、献立、調理方法、食事の薬への影響 ・運動と栄養
⑤その他	製薬会社による患者さん支援プログラムについて インターネット上のコンテンツについて スマホアプリについて 患者会の入会案内について	・パルスオキシメーターの配付、投与日通知メール配信、療養に関する情報誌送付（ビリーブプログラム、RAコネクトなど） ・自己注射指導動画配信 ・リウマチ体操動画、療養指導動画配信（トモノワ®、おしえてリウマチ、ほか） ・体調記録・服薬管理アプリ（リウマチダイアリーなど） ・日本リウマチ友の会など

> ### Step Up ● パンフレットとインターネット上での情報提供 ●
>
> 多くのパンフレットではカラフルなイラストや写真を使って患者さんが理解をしやすくするように工夫されており、なかにはコミックを取り入れたパンフレットもあります。
> 近年では紙媒体のパンフレットに代えて、インターネット上での情報提供に重きを置く製薬会社が増えてきました。DVDがレガシーデバイスとなった今日、自己注射手技やリウマチ体操などの動画が閲覧できるのはインターネットの大きな利点です。なお、一部の製薬会社は、スマホを持っていなくても、インターネットに接続しなくても、動画を閲覧できるように、専用のタブレットを医療機関に配付しています。
> また、患者さんの年齢や置かれている状況は一人ずつ異なることから、患者さんのネットリテラシーに応じた方法、ライフスタイルに合った資材を選択し、パンフレットとインターネットのそれぞれの利点を活かした、オーダーメイドでの患者さん指導を実施しましょう。
> さらに、MRから受け取った資材をそのままで用いるだけでなく、施設での自己注射指導の事情に合わせて、自己注射薬のスターターキットに資材を追加、あるいは一部を外してもらうこと、製薬会社が行っている患者さん支援プログラムやスマホアプリを患者さんに紹介することも、自己注射のスムーズな実現につながります。

図1 廊下の壁に設置したパンフレットの棚

パンフレットは、医師や看護師が患者さんごとに必要だと考えられるものを選んで手渡す以外にも、患者さん自身が興味をもった内容のパンフレットを自由に選べるように、患者さんの目につきやすく手に取りやすい場所に置きましょう。パンフレットが、患者さんが医師や看護師に質問するきっかけになって、日ごろ感じていたちょっとした疑問が解決することもあります。

日常生活を営みながら治療を継続してい

くことが大切な慢性疾患では、パンフレットによる情報提供が、長期的な治療へのアドヒアランスの維持にもつながっていくと考えられます。当院では廊下の壁に 図1 のようなパンフレット棚を設置して、患者さんが療養に関するさまざまなパンフレットを持ち帰りやすい環境を整備しています。なお、パンフレットの部数の減り具合を見ることで、どの内容が高い関心をもたれているかがわかります。患者さんの資材への好評価は、製薬会社がさらに良い資材を作成するモチベーションになりますので、MRにぜひフィードバックしましょう。また、新しいパンフレットが出た場合はもちろんですが、パンフレットをときどき入れ替えることで、患者さんの興味を引くようにしましょう。

引用・参考文献

1) 近澤洋平. 医薬品情報活動の質的向上を目指してMRから提供される情報の適正化について. 日本病院薬剤師会雑誌. 58 (11), 2022, 1290-1.
2) Bailey, K. et al. Patient Satisfaction with CIMZIAR (Certolizumab Pegol) AutoClicks in the UK. Adv Ther. 37 (4), 2020, 1522-35.
3) 雪矢良輔ほか. 関節リウマチ患者さんのメトトレキサート服薬アドヒアランスの向上を目指した薬剤部の取り組み. 天理医学紀要. 23 (1-2), 2020, 104-12.
4) 河野正孝ほか. 【2021年なにあった？—くすり・ガイドライン・社会etc…—】Catch Up! 診療ガイドライン ガイドラインTOPICS：関節リウマチ診療ガイドライン2020. 薬局. 72 (13), 2021, 3506-10.

第2章 リウマチケアと多職種連携

10 リウマチ患者さんへのフットケア

独立行政法人労働者健康安全機構 大阪ろうさい病院 フットケア外来 看護師
日本フットケア・足病医学会認定師
溝端美貴 みぞばた・みき

はじめに

メディカルフットケアといわれる医療現場でのフットケアは、診療科医師の指示を受けて看護師が実施します。フットケア外来では、実施する処置や指導が診療報酬となり、患者さんの疼痛緩和や日常生活動作（活動）（activities of daily living；ADL）の拡大、生活の質（quality of life；QOL）の向上につながっています。当院では昨年、整形外科の関節リウマチ患者さんのフットケア外来受診が、糖尿病内科や循環器内科、血管外科を抜いて最も多くなりました（図1）。病棟と外来の継続看護においてもリウマチの看護連携が最も多く報告されました。その背景には、2018年の診療報酬改定で鶏眼・胼胝処置が、これまでの2倍、月2回可能となったことも影響しています。本稿では事例とともに臨床ケアを解説します。

フットケアニーズの高さはNo.1

当院では糖尿病内科、循環器内科に次いで、2018年に整形外科でのフットケア看護外来を開設しました。その1年前、1カ月間限定で外来通院の関節リウマチ患者さんに、フットケア希望のアンケートを取りました。その結果364名中324名（84％）もの患者さんがフットケアを希望すると回答し、私たちの予想をはるかに超える結果となりました。それまで内科患者さんはしかたなく、または勧められたから来たという方も多数見受けられましたが、関節リウマチ患者さんはアドヒアランスが良く、目的をもちフットケアに訪れるという方がほとんどでした。したがって、関節リウマチ患者さんのフットケアは、施術する側にも心地よい達成感とやりがいを与える、癒しの場にもなりました。

目的を共有し多職種連携

フットケアは足に起こる何らかのトラブ

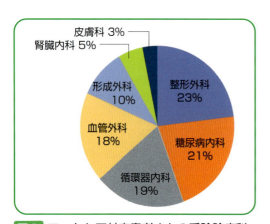

図1 フットケア外来患者さんの受診診療科

ルを改善するために処置やケアを行っていくことになりますが、初回に問題点と解決策を話し合い、目標を設定することが大切です。治らない胼胝を永遠に削る、洗いにくい足を洗う、爪を切ってあげるなどのサービスとは異なります。医師と連携して治療するための患者支援であり、セルフケア能力を高め自立に導くことを目標とします（図2）。

足のトラブルで最も多いのは胼胝でした。疼痛緩和の処置を施し、義肢装具士らと連携してインソールの作製など、胼胝の再発予防に努めます。これまで48名の関節リウマチ患者さんに対し、足のトラブルとしてとらえる内容を質問し、複数回答で得た結果を図3にまとめました。

フットケアと記録の実践

フットケア外来は診察予約と同様に事前予約で、30分1名枠としています。

整形外科診察が落ち着く時間帯の15～16時、毎週1回決まった曜日に2名を対象に行っています。臨床現場は多忙で、スタッフも少ないなか、看護師1人が完全にフットケアに入るのは現状では厳しく、外来を開設しても診療業務に追われ、閉鎖されるクリニックもありました。無理のない人数での看護外来を併設されることが望ましいといえます。また実施記録に時間を割くことを避けるため、ワンクリックで反映できるよう、電子カルテのテンプレートを作成しました（図4）。

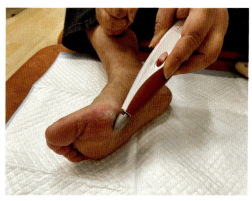

図2 セルフケア：グラインダーの使い方指導

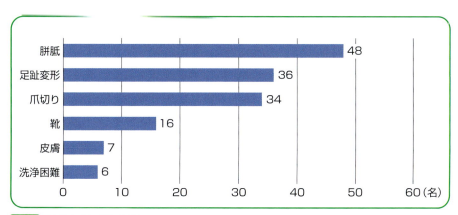

図3 足のトラブル内容

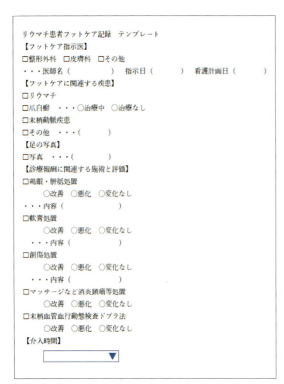

図4 フットケア記録テンプレート
□をクリックすると■になり○に展開する。

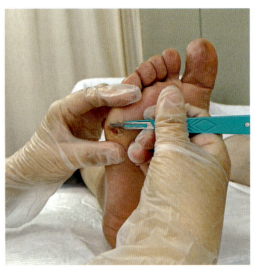

図5 胼胝の削り方

胼胝処置

　胼胝処置はディスポメスを使用する場合とグラインダーを使用する場合があります。疼痛緩和目的の要素が多く、肥厚が強い場合はメスを使用します。メスは鉛筆を持つように握り、ゆっくり撫でるように刃先を沿わせて削ります（図5）。手をしっかり固定し、患者さんに声をかけながら行います。対側の指で皮膚を伸ばして広げるようにすると、滑らかに削ることができます。

フットケア教育入院

　当院では関節リウマチ患者さんの手術前に、2泊3日の教育入院を推奨しています（図6）。患者さん自身が正しい知識と理解を持てるよう、看護師がパンフレットを用いて説明します。主治医の治療方針を共有することで、治療の持続性、安全性を高めることも報告されています。リフレッシュ入院ともいわれる短期療養でフットケアを学び、清潔を保つことは、術後の感染予防にもつながります。

多職種による支援

　「患者さんの歩行を守り、生活を護る」ために連携が必要となります。医師だけでなく、理学療法士、義肢装具士らとも定期的なフットケアカンファレンスで情報共有を行っています。

　歩くことは人間の尊厳であり、歩行するために足を護ることが、私たちの共通の目的であり、患者さんの目標でもあります。

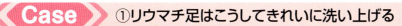

図6 フットケア教育入院スケジュール

《Case》①リウマチ足はこうしてきれいに洗い上げる

60歳代男性、フットケア教育入院2泊3日の退院日フットケア外来にて、足の洗い方をチェックしています（図7）。今回の入院で学んだことなど、振り返り、看護の見直しの機会にもなります。

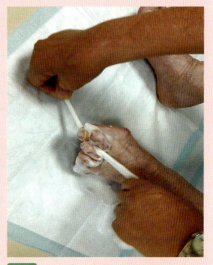

図7 足の洗い方のチェック

患者さんが生きがいを感じ、一生自分の足で歩けるように支援していきましょう。

Case ②セルフケア良好な患者さん

70歳代女性、足趾変形矯正術後2年経過。
手指の強い変形にもかかわらず、セルフケア良好で足の清潔を保持できている患者さんもいます。腰痛もあるため前屈不可ですが、ガーゼをつなぎ、工夫して洗っています（図8）。その様子を病室で披露し、患者指導をしてくれる患者さんでした。左第5足趾基節部の胼胝疼痛があり、月に1回の胼胝削りが必要で、メスで削った後、グラインダーで仕上げています（図9）。

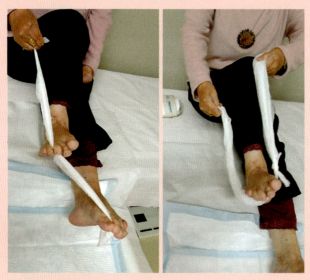

図8 ガーゼをつないで足を洗う

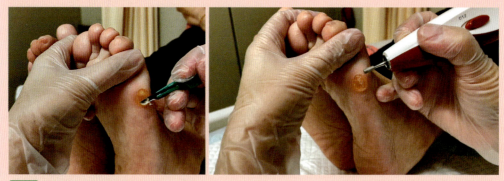

図9 胼胝をメスで削りグラインダーで仕上げる

Case ③胼胝のアセスメント

70歳代女性。主訴は左足底前足部の歩行時痛。
「胼胝を削ってください」と訴えてフットケア外来へ来院されました。しかし足底をよく観察してみると、第2足趾の基節骨と種子骨の先端部分が当たり、皮膚は薄い状態でした（図10）。色調変化も内出血によるものと考えられました。X線写真を確認し、患者さんには除圧、免荷の処置を説明しました。図11のように柔らかいガーゼを丸めて円座を作り、テープ固定をしました。処置後、立位で足踏みしてもらいましたが疼痛は消失し、歩行時も疼痛を認めませんでした。それまで手術に対して不安があり長期間拒否されていましたが、フットケア外来で多くの質問をされ、心の準備をし、近日手術に至りました。これにより変形は改善し、疼痛も消失しました。

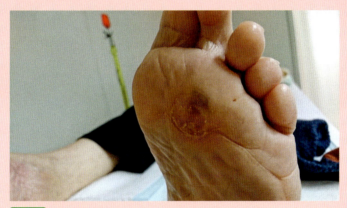

図10 足底の観察

図11 ガーゼで作った円座

Case ④削れない胼胝は除圧免荷の工夫

60歳代男性、左第2足趾の胼胝潰瘍（図12）。
主訴は「靴を履くと当たって痛い、削っても痛い」ということでした。潰瘍化している胼胝であるため、削っても柔らかい状態で突出して残ります。この事例も円座を作成し、テープ固定除圧を施しました（図13）。疼痛は改善しましたが、これはあくまで応急処置となります。

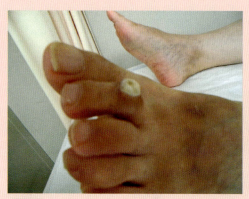

図12 左第2足趾の胼胝潰瘍

図13 ガーゼ円座を用いた除圧

Case ⑤グラインダーでの胼胝削りによる粉塵から守る

80歳代女性、爪白癬、足底白癬、足底に胼胝が5カ所。
脊椎管狭窄症があり、足の先に手が届かないため、セルフケアが困難です。手術は拒否され、認知症はなく、一人暮らしで介護サービスは受けていません。白癬を伴う胼胝や爪にグラインダーを使用する場合は、吸塵性のあるものを使用するようにします。機材がない場合は透明な45リットルのゴミ袋を利用し、患者さんの足を包み込み、自分の手を入れ込み、白癬の粉塵を吸い込まないように、袋をかぶせた状態で片手は袋の上から足を支え施術します（図14）。

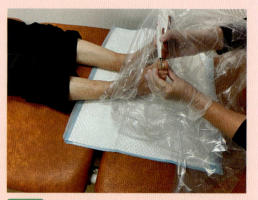

図14 ゴミ袋を利用した粉塵吸引防止

Case ⑥ 全身管理の連携のためフットケア手帳を利用

60歳代女性、関節リウマチ発症は10年前。メトトレキサートは徐々に減量してきましたが、糖尿病、腎不全、爪白癬があり、内服管理や食事療法、血圧や体重の管理なども必要になってきます。治療に対して積極的で協力的な方でありますが、多くの診療科、他施設で患者さんの情報を共有するために、フットケア手帳（図15）を用いて連携することが望ましいといえます。

図15 フットケア手帳

Case ⑦ 爪切りのポイント

伸びた硬い爪を切るときは、爪母にテンションがかかります。しっかり固定して爪の剥離や疼痛を予防します（図16）。また、切った爪が飛ばないよう保護します。

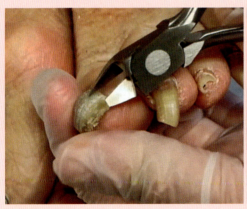

図16 爪切りのポイント

引用・参考文献

1) 日本フットケア・足病医学会. 重症化予防のための足病診療ガイドライン. 東京, 南江堂, 2022, 145, 177.
2) 一般社団法人日本リウマチ学会編. 関節リウマチ診療ガイドライン2020. 東京, 診断と治療社, 2020, 188.

第2章 リウマチケアと多職種連携

11 知っておきたい食事療法

公益財団法人甲南会 甲南加古川病院 栄養管理室 管理栄養士
高木千恵 たかぎ・ちえ

はじめに

　関節リウマチ（rheumatoid arthritis；RA）そのものを治療する食事療法はなく、合併症に対する食事療法や、食生活の改善を通じて治療を進めやすくするといった取り組みが中心になります。関節リウマチ患者さんは関節への負担を懸念して運動不足を招くことがあり、適正体重を維持して生活習慣病予防に努めるためにも規則正しい食生活が基本です。過不足のないバランスのとれた食事が大切になります。

関節リウマチの合併症に対する食事療法

　関節リウマチの治療薬として用いられるステロイドや抗炎症薬の副作用には、骨粗鬆症や高血圧、糖尿病、肥満、脂質異常症、腎障害、胃腸障害などがあり、それぞれの病態に応じた食事療法があります。おもな合併症に対する食事療法について、ポイントとなる栄養素ごとに解説します。

1. タンパク質

　脂質、炭水化物とともにエネルギーを生産する栄養素です。腎機能低下がある場合は、タンパク質制限の食事療法が行われます。リウマチ患者さんでは、非ステロイド性抗炎症薬（nonsteroidal anti-inflammatory drugs；NSAIDs）や抗リウマチ薬（disease-modifying antirheumatic drugs；DMARDs）などの治療薬による腎障害や、アミロイドーシスなどによって腎機能低下をきたすことがあります。『慢性腎臓病に対する食事療法基準2014年版』[1]では、慢性腎臓病（chronic kidney disease；CKD）のステージに合わせてタンパク質を制限する食事療法が示されています。一方で、加齢に伴う筋量や筋力の低下であるサルコペニアの対策には、十分なタンパク質の摂取が必要になります。したがって、CKDの食事療法であるタンパク質制限とサルコペ

Column

食品と薬

食品の成分が治療薬に影響する場合があり、その食品の摂取は避ける必要があります。免疫抑制薬タクロリムス（プログラフ®）を服用している場合は、グレープフルーツやセイヨウオトギリソウ（セント・ジョーンズ・ワート）含有食品を摂取しないようにします。（→第1章7、p.61参照）

> **Step Up** ● 総エネルギー摂取量の設定：カロリーをどのくらい摂ればよいのか①
>
> 糖尿病の食事療法では、体重に合わせて総エネルギー摂取量を設定します。目標体重は年齢や病態などに合わせて判断します。食事がどのくらい摂れているかなども考慮して個別に対応することが大切でしょう。
>
> 〈目標体重（kg）の目安〉[2]
> 総死亡が最も低いBMIは年齢によって異なり、一定の幅があることを考慮し、以下の式から算出します。
>   65歳未満：[身長（m）]^2×22
>   65歳から74歳：[身長（m）]^2×22〜25
>   75歳以上：[身長（m）]^2×22〜25$^※$
>
> ※75歳以上の後期高齢者では現体重に基づき、フレイル、（基本的）日常生活動作（活動）（activities of daily living；ADL）低下、合併症、体組成、身長の短縮、摂食状況や代謝状態の評価を踏まえ、適宜判断します。

Column

食事療法

食事療法というと、難しく制限された食事を思い浮かべるかもしれません。しかし治療の一環として食事を楽しみながら行うことができる工夫が大切です。お一人おひとりの食習慣に合わせた継続可能な食事療法が望まれます。

ニアの改善には相反するものがあり、サルコペニアを合併したCKDでは、タンパク質量について個々に対応する必要があります。

2. 脂質

質を考慮した適量の摂取が大切です。肉類の脂に多く含まれる飽和脂肪酸を控え、大豆・大豆製品や魚類などに含まれる不飽和脂肪酸を増やすようにします。脂質異常症に対しては、脂質だけではなく、炭水化物のバランスや摂取エネルギー量を考慮して適正な体重を維持することも大切です。

脂質異常症の食事療法については、『動脈硬化性疾患予防ガイドライン2022年版』[3]に示されています。

3. 炭水化物

炭水化物は、糖質と食物繊維に分けることができます。糖質は血糖上昇に関係し、食物繊維は食後の血糖上昇を抑制します。必要エネルギーのうち50〜60％を炭水化物で摂取することが望ましいとされており、極端に抑える食事は好ましくありません。関節リウマチの治療に用いられるステロイドは血糖を上昇させやすいという特徴

があります。一般的に糖尿病の治療では、食事療法、運動療法が基本ですが、関節リウマチ患者さんでは運動療法が困難な場合があり、食事療法がより重要になります。血糖コントロールを良好に保つには、主治医から指示されたエネルギー量を守り、栄養バランスのとれた食事療法が有効です。

4. ミネラル

a. ナトリウム

食塩は塩化ナトリウム（NaCl）が主成

> **Case　CKDの食事療法**
>
> 腎機能低下を心配した患者さんは、自己流で食事療法を開始しました。タンパク質を減らすために食事を減らし、代わりに菓子類で空腹感を補うというものでした。主治医から栄養指導の依頼があり、体重が5kg減少していたことが判明します。CKDに対する食事療法は適切なタンパク質量を守りながら、他の栄養素も過不足のないように配慮する必要があります。自己流で行う食事療法では偏った食事内容になることもあるため、適切な支援が必要です。

> **Column**
>
> **1日にどのくらいの食塩を摂っている？**
>
> 「令和元年 国民健康・栄養調査」[5]によると、食塩摂取量の平均は1日当たり10.1g（成人男性10.9g、成人女性9.3g）です。「日本人の食事摂取基準（2020年版）」[6]における目標量は、成人男性7.5g/日未満、成人女性6.5g/日未満です。さらに高血圧およびCKDの重症化予防のためには、6g/日未満にすることが示されています。

> **Step Up　総エネルギー摂取量の設定：カロリーをどのくらい摂ればよいのか②**
>
> 〈身体活動レベルと病態によるエネルギー係数（kcal/kg）〉[2]
> 　①軽い労作（大部分が座位の静的活動）：25〜30
> 　②普通の労作（座位中心だが通勤・家事、軽い運動含む）：30〜35
> 　③重い労作（力仕事、活発な運動習慣がある）：35〜
>
> 高齢者のフレイル予防では、身体活動レベルよりも大きい係数を設定できます。また、肥満で減量を図る場合には、身体活動レベルより小さい係数を設定できます。いずれにおいても目標体重と現体重との間に大きな乖離がある場合は、上記①〜③を参考に柔軟に係数を設定します。
>
> 〈総エネルギー摂取量の目安〉[2]
> 　総エネルギー摂取量（kcal/日）＝目標体重（kg）※×エネルギー係数（kcal/kg）
> 　※原則として年齢を考慮に入れた目標体重を用います。

分です。1日蓄尿などの方法でナトリウムなどの排泄量を測定することによって、1日食塩摂取量を求めることができます。食塩の過剰摂取は、体液量の増加によって血圧の上昇を引き起こします。『高血圧治療ガイドライン2019』[4]では、減塩を含む生活習慣の複合的な修正が治療に効果的であることを示しています。この場合、食塩摂取は6g/日未満が目標です。減塩のポイントは、①漬物や汁物、干物や塩蔵品などの加工食品の摂取を控えること、②減塩の調味料を使用する、③香辛料やうま味（だし）などを上手に利用するなどです。ナトリウムを減らしカリウムが含まれる減塩の調味料がありますが、腎臓機能低下でカリウム制限のある人には注意が必要になります。

b. カルシウム

一般に閉経後の女性では骨粗鬆症を発症しやすく、関節リウマチの治療で用いられるステロイドによっても起こりやすいので注意が必要です。『骨粗鬆症の予防と治療ガイドライン2015年版』[7]によると、カルシウムの食品からの摂取は1日700〜800mgが推奨されています。カルシウムを多く含む食品は、牛乳・乳製品、小魚、緑黄色野菜、大豆・大豆製品などです。加えてカルシウムの吸収に必要なビタミンDや、骨形成に必要なビタミンKも不足しないように心がけます。ビタミンDは日光浴で合成されますが、食品では魚類やきのこ類に多く含まれます。一方でビタミンKは抗凝固薬ワルファリン（ワーファリン）の効果を弱めるので、服用している場合はビタミンKを多量に含む納豆やクロ

Column

果物とカリウム

果物はカリウムを多く含む食品の1つです。カリウムは、体の余分なナトリウムの排泄を促す働きがあるため、高血圧の治療に効果が期待できます。しかし果物は果糖やブドウ糖を多く含むため、適量を守ることが大切です。糖尿病の食事療法において果物は、1日80kcal（バナナ中1本、もしくはキウイフルーツ中1個半）程度が目安となります。

Case 惣菜を用いた食事療法

高血圧症や脂質異常症があり、食事療法を行っている患者さん。手指の変形があるために食事にはスプーンやフォークを使用しています。調理作業は可能ですが、時間がかかることが負担になることもあります。そこで自炊以外に惣菜の購入や外食も取り入れています。惣菜などを用いながら栄養バランスを考え、減塩の工夫をすることは可能です。その方に適した長続きできる食事療法が大切になります。

ロレラ、青汁などは摂取しないようにします。

c. 鉄

鉄は生理的な排泄のほかに成人女性では月経による喪失があり、鉄欠乏性貧血を招きやすくなります。ただし、炎症がコントロールされていない関節リウマチ患者さんでは慢性炎症性貧血がみられ、鉄を摂取しても反応しにくい場合があります。食事においては鉄を多く含む食品の摂取を心がけますが、動物性タンパク質やビタミンCなどによって吸収が促進されます。お茶（日本茶、紅茶）やコーヒーに含まれるタンニンは鉄を不溶化して吸収を悪くするため、摂取は控えめにするほうがよいでしょう。

おわりに

関節リウマチの治療をうまく進め、生活の質（quality of life；QOL）を向上させるためにも日々の食生活は大切です。合併症が軽減し、関節リウマチの治療がよい方向へ向かうように、食事療法を無理なく継続できる栄養指導が重要になります。

引用・参考文献

1) 日本腎臓学会編. 慢性腎臓病に対する食事療法基準2014年版. 東京, 東京医学社, 2014, 2.
2) 日本糖尿病学会編. 糖尿病診療ガイドライン2019. 東京, 南江堂, 2019, 34-7.
3) 日本動脈硬化学会編. 動脈硬化性疾患予防ガイドライン2022年版. 東京, 日本動脈硬化学会, 2022, 78-101.
4) 日本高血圧学会高血圧治療ガイドライン作成委員会 編. 高血圧治療ガイドライン2019. 東京. ライフサイエンス出版. 2019, 64-73.
5) 厚生労働省. 令和元年 国民健康・栄養調査報告. 2020, https://www.mhlw.go.jp/content/001066903.pdf（2023年4月参照）
6) 厚生労働省. 日本人の食事摂取基準2020年版. 2019, https://www.mhlw.go.jp/content/10904750/000586565.pdf（2023年4月参照）
7) 骨粗鬆症の予防と治療ガイドライン作成委員会 編. 骨粗鬆症の予防と治療ガイドライン2015年版. 東京, ライフサイエンス出版, 2015, 78-9.

第2章 リウマチケアと多職種連携

12 歩くための適切な運動の方法

京都府立医科大学大学院医学研究科
リハビリテーション医学 助教
菱川法和 ひしかわ・のりかず

甲南女子大学 看護リハビリテーション学部
理学療法学科 名誉教授
八木範彦 やぎ・のりひこ

はじめに

関節リウマチ（reumatoid arthritis；RA）患者さんが運動を行うと、関節の動きが良くなる、筋力が強くなる、痛みが軽減するなどといわれています。その結果、日常生活を送りやすくなることからも、日々運動を行うことが勧められます。また、日本リウマチ学会の関節リウマチ診療ガイドライン2020[1)]でも、運動を行うことは患者さんの身体機能や生活の質（quality of life；QOL）を改善すると推奨されています。しかし、関節リウマチに伴う炎症がある場合には、関節痛が強くなったり、関節破壊が進行したりすることもあるため、運動は薬にも毒にもなります。そのため、適切な時期に、適切な運動を行う必要があります。運動をはじめる前には、以下の点を確認することが重要です。

①全身の炎症状態を確認します
②関節の痛みの有無を確認します
③環軸関節亜脱臼の有無を確認します

関節リウマチは全身の関節破壊を伴う疾病のため、すべての運動を解説することは困難です。本稿では、日常生活を送るために重要な「歩行」能力の維持・改善を目的とした下肢に対する運動の方法を中心に解説していきます。

関節可動域の維持・改善のための運動（関節可動域訓練）

炎症症状の出現によって関節痛が発生すると、筋肉が硬くなり、関節の動きが制限されます（関節拘縮）。また、罹病期間が長くなると、関節破壊による特有の変形が観察されるようになります。関節リウマチ患者さんは、痛みを軽減するため、関節を曲げた姿勢でいることが多く、次第に伸ばしにくくなる（屈曲拘縮）ことが特徴です。また、下肢によく観察される変形には、股関節の屈曲拘縮、膝関節の屈曲拘縮のほかに外反膝（X脚）、足関節・足部の外返しや扁平足（外反扁平足）、足趾の外反母趾、槌趾（つちし）などがあります。これらの関節拘縮や変形は、関節リウマチ患者さんの歩行を制限します。そのため、関節拘縮や変形を発生させない、悪化させないように関節可動域（range of motion；ROM）訓練を行い、予防・治療する必要があります。

1. 股関節のROM訓練

長時間、ベッドやいすで膝を曲げて休んでいると、股関節や膝関節の屈曲拘縮が出

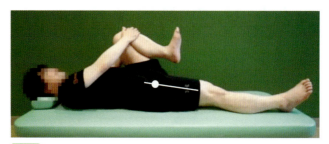

図1 股関節のROM訓練（股関節の伸展運動）

現しやすくなります。歩行の際には、股関節や膝関節をうまく伸ばすことができないため、体を十分に前方へ押し出すことができません。そのため、歩幅は狭くなり、歩行速度が低下します。

股関節の伸展運動は、腹臥位の姿勢をとることが効果的です。可能ならば1日に数回腹臥位になることをお勧めします。しかし、関節リウマチ患者さんによっては、環軸関節亜脱臼があり、腹臥位がお勧めできないこともあります。そのときは、ベッド上で背臥位となり、ROMを拡大したい側の下肢を最大に伸ばします。その際、一方の膝を曲げた後、両手で下腿部を抱え、股関節をゆっくりと曲げていきます（図1）。伸ばしている側の股関節前面に伸張感があれば、正しい運動が行われています。5分程度行った際に反対側の下肢も同様に行います。注意点として、股関節や膝関節に人工関節が入っている患者さんは、脱臼の危険性があるため適応とはなりません。

2. 膝関節のROM訓練

膝関節の屈曲拘縮があると、体が曲がってしまい、姿勢の保持に多くの筋力を必要

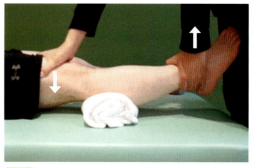

図2 膝関節のROM訓練（膝関節の伸展運動）

とします。その結果、疲れやすく、長い距離の歩行が行いにくくなります。膝の屈曲拘縮を出現させないためには、膝を伸ばすことが重要です。

膝関節の伸展運動は、背臥位になり、膝をできるかぎり真っ直ぐに伸ばします。具体的には膝裏から下腿部の間に、バスタオルなどを丸めて入れます。次に、膝の力を抜くように指示した後、膝蓋骨（膝のお皿）のすぐ上（大腿部の下端部）をゆっくりと上から押さえます（図2）。押さえたまま、ゆっくり10秒ほど数えた後に押す力を緩めます。

3. 足関節・足部のROM訓練

荷重に対する衝撃吸収作用として、足関

節・足部は重要な働きをします。足関節・足部の動きには、つま先が上下に向く底背屈運動、足底が内外側に向く内返し・外返し運動、複合運動である回内（内転・底屈・内返し）・回外（外転・背屈・外返し）運動（図3）があります。各関節方向の最終域までゆっくり動かし、十分に筋肉を伸ばします。ただし、関節拘縮が強い場合には、無理をして関節可動域の拡大を図る必要はありません。

4. 足趾のROM訓練

床面を踏み切る際に足趾は重要な働きを

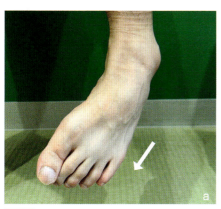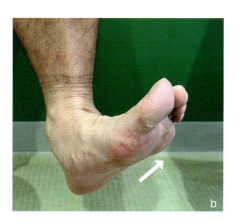

図3 足関節・足部のROM訓練
a…回内運動：内転・底屈・内返しの複合運動、b…回外運動：外転・背屈・外返しの複合運動

Column

運動開始時に確認すること

- **炎症症状**：腫脹、発赤、熱感、疼痛が4大徴候といわれています。炎症状態を把握するには、臨床検査によるC反応性タンパク（C-reactive protein；CRP）や赤沈によって知ることができます。また、関節を触診することによって、炎症症状の程度を判断することもできます。
- **関節の痛み**：体を動かさず安静にしていても発生する痛みを自発痛、体を動かしたときに発生する痛みを運動痛と呼びます。自発痛は関節の炎症症状、運動時痛は関節破壊がおもな原因と考えられています。
- **環軸関節亜脱臼**：第1頸椎（環椎）と第2頸椎（軸椎）によって構成される関節を、環軸関節と呼びます。環椎に付着する環椎横靱帯が軸椎の歯突起を後方から支持し、頸部の回旋運動を可能にしています。環軸関節亜脱臼があると、頸部の後方に痛みを訴えることが多く、進行とともに手指のしびれ感が出現すること、握力が低下することが特徴です。頸部を屈曲することで症状が増悪するため、積極的な運動は行いません。重篤な場合には、延髄を圧迫し、致命傷となる場合もあります。

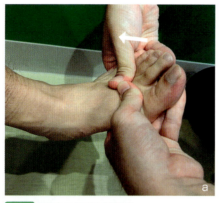 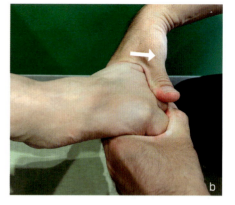

図4 足趾のROM訓練
a…伸展運動、b…屈曲運動

します。足部には、3つの関節（中足趾節関節、近位趾節関節、遠位趾節関節）があります。足趾を一本ずつ持ち、各関節を伸ばしていきます。また、外反母趾がある場合は母趾を外側へ広げるように、槌指がある場合は足趾全体をゆっくり伸ばしていきます。できるだけ手指全体で、足趾を包むようにして動かします（**図4**）。

筋力を維持・改善のための運動（筋力増強訓練）

ヒトが重力に抗して体を保持するのに重要な筋（脊柱起立筋、大殿筋、中殿筋、大腿四頭筋、下腿三頭筋）を抗重力筋と呼びます。抗重力筋に筋力低下があると、歩行がしにくくなります。以下では、主に大殿筋、中殿筋、大腿四頭筋の筋力増強訓練を

Step Up ● 外反扁平足 ●

踵骨と距骨からなる踵距関節では、足底が内側に向く動き（内返し）と外側に向く動き（外返し）が可能です。多くの関節リウマチ患者さんでは、足部の内側縦アーチ（土踏まず）が消失しやすく、扁平足が発生しやすいです。進行とともに、外返しと扁平足が合わさった外反扁平足につながりやすいといわれています。このような変形があると、荷重とともに痛みが発生し、歩行が困難となるので留意してください。

Step Up ● 運動の種類と強度 ●

運動の種類には、筋肉のみ力を入れて関節を動かさない運動（等尺性運動）や筋肉に力を入れて関節を動かす運動（等張性運動）があります。運動強度には、重力に抗した姿勢または重力を除去した姿勢で関節を動かす運動（自動運動）、セラバンド®や重錘バンドを手足に装着し負荷を加えた上で関節を動かす運動（抵抗運動）があります。

概説します。なお、運動量は、開始当初は5〜10回3セットを目標として行い、炎症症状や効果の程度に応じて回数やセット数を増減します。負荷量は、姿勢（重力除去位、抗重力位）、セラバンド®、重錘バンド（1kg程度）などで調整します。

1. 大殿筋の筋力増強訓練

股関節の後面にある大きな筋が大殿筋です。大殿筋の作用は、股関節を後方に伸ばす（股関節伸展）ことです。歩行時には、歩幅の大きさに影響します。この筋が弱くなると、歩行時に体幹の屈曲が観察されます。

股関節の伸展運動は、背臥位になり、両膝を立て、殿部を上に高く上げます（図5）。5秒ほど数えた後にゆっくりと元の姿勢に戻します。

2. 中殿筋の筋力増強訓練

股関節の外側にある筋が中殿筋です。中殿筋の作用は、股関節を外側に広げる（股関節外転）ことです。片脚立位になった際に、骨盤を保持する役割があります。この筋が弱くなると、歩行時に異常な骨盤の動き（トレンデレンブルグ徴候）や体幹の横揺れ（デュシェンヌ徴候）が観察されます。

股関節の外転運動は、背臥位になり、両脚を肩幅に広げ、股を外側へゆっくり広げます。運動が余裕をもって可能であれば、セラバンド®などを装着して行います（図6a）。また、ベッド上で体を横向きにして、上方の足を高く持ち上げる運動があります。上側の下肢は、膝を伸ばしたまま天

図5 大殿筋の筋力増強訓練

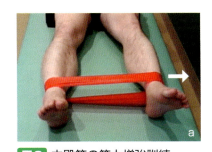
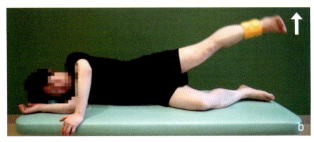

図6 中殿筋の筋力増強訓練
a…等尺性運動、b…等張性運動

井に向かってゆっくりと持ち上げます。この際、体が安定するように、下側の下肢は少し曲げた状態に保ちます。運動が余裕をもって可能であれば、重錘ベルトなどを装着して行います（図6b）。

3. 大腿四頭筋の筋力増強訓練

大腿部の前面にある大きな筋が大腿四頭筋です。大腿四頭筋の作用は、膝関節を伸ばすことです。歩行はもちろんのこと、いすからの立ち上がりや階段の昇り降りなどに重要な役割があります。この筋が弱くなると、歩行時に膝がロッキング（骨性支持）し、筋力を使わないようになります。

この状態が長く続くと、あらゆる日常生活の動作で支障をきたすおそれがあります。

膝関節の伸展運動は、背臥位になり、膝の裏にバスタオルなどを丸めて入れ、できるだけまっすぐ伸ばします（図7a）。つま先を上に向け、大腿四頭筋に力を入れることで膝をしっかり伸ばします（パテラセッティング）。力を入れる時間は5秒程度とします。このとき、膝裏でバスタオルが押しつぶされる動きや膝蓋骨が上方向へ引き寄せられる動きがみられたら、正しい運動が行われています。

また、座った状態で、膝をできるだけま

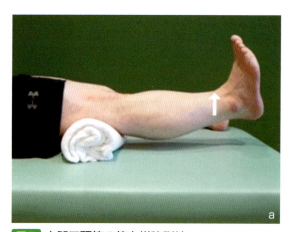
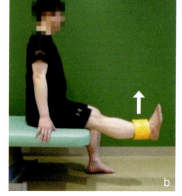

図7 大腿四頭筋の筋力増強訓練
a…等尺性運動、b…等張性運動

Step Up ● 抗重力筋 ●

ヒトは常に重力に抗して体を支持することで立位をとっています。立位をとるために重要な役割を果たしている筋肉には、体幹をまっすぐな状態で支える脊柱起立筋、股関節を伸ばす大殿筋、膝を伸ばす大腿四頭筋、足関節を伸ばす下腿三頭筋（腓腹筋とヒラメ筋）があり、これらをまとめて抗重力筋と呼びます。また、股関節を横に広げる中殿筋を含める場合もあります。

っすぐ伸ばす方法もあります。いすあるいはベッド上に座り（膝関節は約90°屈曲位）、つま先を上に向け、膝を前方にゆっくりと伸ばします。伸ばしたまま5秒ほど数え、ゆっくりと降ろします。運動が余裕をもって可能であれば、重錘ベルトなどを装着して行います（図7b）。

4．抗重力筋全体の筋力増強訓練

起立・着座運動が有効とされています。一般的ないす（座面の高さは42cm前後）に少し浅く腰かけ、両手は体の前に重ね、両足を肩幅に広げ、起立・着座運動を行います（図8）。立ち上がった後には、体をしっかり伸ばします。運動をはじめた当初は、両手を座面や膝に置いて、上肢の力を多少利用してもかまいません。立ち上がれない場合は、座布団などを用いて座面を高くします。起立・着座運動は、全体重を負荷して行うため、下肢の関節破壊が軽度で、日常生活において運動時痛がない患者さんが対象となります。

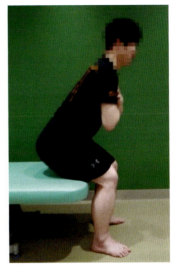

図8 抗重力筋全体の筋力増強訓練

Case　運動習慣

関節リウマチ患者さんからは「運動を行うことで痛みが出現しないか心配です」と耳にします。基本的に炎症症状がなければ、運動は痛みを我慢できる範囲で行うことをお勧めします。運動を指導する前には、軽度の筋肉痛は有害ではないことを理解してもらう必要があります。また、ほとんどの患者さんは、運動習慣を持っていません。まずは運動項目を最小に絞ることや、症状に応じて運動の種類や回数・セット数を自身で調整できるような指導が必要です。毎日の運動回数・セット数や、何か気になったことがあれば日誌へ記載してもらい、通院時にフィードバックを行うことで運動習慣を定着させるかかわりも重要です。

引用・参考文献

1) 日本リウマチ学会編．"RA患者に対する運動療法は、患者主観的評価を改善させるため、推奨する"．関節リウマチ診療ガイドライン2020．東京，診断と治療社，2021，158-9．

第2章 リウマチケアと多職種連携

13 靴の選び方

株式会社澤村義肢製作所 義肢装具士
佐藤亜有 さとう・あゆ

株式会社澤村義肢製作所 義肢装具士
大西智樹 おおにし・ともき

はじめに

『2020年リウマチ白書』[1]によると、日本リウマチ友の会会員（関節リウマチ患者さん）の中で、「靴で悩んでいる・悩んでいた」という回答は81.5％となっています。義肢装具士として患者さんとかかわる中でも、「どのような靴を選ぶべきかわからない」という声をよく耳にします。本稿では、関節リウマチ患者さんの靴の選び方・履き方と、選択肢の1つとしての装具療法について述べます。

靴の目的

靴は日常生活の中で欠かせない存在です。道路の凹凸などから足を守る、足を清潔に保つ、運動要素をサポートする、保温やファッションなども挙げられます。そのため、足に合っていない靴を使用することで助長される可能性のある変形や痛みは、日常生活に支障をきたします。

関節リウマチの病態として、関節を中心とした組織変化が起こるため、おもに足部の関節に対して靴がアプローチできているかが重要となります。このことから、おもに動揺関節の支持と変形の予防、痛みの軽減を行うことができる靴を選択する必要があります。

靴に満たしてほしい条件

関節リウマチ患者さんが求める靴として多い"痛くない、軽い、脱ぎ履きしやすい、柔らかい"という条件も重要ではありますが、これらのみで靴を選んでしまうと、足の状態に対して適切ではない可能性があります。市販の靴を選ぶ際に、具体的にどのような構造の靴がよいのかを**図1**に示します。

靴の履き方

靴の履き方も重要になります。かかとを靴の後方に合わせ、ひもや面ファスナー（マジックテープ®）などの留め具をしっかり留めることで、前滑りによる足部変形の助長を防止します（**図2**）。

装具療法

靴の選び方、履き方を改善しても、状態によっては解決が難しい場合もあります。その場合の選択肢の1つとして、装具療法があります。装具は、治療目的で患者さん一人ひとりの状態に合わせてオーダーメイドで製作します。関節リウマチ患者さんによく使用する装具として、足底装具と靴型装具が挙げられます。

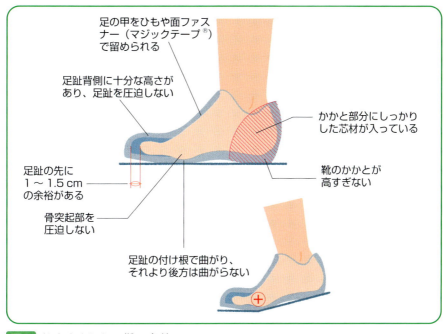

図1 おすすめしたい靴の条件

図2 靴の履き方

1. 足底装具

足底装具とは簡単にいうと靴の中敷きです（図3）。足底装具によってアーチの支持・矯正、荷重の分散・局所的な除圧などを行います。軽度〜中程度の足部変形の場合、足底装具を市販の靴に入れて使用することで、問題を解決できることがあります。

併用する靴としては図1に示した条件に加え、もともと靴に入っている中敷きが取り外しできるタイプを推奨します。

図3 足底装具
症状に合わせた素材や形状で製作します。

図4 靴型装具

図5 靴の着脱を助けるための工夫
ベルトの先にカンを取り付け、指などを引っかけやすくしています。

2. 靴型装具

足底装具では解決できない問題や、変形が中程度以上の場合は靴型装具が適応になります（**図4**）。靴型装具は足底装具の機能に加え、変形部位に対しより多くの作用をはたらかせることができます。具体的に

> **Column**
>
> ### 靴型装具の重量
>
> 靴型装具はさまざまな加工を施したり、中に足底装具を入れたりすることから、重いというイメージを持たれる方が以前は多くいらっしゃいました。特に関節リウマチ患者さんは"軽い"靴を求めている方が多いため、敬遠される場合もありました。ですが、材料や構造を工夫することで、今では以前の3分の2ほどの重さで製作することが可能となっています。昔の靴型装具の重さのイメージが原因で靴型装具を拒否されている方がいらっしゃったら、お伝えいただけるとうれしいです。

Case　靴型装具の工夫

高齢女性の関節リウマチ患者さんに対し、足部変形に対する靴型装具の処方がありました。手の変形が大きく、道具を使うことも難しいため、"手も靴べらやリーチャーも使わずに、自分で履けるひもデザインの靴がほしい"との要望でした。手や道具を使うことができれば、踵を踏まないよう支えたり、ベロが奥に入り込まないようつかんでおいたりすることができますが、その動作を行わずに履ける靴の工夫が必要でした。踵部分の芯材には踏んでも潰れにくい弾力のある素材を使用し、通常は入れませんがベロには芯材を入れて、靴の中に入り込まないようにしています。靴ひもはゴムひもにし、締め具合を調整した後はスリッポンの靴としてそのまま履くことができます（図6）。また、足の変形にも対応させるため、爪先部分は高く、甲革の裏地にはクッション性のある素材を使用しています。

要望をすべて叶えることが毎回できるとは限りません。ですが、治療目的に沿ったものを、患者さんが可能な限り使いやすい、使いたいと思える装具を装着していただくことが重要だと考えます。

図6 手や道具を使わずに履ける靴型装具

Step Up　● 見落とすことの多い靴選びのポイント ●

既製靴の選び方の条件について、追加で覚えておいていただきたいのが、1年を通しての足部の容量の違いです。多くの方が、夏用と冬用で靴下の厚みや枚数を変えられます。また、指の重なりなどの変形のある方が、指の間にクッションを入れたりする場合もあります。履くときの状況を実際に考慮して、可能であれば同じ状態で履いて確認していただくことが失敗しにくい靴選びのポイントです。

は、靴の履き口の高さを高くする、かかとの芯材を長くすることで支持性を高める、足と直接触れる部分を柔らかい素材にする、爪先のスペースを広げるなど、さまざまな仕様を組み合わせることが可能です。手指の変形などに対しても、靴ひもを結ぶことが困難な場合に、脱ぎ履きを手助けするような工夫を行うこともできます（図5）。

引用・参考文献

1）公益社団法人日本リウマチ友の会. 2020年リウマチ白書. 2020.

第2章 リウマチケアと多職種連携

14 リウマチ患者さんによく使われる自助具
―関節の変形のため日常生活で困っている患者さんへの支援―

公益財団法人甲南会 甲南加古川病院 リハビリテーション部 副技士長
松尾絹絵 まつお・きぬえ

はじめに

　関節リウマチ（rheumatoid arthritis；RA）患者さんは、関節の痛み、関節破壊の進行による上下肢の関節可動域（range of motion；ROM）の制限や手の変形、握力の低下などで、更衣や整容などの日常生活動作（活動）（activities of daily living；ADL）や家事など、生活上で行いにくいことが出てきます。「2020年リウマチ白書」[1)]では、現在不安なこととして、「日常生活動作の低下」との回答が66.0％に及び、また、60.1％の人が自助具を使用しています。関節リウマチ患者さんが望むように生活するために、"自分で、自分のことが、自分がしたいときに、自分が思うようにできる"ことを支えるのが自助具です。そこで、関節リウマチ患者さんによく使用される自助具について、作業療法士（occupational therapist；OT）の視点から紹介します。

ペットボトルオープナー

　手の変形や握力の低下のためにペットボトルのキャップを開けることができない場合に使用するペットボトルオープナーは、

図1 ペットボトルオープナー
a：らくらく実感ペットボトル＆缶オープナー（ダイイチ）。
b：使っていいね！キャップオープナー（リッチェル）。

関節リウマチ患者さんに使われることが多い自助具です（図1）。「らくらく実感ペットボトル＆缶オープナー」（ダイイチ）は、ペットボトルとプルトップを開けることができ、「使っていいね！キャップオープナー」（リッチェル）は、ペットボトルとプルトップに加え、パウチ容器を開けることができます。ただし、どちらもペットボトルのキャップの径によっては開けることができないものもあります。さまざまな種類がありますので、患者さんのニーズに合わせて提案できるように特徴を把握することが大切です。

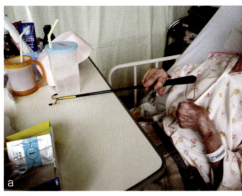 

図2 OT作製のリーチャー
a：テーブル上の物を引き寄せる；魚釣り用の遠投竿のカーボンシャフトを使用した軽量リーチャー。
b：更衣動作での使用場面；園芸用のカラー鋼管支柱を使用したリーチャー。

リーチャー

　肩・肘関節のROM制限で遠くへ手が届きにくい、人工股関節全置換術（total hip arthroplasty；THA）後の脱臼肢位の防止や下肢のROM制限で床に手が届かない場合などに使用します。その名のとおり、リーチ（reach）を手助けする自助具です。

　市販品は長さが決まっていますが、その用途は多様です。衣服の着脱の補助には短め、足元に落ちた物をひっかける、先端にガムテープを付けて棚の隙間を掃除する、ハンガーをひっかけて洗濯物を干す場合などには長めがよいため、当院では用途に合わせてOTが作製しています（**図2**）。

ソックスエイド

　THA後の脱臼肢位の防止や下肢のROM制限などで、靴下を履けない場合に使用します。市販品は、手指に変形がある関節リウマチ患者さんにとっては硬くて靴下を入れられない場合もありますので、当

 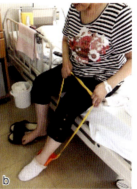

図3 ソックスエイド
a：OT作製のソックスエイド、b：使用場面。

院ではポリプロピレンのクラフトシートを使用してOTが作製しています（**図3**）。赤・青・オレンジ・黄色など、色を選択してもらうことができますので、患者さんに好評です。靴下を脱ぐときはリーチャーを使います。

フットケア用自助具

足趾変形があると趾間の清潔が保ちにくくなることに加え、下肢のROM制限のため足元に手が届かない場合もあり、足部の保清を行う方法の検討が必要です。医師や看護師、理学療法士と情報交換を行いながら自助具を選定します。足部の洗体は、ループ付きボディタオルで足底部まで洗うことができますし、市販のボディブラシで足部を洗うこともできます。当院では足趾間を洗う際は、OTが作製した子ども用歯ブラシを利用した長柄趾間ブラシが使われています[2]（**図4**）。関節リウマチ患者さん向けの市販品は少ないですが、柄が長めで先端が柔らかいものとして「足趾間ブラシTEMO」（橋本義肢製作、岡山リハビリ機器販売）があります。

図4 足趾間を洗う自助具
a：OT作製の長柄趾間ブラシ。
b：足趾間ブラシTEMO（橋本義肢製作、岡山リハビリ機器販売）。

Column
自助具の入手方法と選択のポイント

市販の自助具は、福祉用具や介護用品を販売している会社や日本リウマチ友の会などで入手できます。さらに、100円ショップ、ネットショップでも入手可能です。さまざまな便利商品が販売されていますので、関節リウマチ患者さんに使いやすい商品も多くありますが、本当に使用しやすいかは、実際に試してもらう必要があります。また、市販品が重い・硬いなど、関節リウマチ患者さんにとっては使いにくい、そもそも困っている動作を手助けできる商品がない、という場合は一人ひとりの患者さんの身体機能に合わせて、本人の希望を取り入れながらOTが自助具を作製します。

Column
マスクの着脱に使える道具は何がある？

100円ショップなどで購入できる菜箸トングが利用できます。シリコンなど柔らかい素材でかばんに入るサイズを選んでもらうと、外出でのマスク着脱に便利です。

Step Up ● 自助具が適応となるタイミング ●

自助具は、紹介のタイミングや適応の判断も重要です。その動作がすでに行えず患者さんが困っている場合にはすぐに紹介します。しかし、リハビリテーションの視点では、骨折や人工関節置換術などの手術後で身体機能が改善していく過程にある場合は身体機能の改善を優先させ、まずは自助具を使わずに自分で行えるようになることを目標とします。もしくは一時的な使用とすることがあります。

ただし、疾患活動性が良好にコントロールされている人でも、例えば母指や手指の1関節の痛みが続いて、ビンのフタが開けにくいなど1つの動作に困っている場合もありますので、関節の負担を軽減するために、滑り止めマットを使用してビンのフタを開ける方法を教える、変形予防として手指のスプリントを検討するなど、関節保護と合わせて患者教育を行います。関節リウマチの病態と予測、身体機能、ADL能力、家庭や仕事での役割、介護力などを総合的に判断しながら、患者さんが困っていることを解決していきます。

Case パウチと目薬の小さなキャップを開ける道具は何がある？（図5）

ある関節リウマチ患者さんから、「パウチのドリンクを飲むのでパウチのキャップと、新品の目薬のキャップを開けられるようになりたいのですが、ペットボトルオープナーでは大きすぎるので、なにかよい自助具はないですか？」という質問がありました。多用途を希望されていましたので、径の小さなキャップにも対応できるものとして、マルチキャップ＆プルトップオープナー「eg」（アンリミット・ジャパン）を試してもらい、実際に開けることができて使いやすいということで購入となりました。合わせて、目薬の容器をつまむ力が弱く点眼しにくいとのことで、100円ショップのラインカールを容器に合わせて曲げて、点眼用の自助具を作製しました。自助具の存在を知らない、合う物がないと思ってあきらめている患者さんもいますので、医療関係職は自助具の種類を知ることが大切です。また、生活で困っている動作を聴いて実際に見ることで、そのほかにも困っていたことが発見できます。点眼がしやすくなったことで、とても喜ばれた症例です。

図5 「eg」の使用場面

目薬のキャップを「eg」（アンリミット・ジャパン）で開けることができました。容器には目薬エイド（点眼用の自助具）をはめたままにして、点眼しやすいようにしています。

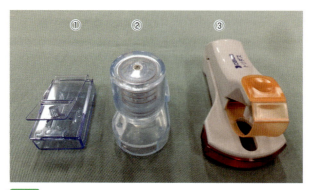

図6 お薬取り出し器
①プッチン錠（アプライ）、②お薬どうぞ（サンクラフト）、③トリダス（大同化工）。

お薬取り出し器（図6）

　薬を一包化にするという方法も選択されますが、錠剤やカプセルを取り出しにくい場合に使用します。看護師や薬剤師からの問い合わせが多い自助具の一つです。「プッチン錠」（アプライ）では、薬を押し出す先端の形状が細いため、メトトレキサートは取り出しにくいようです。「お薬どうぞ」（サンクラフト）は、受け皿がケース状になっていないため、薬を押し出した後に薬が飛び出すことがあります。「トリダス」（大同化工）は、少し大きいため外出時などの持ち運びには好まれにくいなど、それぞれ特徴があります。

引用・参考文献

1) 日本リウマチ友の会編. 2020年リウマチ白書〈総合編〉. 流. 356, 2020, 53, 94.
2) 松尾絹絵ほか. リウマチ患者の長柄趾間ブラシ. 作業療法ジャーナル. 45（1）, 2011, 58-9.

第2章 リウマチケアと多職種連携

15 リウマチ治療と口腔ケア

神戸大学医学部附属病院
歯科口腔外科 歯科衛生士
西井美佳 にしい・みか

神戸大学医学部附属病院
歯科口腔外科 准教授
長谷川巧実 はせがわ・たくみ

関節リウマチと歯周病の関係は？

近年、歯周病の主要な病原性細菌であるポルフィロモナス・ジンジバリス（*Porphyromonas gingivalis*）と関節リウマチの関連性が注目されています。関節リウマチ患者さんの歯周病罹患率は高く、歯周病の重症度は関節リウマチ患者さんの疾患活動性と関連することなども報告されています。

歯周病とは？

歯周病は、細菌の感染によって歯茎が腫れ、出血や排膿などの症状が出現し、歯を支えている周りの骨が溶け、歯が抜け落ちてしまう病気です（図1）。糖分の取りすぎや不十分な歯磨きなどにより、歯垢（プラーク）が形成されることで細菌が増え、歯茎に炎症が生じます。

また、歯周病の進行は痛みが少ないことがほとんどで、気がついたときには手遅れとなり、歯を失う可能性があります。歯周病の予防には、正しい歯磨き、歯科医院での口腔衛生管理（定期的な口腔ケアや定期健診）が必要不可欠です。

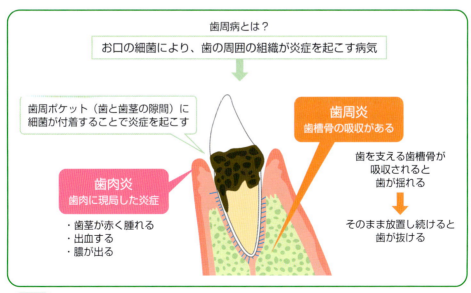

図1 歯周病とは

関節リウマチの治療と口腔ケア・歯科治療の関係は？

1．清掃できない

関節リウマチ患者さんは長期間続く関節炎によって四肢の機能が低下し、これらの機能障害が原因となって歯磨きがうまくできなくなるため、専門的な口腔ケアを継続する必要があります。

2．抗リウマチ薬、併用薬の副作用

a．抗リウマチ薬

局所的な副作用として、口内炎や歯肉出血が出現することがあります。食事ができないほどの口内炎が出現することもあり、対応策として、食前の鎮痛薬内服、鎮痛薬含有のうがい薬の使用などがあります。

また、がん等化学療法中であれば、局所管理ハイドロゲル創傷被覆・保護材「エピシル®口腔用液」を使用することがあります。また、歯肉出血に関しては、血小板の減少で止血しにくい状況となり、出血するから歯磨きができない状況が重なることで口腔内の細菌が増殖し、さらに歯肉の炎症を悪化させ出血するという悪循環になることも考えられます。

口腔内の状態は自分自身ではなかなか確認しにくい部位でもあるため、歯科医院での定期的なお口のチェックも併せて、早め早めの対応で口腔内環境の悪化を予防することが必要です。

b．長期ステロイド内服

口腔内の菌交代現象が起こり、それによって発症する口腔カンジダ症に注意が必要です。また、長期ステロイド内服患者さんは、ステロイド性骨粗鬆症予防のために骨吸収抑制薬を内服していることが多いです。

c．骨吸収抑制薬

骨粗鬆症の予防としてビスホスホネート（bisphosphonate；BP）製剤やデノスマブ（denosumab）製剤が使用されることがあ

Step Up　● 局所管理ハイドロゲル創傷被覆・保護材「エピシル®口腔用液」●

エピシル®は口腔内病変の被覆および保護を目的とする医療機器です。2018年に販売が開始されました。化学療法や放射線療法に伴う口内炎で生じる口腔内疼痛の管理および緩和を目的に使用されますが、がん等化学療法中で、抗リウマチ薬を使用されている方の口内炎にも使用されることがあります。

【使用方法】
ノズルヘッドをプッシュし口腔内に塗布します。その後、舌で口内炎患部に塗り広げます。5分程度で口腔粘膜の水分を吸収してゲル状になり、口内炎を覆うことで口腔内の疼痛を緩和します。1日の使用回数は必要に応じて2～3回/日です。
関節リウマチ患者さんの場合、口腔乾燥症を併発していることもあるため、ブクブクうがいなどで口腔内を十分に保湿してからの使用をおすすめします。

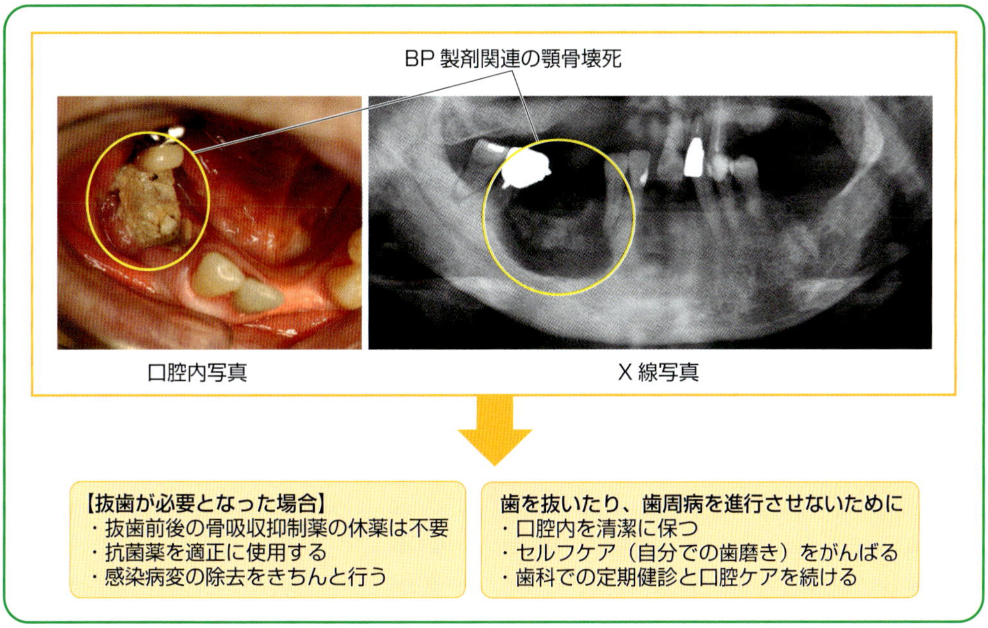

BP製剤関連の顎骨壊死

口腔内写真　　　　X線写真

【抜歯が必要となった場合】
・抜歯前後の骨吸収抑制薬の休薬は不要
・抗菌薬を適正に使用する
・感染病変の除去をきちんと行う

歯を抜いたり、歯周病を進行させないために
・口腔内を清潔に保つ
・セルフケア（自分での歯磨き）をがんばる
・歯科での定期健診と口腔ケアを続ける

図2 顎骨壊死を予防するには

ります。これらを総称して骨吸収抑制薬といいます。この骨吸収抑制薬を長期間服用している状態で、歯周病などの炎症性疾患を放置することで、顎骨壊死が起こることがあります（図2）。また、抜歯などの外科処置の後に、顎骨壊死が拡大したり、発見されたりすることもあります。抜歯が必要な状況になった場合でも、骨吸収抑制薬を休薬する必要はありませんが、処方医とよく相談した上で抜歯を行います。

したがって、歯科医院には骨吸収抑制薬の服薬情報を必ず伝えることが必要です。また、う蝕処置などの通常の歯科治療は問題ないので、患者さんには、歯の状態が悪くなる前に定期的な歯科受診や口腔管理を勧めることが重要です。

おわりに

関節リウマチ患者さんと口腔ケアには密接なかかわりがあります。関節リウマチ患者さんが決められた治療を中断することなく、しっかり続けていくためには、口腔内の清潔を保つことが大切です。また、関節リウマチ患者さんは関節痛や炎症を和らげるために非ステロイド性抗炎症薬を使用することが多いため、う歯や歯周病の痛みに鈍感になってしまうことがあります。このようなことを私たち医療者が理解して、関節リウマチ患者さんに口腔内の健康についてのアドバイスを行うことも大切です。そのなかには、口腔内を定期的にチェックするかかりつけ歯科をもつよう指導することも含まれています（図3）。

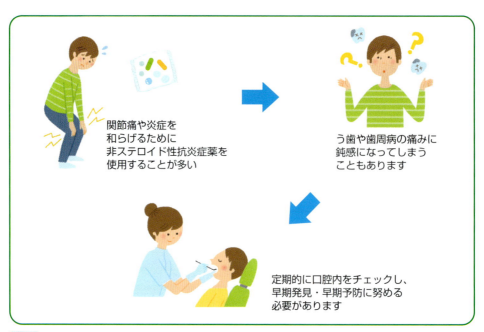

図3 定期的な口腔内チェックの必要性

Column

定期的に通える「かかりつけ歯科」を決めましょう！

何か症状があるから受診するのはお医者さん。症状が出ないよう予防のために受診するのは歯医者さん。これは、医科と歯科との違いです。治療が必要な歯があれば、しっかり噛めるように治療してもらいましょう。お口の中の環境が整えば、それを維持するために定期的なお口のクリーニングを続けることが大切です（図4）。特に、関節リウマチ患者さんにとっては、服薬での副作用などの可能性やシェーグレン症候群などを併発している場合もあるため、お口のトラブルを引き起こすリスクがあります。かかりつけ歯科に関節リウマチの治療中であることや、現在服用しているお薬についても伝え、かかりつけ歯科での口腔管理を続けましょう。

図4 かかりつけ歯科での口腔管理

口腔内に痛みがあり、食事困難のためかかりつけ歯科から当院口腔外科に紹介された例

【患者】70歳、女性。　【歯科臨床診断】口腔カンジダ症。
【現病歴】関節リウマチ、骨粗鬆症、糖尿病。
【内服】抗リウマチ薬・ステロイド・BP製剤を使用中。

かかりつけ内科にて、粘膜炎に対してステロイド軟膏・非ステロイド性抗炎症薬が処方されていました。口腔粘膜炎は頬粘膜や口蓋に認められました。また、その周りにはカンジダ症である白斑が散在しており、口腔粘膜炎とカンジダ症が混在している状態でした（図5、6）。この症例の場合、口腔粘膜炎悪化の原因として、口腔内の清掃不良や喫煙が挙げられました。関節リウマチ治療を行っている場合は、よりいっそうの口腔内の管理が必要です。

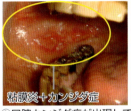
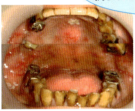
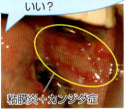

口の中も喉も痛くて食事ができない。抗リウマチ薬の服用をやめたほうがいい？

粘膜炎＋カンジダ症　　粘膜炎＋カンジダ症

①口腔カンジダ症が出現しているため、ステロイド軟膏の中止。
②口腔カンジダ症に対して、抗真菌薬処方。
③食事時の痛みを軽減するために、食後に内服していた非ステロイド性抗炎症薬を食前の内服に変更。
④口腔内の痛みを緩和するために、キシロカイン®ビスカス含嗽実施（→キシロカイン®ビスカス30 mL＋精製水400 mL＋アズノール®うがい液1本を混合したもの）。
⑤細菌検査実施（口腔カンジダ症の再確認）。

図5 歯科の対応

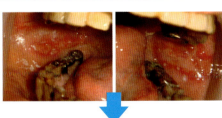

◆細菌検査結果：*Candida albicans* 陽性
◆口腔カンジダ症は改善
◆口腔内の疼痛は変わらなかった

［歯科でできること］
◆かかりつけ内科への現状報告
◆口腔衛生管理・禁煙指導

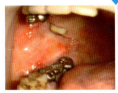
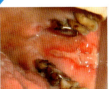
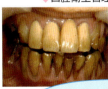
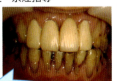

痛くて食事はできないけどタバコはやめられない

図6 経過

引用・参考文献

1) 西井美佳ほか. リウマチ治療と口腔衛生管理の必要性：歯科衛生士の立場から. 臨牀看護. 39(14), 2013, 1988-94.
2) 日本リウマチ学会. 関節リウマチ（RA）に対するTNF阻害薬使用ガイドライン. 2015年3月12日改訂版. http://www.ryumachi-jp.com/info/guideline_TNF.html,（2017年2月参照）.
3) 局所管理ハイドロゲル創傷被覆・保護材「エピシル口腔用液」の発売に関するお知らせ. https://www.meiji-seika-pharma.co.jp/pressrelease/2018/detail/180516_01.html（2023年6月参照）
4) エピシル口腔用液の作用機序と副作用【がん化学療法による口内炎】：新薬情報オンライン. https://passmed.co.jp/di/archives/1087（2023年6月参照）
5) 中川美緒ほか. 造血細胞移植の口腔粘膜障害に局所管理ハイドロゲル創傷被覆・保護材（エピシル口腔用液）を用いた4症例. 日造血細胞移植会誌. 8(1), 2019, 36-42.

第2章 リウマチケアと多職種連携

16 リウマチ患者さんの就労支援
―仕事への復帰に際して―

明陽リウマチ膠原病クリニック 看護師長
松田真紀子 まつだ・まきこ

はじめに

　関節リウマチ（rheumatoid arthritis；RA）の治療法の進歩によって、治療と仕事を両立したいという患者さんのニーズが高まっています。病気の寛解には至らないまでも、日常の自己管理や服薬、通院などを続けながら普通の生活を送れるようになった患者さんが急速に増加していますが、このような患者さんは、通常の就労支援で体調の良いときに就職できても就職後に体調が悪化しやすく、就業継続の課題もあります。その一方で、就労支援と医療・生活支援が連携することによって、患者さん自身のセルフマネジメント能力を向上させ、機能障害の軽減や悪化予防、就労の継続につなげることも可能だといわれています。

　関節リウマチ患者さんの就労支援は、このような疾患の特徴による課題に対応することが大切です。

就労相談窓口

　一般に仕事を探すときに利用されることが多いハローワークには、2013年4月から全国51カ所に「難病患者就職サポーター」が配置され、難病相談支援センターをはじめとする地域の関係機関と連携しながら、個々の難病患者の希望や特性、配慮事項を踏まえたきめ細やかな職業相談、職業紹介および定着支援などが行われています（図1）。各都道府県に設置されている難病相談支援センターでは、難病患者が利用しやすいようにホームページやリーフレットを作成して情報発信を行っています。

Column

難病患者さんの就職率は向上している

わが国では「障害者の雇用の促進等に関する法律」（障害者雇用促進法）に基づき、職業リハビリテーションに関する調査・研究等を実施する障害者職業センターにおいては、1996年から数千名の多様な難病患者さんの就労上の課題について調査がされ、方策が検討されてきました。過去の調査では難病患者さんの雇用は約50％にとどまっていましたが、2021年度の調査では、難病患者就職サポーターによる就職率は64.8％となり、徐々に成果が出てきています。今後も難病患者が職場で病気について理解をされ、その人らしく働けるようにするために、医療と福祉そして就労支援など多くの部門の連携が必要です。

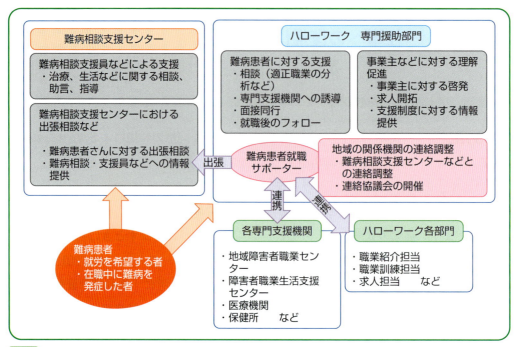

図1 難病相談支援センターと連携した就労支援の実施 （文献1より改変）

関節リウマチがあっても仕事を探すための支援

　関節リウマチ患者さんが就職活動を行うときに、「病気があっても働けるかどうかわからない」「どのような仕事ならいいかわからない」と悩む方が多くいます。このような場合には、まずは、関節リウマチによる医療的な制限について主治医に相談し、助言を受ける必要があります。しかし、主治医は医療的に「無理のない仕事」「軽労働」という観点で、デスクワークのような仕事を勧めることが多いです。主治医の助言に基づき、関節リウマチによる制限を踏まえつつ、患者さんの興味や強み、学歴や経験を踏まえて生き生きとできる仕事を見出すことを目指します。そのためには、地域の求人とマッチングさせていくハローワークなどの支援が必要です。また、2018年には、独立行政法人高齢・障害・求職者雇用支援機構 障害者職業総合センターより「難病のある人の雇用管理マニュアル」[2]が発行され、雇用管理にあたる企業と患者さんと取り巻く関係機関との連携が強化されてきています。

就職活動や復職時に、職場に対して病気や必要な配慮を説明するための支援

　関節リウマチ患者さんの就職活動では、職場の理解や配慮が必要な場合でも十分に説明ができなかったり、反対に病気を説明することで採用されにくくなったという経

験をする患者さんも多くいます。ハローワークなどでは、就職活動の意欲や職場への貢献をアピールする方法に関する支援、病気や障害の状態と必要な配慮、その配慮があればできる仕事の内容などを整理して、事業主に対して誤解なくわかりやすく説明できるように支援をしています。

就職後の治療と就労との両立のための支援

就職後、働き続けるためには医療関係者のサポートが必要となります。通院している病院の主治医の支援も大切ですが、企業の産業医の支援も必要です。産業医とは、「事業場において労働者健康管理等について、専門的な立場から指導や助言を行う医師」とされています。産業医には、担当医から病気の治療の状況などの情報、事業場からは仕事に関する情報を収集して、仕事が健康に影響する可能性を評価して事業場に助言する役割があります。

「治療と仕事の両立」の相談・支援の進め方

多くの関節リウマチ患者さんは、専門的支援のない状況で、試行錯誤をしながら「治療と仕事の両立」をマネジメントしています。障害者職業総合センターが2021年に発行した「難病のある人の就労支援活用ガイド」[3]では、治療と両立して仕事を継続することが困難になっている人が一定数存在し、①ニーズをつかむ、②支援をつなぐ、③支援を使うという流れで、適切な専門支援につなげることが大切であると示されています（**表1**）。

表1 難病患者の就労相談・支援の進め方[3]

①ニーズをつかむ相談内容チェックリストの活用	・難病の医療・生活相談/職業準備に関すること ・就職活動の困難に関すること ・職場適応・就業継続の困難に関すること
②支援をつなぐ相談内容の理解と適切な専門支援へのつなぎ方	・治療と仕事の両立に自信がない 　→無理ない仕事選びと就職後の治療と仕事の両立支援の確保 ・難病に関連した社会的な疎外感・孤独感 　→難病による就労問題の社会的理解や支援の社会的な広がりの情報提供 ・再就職が困難で経済的、精神的に追い詰められている 　→就職と退職の悪循環からの脱出への総合的支援 ・難病で仕事を辞めてから再就職の意欲がない 　→障害者雇用支援や治療と仕事の両立支援による再チャレンジ ・就職や進路についての悩みや相談 　→在学中からの無理なくできる仕事に向けたキャリア支援 ・体調管理の面で無理な仕事についてしまった 　→退職や転職の前にまず治療と仕事の両立支援の可能性を検討 ・認知・運動障害が進行して仕事に影響がある 　→主治医に職務情報を提供し就労可能性や職務内容を検討　　など
③支援を使う	・個別支援ニーズに対応できる多様な専門支援の活用（図1参照）

> **Case** 治療と仕事の両立

以前は就業中に関節リウマチを発症すると、病気によって仕事を休みがちになってしまった場合に、患者さんが自ら離職してしまうこともありました。最近は、共有意思決定（shared decision making；SDM）の考え方が進み、仕事やライフスタイルについて、診断時から患者さんの就労状況を把握し、治療と仕事が両立できるように治療計画を立てることが多くなりました。また、治療法の進歩により、経過の見通しがわかりやすくなったこと、仕事の休日に受診できるクリニックやオンライン診療など多様化した診療スタイルを活用して仕事と治療が両立できるようになったことも要因として考えられます。

> **Step Up** ● 障害者の雇用の促進等に関する法律（障害者雇用促進法）●

障害者雇用促進法には、障害者に対する差別の禁止と合理的配慮の提供義務が明示されています。ここでいう障害者は、障害者手帳を持っている方ではなく、障害および社会的障壁により継続的に日常生活に制限を受ける状態を指します。合理的配慮とは、障害のある人が困っているときに、その人に合ったやり方を工夫することです。職場と相談しても就労について話が進まない場合には、難病相談支援センターや都道府県労務局に相談することも必要です。

引用・参考文献

1) 厚生労働省. 難病患者就職サポーターによる支援. https://www.mhlw.go.jp/content/11600000/000845888.pdf（2023年3月参照）
2) 障害者職業総合センター編. 難病のある人の雇用管理マニュアル. https://www.nivr.jeed.go.jp/research/kyouzai/kyouzai56.html（2023年3月参照）
3) 障害者職業総合センター編. 難病のある人の就労支援活用ガイド. https://www.nivr.jeed.go.jp/research/kyouzai/kyouzai68.html（2023年3月参照）
4) 厚生労働科学研究費補助金 免疫・アレルギー疾患政策研究事業「ライフステージに応じた関節リウマチ患者支援に関する研究」研究班編. ライフステージに応じた関節リウマチ患者支援ガイド. 2021, 124-5.
5) 浅川透. 難病患者の教科書. 東京, 日本ブレインウエア, 2016, 278p.

第2章 リウマチケアと多職種連携

17 自己注射指導のポイント
—自己注射指導における看護師の役割—

名古屋大学医学部附属病院腎臓内科／小早川整形リウマチクリニック 看護師
永井 薫 ながい・かおる

はじめに

関節リウマチ（rheumatoid arthritis；RA）に対して使用できる生物学的製剤には、点滴製剤と皮下注射製剤があります。皮下注射製剤は多くの場合、自己注射で投薬されています。薬剤選択は医師と患者さんが十分に話し合って決定していますが、患者さんは治療に関する情報の入手や学習すべきこと、自身が意思決定しなければならない事柄が多いので、看護師は関節リウマチに使用される薬剤や投与方法、投与間隔について理解した上で、医師と患者さんとをつなぐ架け橋的な存在になり、サポートすることが望ましいです。ただ単に注射の方法を教えるだけではなく、患者さんそれぞれに応じたアセスメントを行い介入する必要があります。

皮下注射製剤の場合、患者さんが自宅で行える自己注射の導入を勧めている医療機関は多いと考えられますが、導入に難渋するケースや、自分で針を刺すことに心理的抵抗がある患者さんも多くいます。

また、痛みや変形など日常生活動作（活動）（activities of daily living；ADL）障害のために自己注射手技が困難な場合もあります。本稿では、自己注射導入に際しての看護師の役割や観察のポイントについて考えてみましょう（図1）。

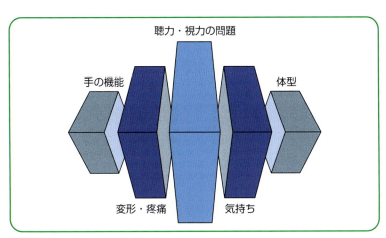

図1 自己注射のポイント
関節リウマチ以外の疾患でも指導の際に聴力や視力を確認し、コミュニケーションを取る。

自己注射の実態

2015年に名古屋大学医学部附属病院に通院する、自分で生物学的製剤の自己注射を行っている199人の関節リウマチ患者さんを対象に、手技に関する項目、休薬に関する項目、心理面に関する項目など、合計26問のアンケート調査を実施しました。

その結果、間違いや理解不足が多かったのは、「打ち忘れ・打ち間違いがあるか？」「重症感染時に休薬することを知っているか？」「手術を受けるときに休薬をすることがあることを知っているか？」という質問に対する回答でした。また、「自己注射について医師または看護師に相談したいことがあるか？」という質問では69％が「ある」と回答しました。

患者さんのアンケート回答では休薬のタイミングについての理解が不十分だったことから、休薬のタイミングは看護師からも重ねて説明した方がよいでしょう。生物学的製剤の使用は免疫を抑制するため、肺炎やニューモシスチス肺炎、粟粒結核などの感染症にかかる危険性があります。もし投与中に感染症を疑う症状があれば、生物学的製剤をいったん中止します。発熱、咳、呼吸困難などの症状があれば医療機関に連絡するようにとの教育が必要です。電話してもよい具体的な時間帯や窓口の相手などを伝えましょう。注射に関しては各製薬メーカーのサポートダイアルなどがある場合、活用するのもよいでしょう。

注射実施前の手洗いについては28％ができていませんでした。関節リウマチ患者さんは手の変形や疼痛がある場合もあるため、手洗いの必要性を理解していても十分にできない可能性もあります。手指をよく観察し、変形や疼痛が強い患者さんには泡タイプのハンドソープを紹介するとよいでしょう。

重症感染時以外にも、周術期には生物学的製剤の投与をスキップすることもあります。患者さんにはそのような予定があれば主治医に報告するよう教育しましょう。

生物学的製剤導入の際には医師から注意事項について説明がされていますが、患者さんにとって診察室は特別な空間であり、医師が話したことをすべて覚えているとも限りません。患者さんが理解しているかを確認し、理解が不足している場合は看護師からも補足が必要です。

さらに予防接種についても教育が必要です。予防接種には不活化ワクチンと生ワクチンがあり、生物学的製剤投与中の患者さんには生ワクチンは接種できません。ワクチン投与の予定があれば、主治医に必ず相談するよう教育しましょう。

自己注射の指導の際の観察ポイント

関節リウマチは手足に痛みや変形が出現する疾患なので、指導にあたっては患者さん一人ひとりを観察する必要があります。

1. 手指の変形、疼痛、握力

関節リウマチ患者さんの手指に変形があ

る場合とない場合があり、その変形もさまざまです。普段どんな作業が困難なのか、どのような補助具を使用しているのか確認しましょう。また、変形がなくても疼痛があることももちろんあるので、患者さんの痛みを聞くことも大切です。

痛みが強く自己注射が困難な場合は、痛みがあるうちは病院で投与し、良くなったタイミングで自己注射に切り替えることなども検討するとよいでしょう。キャップを外す、投与をするなどのタイミングで、ある程度の握力が必要になるため、握力についても観察しましょう。

2. 関節の動き

患者さんに実際にグー・チョキ・パーなどをしてもらい、どの程度手指が動くかを確認しましょう。手や手首だけでなく首の可動域も確認しましょう。

自己注射部位の第1選択は腹部であることが多いですが、腹部に注射するためには自分のお腹を見ることが必要です。首が悪い患者さんはお腹をしっかり見ることができないので、その場合は大腿部に注射するなどの工夫が必要です。腹部にコルセットを装着中の患者さんの場合なども大腿部に注射することがあります。なお、大腿部に注射する場合、大腿骨への穿刺を避けるために皮下組織の薄い膝関節付近の大腿骨の直上は避け、太腿前面の中央付近に打ちましょう。

3. 脂肪のつき具合

投与が簡単な自動注入器であるオートインジェクター製剤が、多くの患者さんに使用されています。針が見えないので恐怖心が強い患者さんにも受け入れがよいですが、6〜8mmの針が皮膚に対して垂直に刺さるので、患者さんへの投与は部位を十分に検討する必要があります。

プレフィルド型シリンジ製剤では角度や穿刺する深さを変えて注射することができます。極度の痩せ型の患者さんで腹部に脂肪がほとんどない場合には、プレフィルドシリンジ製剤、またはプレフィルドシリンジに補助具を取り付けて使用することを検討してもよいかもしれません。また、プレフィルドシリンジ製剤と一部のペン型・オートインジェクター製剤では、握りやすくする、キャップを外しやすくする、注射器の先端を安定させるための補助具があるので、投与が困難な場合には試してみるとよいでしょう。

4. 認知機能、患者さんの価値観

デバイスの進化により、関節リウマチ患者さんにとって自己注射は以前に比べて簡単に投与できるようになりました。しかし、自己注射を行ってもらうためには認知機能に問題がないかも見極める必要があります。

年齢とともに認知機能に問題が出現するケースもあります。認知機能の低下にいち早く気がつけるよう、多職種で患者さんとかかわる必要があります。また、自己注射が困難な場合にはご家族が投与を行うこともあります。導入時にはキーパーソンを確

認し、可能ならば注射の指導の際にも同席してもらうと理解が深まります。また、自宅での投与に不安がある場合、介護保険を用いた在宅訪問看護を依頼して、訪問看護師に自宅で注射してもらうこともできます。このような社会的な支援も場合によって取り入れていくとよいでしょう。

また、自己注射に対して患者さんがどのように感じているかも観察すべきポイントです。金銭面、副作用、痛みなどの懸念から自己注射にネガティブな印象を持っていると、投与を自身の判断でスキップしたりアドヒアランスに影響したりする可能性があります。そのようなケースは特に注意して、残薬に気を配りながら患者さんの気持ちを継続フォローしましょう。

心理面への配慮

多くの患者さんにとって、自分で自分の体に針を刺すという行為は経験がないことなので、「怖い」「できないかもしれない」というネガティブな感情を抱くことは至って正常な反応です。指導する側もその気持ちを理解しなければいけませんし、患者さんには「正常な反応」であると伝えてあげましょう。

関節リウマチの皮下注射製剤は従来のプレフィルドシリンジ製剤に代わってオートインジェクター製剤が主流となっていますが、「注射」というとシリンジを思い浮かべる患者さんが多いので、デモ機を見せて、簡便に打てることを看護師からも説明すると、「自己注射ができる」イメージを持ちやすいでしょう。

実際に高齢の患者さんや関節リウマチによる手の変形がある場合でも自己注射を行っているケースも多くあるので、そういった事例をお伝えすることも効果的です。また、腹部や大腿部を露出することに抵抗を示す女性も多いため、自己注射指導は個室でプライバシーが守られる環境で行いましょう。

自己注射指導の実際

実薬を投与する前にデモ機を見せて説明しましょう。初回は看護師が見守り実施するのがよいでしょう。

注射の前にアルコールかぶれがないかも確認しましょう。採血前などのアルコール消毒では皮膚のトラブルがない患者さんでも、腹部では赤くなることがあります。注射後の投与部位反応と間違えないようにしましょう。

看護師が一通りデモ機で説明し、患者さんができそうなら進めます。

変形や手の痛みを観察し、患者さんが自宅で再現可能なベストな方法で投与できるかを患者さんと一緒に考えましょう。目標は自己注射をできることではなく、安全に体内に薬剤が入ることなので、患者さんによる自己注射が難しいと判断した場合は院内投与に切り替える、家族に打ってもらう、などの方法に切り替える判断も必要です。また、同じ部位に繰り返し投与するこ

とによって皮膚の硬化などが起こる可能性があるので、場所を変える必要があります。いつ、どこに投与したか記録する習慣も指導するとよいでしょう。

便利なオートインジェクター製剤の登場により、溶解が必要なバイアル製剤はいうまでもなく、従来のプレフィルドシリンジ製剤よりも、簡便に短時間で指導することができるようにはなりましたが、自宅に帰った患者さんが実施しようとして動作が思い出せなくなることもあります。いつでも連絡していいですよと声をかけましょう。

Column

自己注射導入後のフォロー

「自己注射の実態」（p.204～）で述べた、2015年に行ったアンケート調査の半年後に同じリウマチ患者さんを対象に再度調査を行いました。その結果、間違いが多かった項目の改善はみられたものの、正解率は100％ではなく、1回の指導では不十分であることがわかりました。

注射の方法がだんだん自己流になってしまうことも考えられますし、休薬については1回の説明では理解が不十分なケースもあります。大切なことは何度も繰り返し指導を行いましょう。自己注射の手技が自立し行えるようになった後でも、患者さんと定期的に手技や理解に関するチェックリストを実施するなどして、コミュニケーションを取ることも効果的です。

また、アンケートの結果からは、現在自己注射を行っている患者さんでも半数以上の人が恐怖心をもっていることがわかりました。患者さんからの訴えがなくてもこのような心理を理解し、声かけを行う必要があります。診察時間のなかでは自己注射の手技についてなかなか医師に相談できないのが現状です。困ったときに看護師など他の職種が相談に乗ってあげられるよう、積極的にかかわりをもちましょう。

引用・参考文献

1) 永井薫．関節リウマチ患者における生物学的製剤自己注射の休薬管理（第60回日本リウマチ学会学術集会ポスター発表）．2016.
2) 永井薫．関節リウマチにおける自己注射指導と管理（第64回日本リウマチ学会学術集会教育講演）．2020.

第2章 リウマチケアと多職種連携

18 医療者の活動紹介
―日本リウマチ財団登録リウマチケア看護師制度・日本リウマチ看護学会―

名古屋学芸大学看護学部看護学科 成人・老年看護学領域 助教
佐藤由佳 さとう・ゆか

はじめに

　関節リウマチ（rheumatoid arthritis；RA）の治療は従来より、基礎療法、薬物療法、手術療法、リハビリテーションの4本柱で成り立っているといわれており、さまざまな専門職が関節リウマチ患者さんの治療にかかわってきました。2003年に生物学的製剤が導入されたことにより、関節リウマチ治療はそれまでの痛みを和らげ関節破壊の進行を遅らせる治療から、関節破壊の防止、寛解導入へと、治療の目標は大きく変化しました。それまでの治療では十分な効果が得られなかった患者さんも症状が改善するようになりました。一方で、生物学的製剤をはじめとする有効な治療にはさまざまな副作用が生じるおそれがあり、症状のモニタリングや感染予防、自己注射など、患者さん自身の自己管理が必要となります。また、関節リウマチは生活習慣の改善によって必ずしも病状を改善できるとは限らない疾患であり、療養する上でさまざまな課題を抱えています。関節リウマチの治療・ケアにおいて看護師は、『「チーム医療のキーパーソン」として、生物学的製剤の治療選択や、点滴や自己注射の指導、経済面や心理的な支援、関節の変形予防や感染予防など、医療行為と生活支援を統合して、患者の揺れ動く気持ちに寄り添いながら、社会活動の参加を促すことも考慮した在宅生活を支援していくことが求められる』とされています[1]。関節リウマチ患者さんの看護に携わる看護師は、病気や治療による対象の生活への影響をとらえた上で、さまざまな専門職と連携・協働して患者さんの療養を支えていく必要があると考えます。

日本リウマチ財団登録リウマチケア看護師

　日本リウマチ財団登録リウマチケア看護師（以下、リウマチケア看護師）は、一定の要件を満たし、審査に合格した看護師に認められる資格制度で、公益財団法人日本リウマチ財団によって2010年に発足しました[2]。資格を取得した後も、多くのリウマチケア看護師がより良い看護を提供するための知識や技術を身に着けるために、セミナーや研修会などで自己研鑽を積んでいます。

　リウマチケア看護師に続いて、2014年からはリウマチ性疾患の薬物療法に精通した薬剤師を育成する目的で、日本リウマチ財団登録薬剤師制度が始まりました。また、2019年にはリウマチ性疾患のリハビ

リテーションに精通した理学療法士・作業療法士を育成する目的で、日本リウマチ財団登録理学・作業療法士制度が始まりました。

患者さんが安心して療養できるために、おのおのの施設でのチーム医療を推進するとともに、急性期医療から在宅医療まで切れ目のない療養環境が提供できるよう、多職種と協働し、それぞれの専門性を高めながら支援できるよう努めていく必要があると考えます。

日本リウマチ看護学会とは

生物学的製剤の登場後、関節リウマチ治療にパラダイムシフトが生じる一方で、関節リウマチ患者さんの看護に携わる看護師には十分な情報が届きませんでした。その状況下で、それぞれの施設で試行錯誤しながら関節リウマチ看護を実践していた看護師が各地の研究会や学会で知り合い、状況を改善して看護の質を向上させるための情報共有ができたらと考え、神崎初美先生（兵庫医科大学看護学部）と筆者らが中心となり、2011年に「日本リウマチ看護師ネットワーク」を結成しました。そして、1人でも多くの関節リウマチ患者さんにより良い看護が提供できるよう、さらなる関節リウマチ看護の発展と看護実践の質の向上を目的として、2014年発足の「日本リウマチ看護研究会」を経て、2019年には「日本リウマチ看護学会（JSRN）」へと発展しました。

日本リウマチ看護学会の活動と今後の展望

日本リウマチ看護学会では、年に1回の学術集会を開催しています。それぞれのテーマをもとに、特別講演、一般演題、シンポジウム、交流集会などが行われ、治療や看護における最新情報や他施設の取り組みを知る機会となっています。第2回（2021年）・第3回（2022年）の学術集会はコロナ禍にあり、地域を超えての参加が難しい状況であったためオンラインでの開催となりましたが、2023年度は対面で開催されました。

また、関節リウマチ看護の重点課題に対応するために、妊娠と出産委員会、フットケア・看護リハビリテーション委員会を設立し、2022年には関節リウマチ看護に携わる看護師のスキルアップを目指した教育委員会を設置しました。妊娠と出産委員会、フットケア・看護リハビリテーション委員会では実態調査などが行われており、調査についての発表やケアの実践方法について、学術集会において企画してきました。教育委員会では臨床で働く看護師、教育者、研究者が協力して課題を解決していくために、看護研究や看護実践に関する研修会を企画・開催することになりました。

患者さんが病気とともに生きていく上で、より快適な日常生活を送るために、私たち看護師は一人ひとりの患者さんと向き合いながら必要な支援をすることが求められます。一人でも多くの関節リウマチ患者

Column

欧州リウマチ学会（EULAR）が提唱する看護師の役割

2012年、EULARによって慢性炎症性関節炎の管理における看護師の役割が提唱されました。そして、2018年にはより高いエビデンスと新たな知見を組み入れた改訂版が発表され[3]、日本では房間らによって翻訳されています[4]（**表1**）。この改訂版では、3つの「基本的な考え方」と8項目のリコメンデーションが示されています。その中で、看護師は総合的な疾患管理への参画だけでなく、患者の心理社会的問題についての取り組みや患者の自己効力感を高めるための自己管理技術の支援が求められており、知識や技能を維持・向上するために、関節リウマチに関する継続的な教育を受けることが推奨されています。日本リウマチ看護学会でもこれらの提唱された項目が実践されるよう、努めていくことが必要だと考えます。

表1 慢性炎症性関節炎の管理における看護師の役割についてのEULARリコメンデーション：2018年改訂版

Overarching principles	基本的な考え方
1. Rheumatology nurses are part of a healthcare team.	リウマチ看護師はヘルスケアチームの一員である
2. Rheumatology nurses provide evidence-based care.	リウマチ看護師はエビデンスに基づくケアを行う
3. Rheumatology nursing is based on shared decision-making with patient.	リウマチ看護は患者との共同意思決定に基づく
Recommendations	**リコメンデーション**
1. Patients should have access to a nurse for needs-based education to improve knowledge of CIA and its management throughout the course of their disease.	患者は、病気の全経過を通して、慢性炎症性関節炎の知識を習得し、より良い管理を行えるように、ニーズに応じた教育を看護師から受けるべきである
2. Patients should have access to nurse consultations in order to enhance satisfaction with care.	患者は、ケアの満足度を高めるために、看護師に相談すべきである
3. Patients should have the opportunity of timely access to a nurse for needs-based support; this includes tele-health.	患者は、ニーズに基づく支援を受けることができるよう適切な時期に看護師に相談すべきである。これには遠隔医療も含まれる
4. Nurses should participate in comprehensive disease management to control disease activity, reduce symptoms, and improve patient preferred outcomes: this leads to cost-effective care.	看護師は、疾患活動性が改善し症状が軽減され、患者の望むより良い結果となるように、総合的な疾病管理に参画すべきである。これは費用対効果の高いケアにつながる
5. Nurses should address psychosocial issues to reduce patients symptoms of anxiety and depression.	看護師は、患者の不安や抑うつ症状を軽減するために心理社会的問題に取り組むべきである
6. Nurses should support self-management skills to increase patients' self-efficacy.	看護師は、患者の自己効力感を高めるために自己管理技術の支援を行うべきである
7. Nurses should have access to and undertake continuous education in the specialty of rheumatology to improve and maintain knowledge and skills.	看護師は、知識や技能を向上させ維持するために、リウマチ学の専門分野についての継続的な教育を受けるべきである
8. Nurses should be encouraged to undertake extended roles after specialized training and according to national regulations.	看護師は、専門的な訓練を受けた後、国内の規制に従って、より広い役割を果たすよう奨励されるべきである

（文献3、4より引用）

さんに、より良い看護が提供できるよう、これからも看護の輪を広げられるように努めていきたいと思います。

引用・参考文献

1) 泉キヨ子. 看護と多職種との連携（医師やリハビリテーションなどを含んだ多職種連携）. 臨牀看護. 39 (14), 2013, 1968-72.
2) 公益財団法人日本リウマチ財団. リウマチ情報センター：医療関係者のみなさんへ. https://www.rheuma-net.or.jp/rheuma/senmon.html. (2023年4月参照)
3) Bech, B. et al. 2018 update of the EULAR recommendations for the role of the nurse in management of chronic inflammatory arthritis. Ann Rheum Dis, 79, 2020, 61-8.
4) 房間美恵ほか. 慢性炎症性関節炎の管理における看護師の役割についてのEULARリコメンデーション：2018年改訂版. 臨床リウマチ, 32 (1), 2020, 6-12.

日本リウマチ看護学会ホームページ（https://jsrn.jp/）
関節リウマチ看護について一緒に考える仲間をお待ちしています。

第3章 リウマチ治療の共有意思決定（SDM）

第3章 リウマチ治療の共有意思決定（SDM）

1 リウマチ患者さんの意思決定支援

兵庫医科大学看護学部 療養支援看護学 教授
神崎初美 かんざき・はつみ

はじめに

関節リウマチ（rheumatoid arthritis；RA）治療の進歩と複雑化によって、患者さんが多くの治療選択肢を選べる時代となり、治癒の可能性が広がり患者さんは希望を持てるようになってきました。しかし、それに伴い受ける治療に関する情報の入手や、患者さん自身が意思決定しなければならない事柄が多くなっています。

本稿では、患者さんに必要な意思決定能力と、看護職をはじめとする医療従事者がその意思決定をどう支えたらよいのかについて記述します。

共有意思決定（shared decision making；SDM）

1. SDM の定義

「患者と医師による特定の意思決定プロセス」（米国予防サービス・タスクフォース）[1]とされています。

2. SDM の要件

患者さんが満たす要件として、次の3つが挙げられています[2,3]。

①避けるべきリスクや病気または状態の重要性について理解している

②予防サービスや含まれるリスク、利益、代替案（選択肢）、不確実性について理解している

③そのサービスと関連した可能性のある利益や害と考えられる彼らの価値について熟考している

3. SDM の原則

- 少なくとも2人の関係者（患者と医師・看護師など）を巻き込む。一方向ではなく交流できている
- 双方の関係者が意思決定のプロセスに参加し、手段を用いることができる
- 情報共有できることが必要条件である
- 決断がなされ、双方がそれに合意する必要がある

4. SDM 実現の前提条件

①患者の要望・属性・期待を明確にする

②相互の影響を高め、合意に至る

③意思決定がある

5. SDM の阻害要因

①医療者側の時間の制限や場の構造上の制限がある[4]

②双方向で交流し分かち合うことが必要とは思っていない

SDMは相互に共有するものです。共同作業の土台があり、その上に築いていくものであるため、双方向に交流し分かち合うことが必要となります。

6. 分かち合う必要があるものとは何か？

- 情報や知識・責務・価値観・お互いのアイデア[5]
- 意思決定に至る現状認識や前提[6]

7. SDMがうまくいかない理由

- 最良の治療法がすでにある場合、決定の主体が医師になってしまいがちである
- 当事者である患者と家族の利益が拮抗する場合、当事者の決定だけで終わらない
- 生命の脅威が少ない場合、インフォームド・コンセント（informed consent；IC）の必要性が薄くなる
- 意思決定に密接にかかわる必要があるという熱意が当事者にない
- 情報を得ること、コミュニケーションをすることへの希求が当事者にない
- SDMにかかわる関係者が、言ってよい・聴いてよい関係になっていない

8. SDMにかかわる当事者の意識改革が必要

特に患者さんが変わることができるよう、看護師は支援することが必要です。

①患者は自身の行動に責任や権限を持つ……看護師は強化できるようかかわる
②患者は知識を得ようとする……理解できるように知識提供をする
③患者がエンパワメント（自律・コントロール感・自信を持つ）されている……看護師は尊重し支援する、自己肯定感・自己効力感を育てる
④患者がより良いアドヒアランスを持っている……「アドヒアランス、つまり患者が積極的に治療方針の決定に参加し、その決定に従って治療を受けること」を看護師は支援する
⑤患者は健康管理に関する行動変容ができる……看護師は疾病や症状管理の技法を伝える
⑥患者は決定に満足できるようになる……看護師は希望を聞き、気持ちを尊重し、一緒に考える

関節リウマチ患者さんの療養生活に、SDMの機会はいつでもあります（図1）。

関節リウマチ患者さんの療養生活に、SDMは1度で終わらず、何度でも必要です（図2）。

患者として知っておくべき、すべきこと

1. 患者にもタスクがある

タスク（task）とは、課せられた仕事のことをいいます。関節リウマチという慢性疾患患者さんにとって病のマネジメント（管理）を始めるときには、タスクとして自分自身の病気に自発的に取り組むことが必要となります。したがって、「疾病管理」が患者さんにとって課せられた仕事であり、義務が発生していることを患者さんに明確に伝え、理解してもらうことから始める必要があります。

CobinとStrauss[7]は、慢性疾患患者さんの3つのタスクについて述べています。

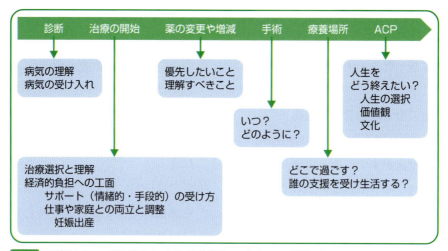

図1 関節リウマチ患者さんの療養生活に、SDMの機会はいつでもある

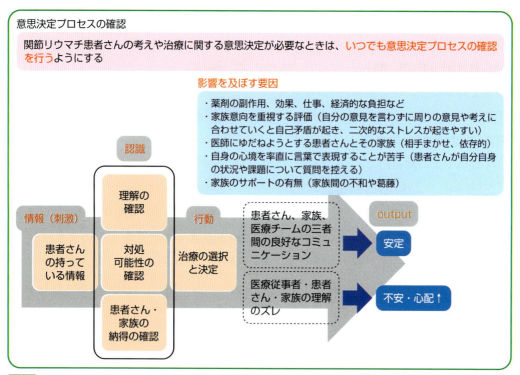

図2 関節リウマチ患者さんの療養生活に、SDMは1度で終わらない、何度でも必要

> **Step Up** ● ACP（advanced care planning）とは ●
>
> ACPとは、本人の価値観を重視し、本人による意思決定を基本とした上で、本人が医療・ケアチームと、人生の最終段階において希望する医療・ケアについて日ごろから十分に話し合っておくことです。ACPは、いのちの終わりにかかわる意思決定支援の方法です。
> 【ACP概念の要点】
> 概念・定義は定まっていませんが、3つの共通項があると考えます。
> ①患者と医療者が家族などケア提供者とともに行う
> ②意思決定能力の低下に伴って行われる
> ③プロセスを指している
> 【ADs（advanced directives）とACPの違い】
> ACPは話し合いによる相互理解のプロセスを示すものです。
> ADsは事前指示書の完成を目的とすることにあります。
> → ADsは、ACPの話し合い・プロセスの成果物としての位置づけ

a. 治療に関するセルフモニタリング（medical）をする

患者さんが自分の受けている治療を管理（マネジメント）するには、薬物療法・食事療法の実践、検査データなどの把握、自身のコンディションをモニターし管理するというタスクが生じます。

b. 仕事・家族・友人に対して新しく意味づけられた役割を作り維持する（social）

関節リウマチ患者さんは、疾患になったときからこれまでの生活スタイルの変更を余儀なくされます。したがって、患者はこの変化を受け入れ、自ら新しく意味づけされた役割を担うタスクが生じます。

自身の役割や他者との新しく作られる関係性に関して、患者さんが不十分な状況のときには、患者さんが学び理解できるように働きかける必要性が医療専門家にはあります。

c. 慢性疾患の状態のもたらす怒り・おそれ・フラストレーション・悲嘆への対処（emotional）ができる

患者さんには、慢性疾患がもたらすさまざまな耐えがたい症状や不透明な見通しによって、苦痛や陰性感情が生じるものですが、その情緒（感情）の表出とコントロールができる力をもてるような対処を学ぶことがタスクとなります。

2. セルフマネジメント（自己管理）の際の意思決定

関節リウマチ患者さんには、次のような自己管理が求められます。
①自身での服薬管理が必要となる
②ライフスタイルを変更せねばならない
③病気を悪化させない予防行動を行う義務が発生する
④毎日の行動に意思決定が必要となる

関節リウマチ患者さんは、日々の生活、

特に行動の1つひとつすべてに意思決定や選択を迫られている状況といえます。具体例を挙げると、包丁を使って大根を切るにも、痛みや機能障害があるため、「どのように切ろうか、いつ切ろうか、服薬後で痛みが軽減しているときにしよう」などの選択と意思決定を迫られます。

従来の患者教育は、information（情報提供）と technical skill（技術的支援）が中心でしたが、これからのセルフマネジメント看護介入では、患者教育と看護に必要なことは、セルフマネジメントを促すことであり、つまり problem-solving skills（問題解決型の看護）と、そこに含まれる中心的概念としての self-efficacy（自己効力感）です。つまり患者個人の問題を解決しようとするときに重要となるのが self-efficacy（自己効力感）なのです（表1）。

3. 自己効力感とは

自己効力感とは、「ある状況において必要な行動をどの程度うまく行うことができるかという個人の確信や自己遂行感」をいいます。これは、Bandura[8]によって提唱された社会的学習理論のなかの概念です。

人間の行動を決定する要因には、先行要因、結果要因、認知要因があり、これらの要因が絡み合って、人と行動と環境の三者間の相互作用が形成されています。なかで

表1 従来の患者教育と「セルフマネジメントによる看護介入」の比較

	これまでの関節リウマチ患者教育	セルフマネジメントによる看護介入
どんな教育？	病気に関する情報提供と手技	問題に対してどのように立ち向かうか（病気への対応・通常の生活を送るための対応・感情コントロール技法）に関するスキル 管理技法（痛み・疲労感・身体機能問題・情緒・栄養・運動・服薬・自己注射）
どのような問題を明確にする？	病気の不十分なコントロールをもたらす原因	患者さんが経験している患者さん個人の問題が病気に関連しているのか、していないのか？ 問題の明確化→案を選び試す→結果の評価→別の案を試す→ほかの資源を使う→解決できない場合は受け入れる
病気に対する教育との関連は？	教育は、病気に関連する、病気特有の情報や手技について行う	教育は、問題解決技法を提供する、それは、全般的な慢性の状態に続いて起こることに関するものである なにを達成したいのか明らかにして目標（短期・長期）を設定→具体的計画をともなうアクションプラン→毎週もしくは2週に1回評価する→必要なら軌道修正→成功すれば自分へご褒美（内容を決めておく）
教育のもとになる理論は？	病状を改善に向かわせるための病気特有の知識が行動変容をもたらす	生活を改善させるため患者さんができる範囲での、より高い自己効力感（self-efficacy）が病状の改善をもたらす
ゴールは？	病状改善のために患者さんに行動変容を遵守させる	病状改善のために self-efficacy を増加させる 現実的なアクションプランの実行と達成感の獲得
誰が教える？	ヘルスプロフェッショナル	ヘルスプロフェッショナル、ピアリーダー、ほかの患者さん、グループの他者、家族 グループワークによる相互作用やテーラーメイドな個別のかかわり

も、この認知要因にあたる部分は、望んだ結果を実現するために必要な行動を実行する能力に関する信念であり、これが自己効力感です。この自己効力感の高低が、人を望ましい行動に変化させたり、避けたい行動を回避させるというような実際の生活上に影響する行動と関連するのです。

4. 自己効力感を育てるには

自己効力感は、個々人によってその高低の差があるものです。つまり、ある行動を取る必要のあるときにどれだけやり遂げることができるかという自信には、元来個人差があるものです。例えば、自分の行動は努力や自己の意思決定によるものであるという意識が高い人は、なにに対しても努力しようとする態度がみられます。

自己効力感を育てる際には、その個人差に着目するのではなく、個人の自己効力感をどのように育てるか、ある行動をするときの意思決定と実行能力、つまりセルフマネジメントができるようにどう導くかが重要です。

自己効力感の信念を育てるには、以下の4つの影響力があるとBanduraは言っています[8]。

①制御体験（遂行行動の達成）：自分で実際に行い、成功体験を実感する
②代理体験：他人の行動を観察することで「これなら自分もできる」と実感する
③言語的説得：自己強化や他者からの説得的な暗示を受ける
④生理・情動的喚起：生理的な反応や変化を体験する

行動変容を要するのに変容できない患者さんに出会った際には、患者さんが意思決定に至らない要因を分析し、この4つの影響力を用いて介入することが自己効力感を育てることにつながります。

意思決定の弱い患者さんを支える方法

治療や看護を受ける患者さんには、医療依存が高いケースや、意思決定を確認できないケースもあるでしょう。セルフマネジメントができないほどの依存がある場合は、その状況の分析を行い、どのように意思決定を支えるかの検討が必要になります。家族や友人、福祉などソーシャルサポートが必要なのか、病院や医療者が電話サポートやコミュニケーションを多く取ることで解決に向かうのか、またはそのほかのアプローチが必要なのかを見極めていくことが必要です。

依存や不定愁訴など医療者泣かせの言動があるような患者さんには、忙しいことを理由に背を向けたくもなるでしょうが、見えている深刻な現象だけでなく、背景に実は別の原因が存在することもあります。例えば、家族間の不仲や虐待、経済的問題などが隠れている場合もあり、そのことが苦悩やストレスとなり身体・心理的な症状として表に現れていることもあります。家族間の関係の把握や、家族のサポート力についての査定も重要です。

意思決定に影響を与えるヘルスリテラシーを強化する

ヘルスリテラシー（health literacy）とは、健康に関する読み書き能力のことです。健康を維持する、意思決定をするためには、必要な情報へのアクセスと理解、そして活用する力が必要です。さらに、情報を得るだけでなく行動に移すために周囲の協力を得る、環境を変える努力をすることも広い意味でヘルスリテラシーです。

Case　SDMによる意思決定支援の事例

2カ月前に関節リウマチと診断されたAさん（女性、42歳）は、本日の診察で主治医から生物学的製剤の投与治療を勧められました。現在の関節リウマチの症状や病態を飛躍的に改善できる可能性があるので生物学的製剤を試してみませんかと主治医は提案し、かかる費用についても説明しました。

しかし、Aさんは「子どもたちの教育費にまだまだお金がかかるので、私の治療で月々そんなにお金を使うわけにはいかない」と言っています。このような場合の支援について倫理の4原則に基づいて考えてみましょう。

【善行（利益をもたらす）の原則】
生物学的製剤投与の効果についてエビデンスとともに伝え、その理解度を確認します。特に、使用した場合・しなかった場合の利益と不利益について説明し、ただし、それらは不確実なものであることも説明します。
生物学的製剤使用の利益：病状の改善・生活の質改善（自宅で皮下注できて便利・活動量の上昇や痛み軽減など）の可能性について説明します。
生物学的製剤使用の不利益：経済的負担額とその詳細、身体への影響（病状不変や悪化・刺入の痛み・副作用）があることを、可能なかぎり率直に正直に伝えます。

【無危害の原則】
生物学的製剤不使用の場合の今後（症状や病状の不変・悪化の可能性）について説明します。ただし、医療者側の意見を無理強いせず、事実のみ伝えます。

【自律尊重（意志決定）の原則】
患者の事情をよく聴いた上で、より良い方向性を共に模索します。経済的なことを気にしているため、社会資源導入の余地も探ります。場合によってはソーシャルワーカーなどの専門家につなぎます。社会資源についてわかりやすい記載があるホームページを紹介します。今、治療して長期的に生産性のある生活を送る可能性と、その重要性について伝えます。

【公正・正義（利益と負担の公平分配）の原則】
医療者側の意見を無理強いせず、中立性を保ちます。医療従事者は治療側であり、生物学的製剤を勧める姿勢となってしまいがちですが、中立性を保つよう努めます。

ある医師の効果的な提案：患者さんに対して「経済的事情も理解できますが、関節リウマチの進行を止められる可能性もあるため、数カ月間使ってみませんか？　それで効果を実感できるなら使用を検討してみてはどうですか？」

引用・参考文献

1) Sheridan, SL. et.al. Shared Decision-Making About Screening and Chemoprevention. A Suggested Approach from the U.S. Preventive Services Task Force. American Journal of Preventive Medicine, 26（1）, 2004, 56-66.
2) Elwyn, G. et al. Shared decision making and non-directiveness in genetic counseling. Journal of Medical Genetics, 37, 2000, 135-8.
3) Charles, C. et al. Shared decisionmaking in the medical encounter. what does it mean?（Or it takes at least two to tango）. Social Science & Medicine, 44（5）, 1997, 681-92.
4) Faller, H. Shared decision making. an approach to strengthening patient participation in rehabilitation. Die Rehabilitation, 42（3）, 2003. 129-35.
5) Colombo, A. et al. Evaluating the influence of implicit models of mental disorder on processes of shared decision making within community-based multi-disciplinary teams. Social Science & Medicine, 56（7）, 2003, 1557-70.
6) 橋本英樹. 患者・医師間コミュニケーションの分析法に関する批判的検討と新しい評価システム開発の試みについて. 日本保健医療行動科学会年報, 15, 2000, 180-98.
7) Strauss, A. et al. Basics of Qualitative Research: Techniques and Procedures for Developing Grounded Theory. Thousand Oaks, CA, Sage Publications, 1988.
8) アルバート・バンデューラ編著. 本明寛ほか訳. 激動社会の中の自己効力. 東京, 金子書房, 1997, 368p.
9) 田中孝美ほか. 慢性呼吸器疾患患者のアドバンス・ケア・プランニングを支える介入研究の文献レビュー. 日本看護科学学会誌, 39, 2019, 10-8.

第3章 リウマチ治療の共有意思決定（SDM）

2 リウマチ患者さんの抑うつと心理状態の把握・支援

兵庫医科大学看護学部 療養支援看護学 教授
神崎初美 かんざき・はつみ

はじめに

　関節リウマチ（rheumatoid arthritis；RA）患者さんは痛みや腫脹などの身体的症状によって、つらい、悲しい、不安などの**悲観的な感情**が起こりやすくなります。痛みや苦しみが継続することで、この感情は反復され増強します。また、病気のつらさを家族や医師、周囲の人に**理解してもらえないことによる苦悩**があるとさらに増強します。そして、痛みや腫脹が消失したとしても患者さんの日常生活に支障があると、生活の満足度は上がりません。日常生活だけでなく**社会的役割**が果たせないような状況、例えば休職や退職を余儀なくされ経済的に困窮したり、家事や育児が行えないことで自分に**自信を失ってしまう**ということも起こります。このように患者さんの生活背景はさまざまである上に、早期から急速に病状が進んだり、長く確定診断されない場合もあり、その経過も人それぞれで、**患者さんの苦悩の様相とその対処は多様**となります。

　本稿では、症例を通して患者さんの状況を紹介し、そして、患者さんが自身の情緒をコントロールする方法や、患者さんの心理状況を聴くためのツールを用いた看護師のかかわり方について述べていきます。

症例紹介
1. 関節リウマチだと言われて、非常に落ち込みがひどいです

　32歳の女性Aさんは関節リウマチと診断されて1年になります。発症したころからずっと非常に強い痛みがあったけど、なんの痛みなのか数カ月間はその原因がわからずモヤモヤとした状態でした。受診して診断を受け、「やっぱりこの痛みはそうだったのか」と、診断名が付いたことで納得しました。しかし、痛みが強く気分が沈むことが多く、毎日次のようなことを考えています。

　関節リウマチと診断されて1年になります。仕事はしていますが、体中の関節がこわばり、痛み、運動機能はどんどん失われている気がします。日常生活はもちろん不自由ですし、寝返りを打つたびに、こわばりのある関節に激しい痛みが加わるため、睡眠なんてまともにとることさえできず、1時間か1.5時間ごとに目が覚める毎日で、病気はもちろん精神的にも絶望的で不安定な状態です。

　毎日、1人泣き続ける状態です。泣

> きながらふっと気がつくと「あぁ、今日はこれで泣いているの3回目やわ」なんてぼんやり考えます。家族と話していても、テレビを観ていても、楽しそうなカップルを見ても、はつらつと私の横を走り抜ける若い子を見ても、なんにつけても涙が止めどなくあふれてきます。「私にもあんな時間があったのに……」と。

　日常生活での制限が増えていくなかで、どんどん自分の社会的役割を失っていく感じがして、戸惑い、悲嘆、悔い、健康な過去を思い出し悲観的思考へと発展しています。患者さんが内面ではこのように感じていても、患者さんと信頼関係を樹立し、よくコミュニケーションをとっていないとすぐには把握できないため、看護師は即応的には援助ができないのが現実です。まずは、患者さんの苦しみを把握することから始めることが必要です。

2. 関節リウマチの苦しみを人に理解してもらえない

　患者さんには、関節リウマチのつらさを他人に「理解してもらえない」ことによる苦しみもあります。

> 私が痛がっていても夫の理解がないのは、やはり痛みがわからないのと、私が痛みに強いほうなので極力普通でいようとしているせいか、イマイチつらさが伝わってないのだと思います。
> 　夫は私の病気に関して調べたりもしませんし、主治医の先生の話も一緒に聞いてくれたことがないくせに、私が病状について説明しても、本当なのかと信用していない。そのためか、家で寝ているとさぼっていると言う。痛がっていても手伝ってもくれない。
> 　それから、「リウマチ」という言葉にも問題があると思います。世間一般の「リウマチ」への理解度はかなり低く、お年寄りの関節炎程度に思われがちです。

　関節リウマチの英語名はrheumatoid arthritisであり、リューマ（rheuma）はギリシャ語の「流れる」という意味です。予測困難にあちこちに痛みなどの症状変化が起こることから命名されたといわれています。関節リウマチは現在でも原因を特定できない慢性多発性関節炎を特徴とする疾患で、痛みや関節破壊をともない、現れる症状やその進行度には個人差があります。また、人それぞれに日常生活は多様であるため、個人の病状を正確に把握することが非常に困難な病であるといえます。「痛み」は主観的な経験であり、経験している人にしか本当の痛みの程度はわかりません。ですから、側にいる夫も妻の痛みを理解することはむずかしいといえます。

しかし、このような場合には夫に対しても看護師がかかわりをもつ必要があると思います。夫には、妻の関節リウマチの病状や「痛み」が身体、心理、生活場面にどのように影響しているのかを、会うか電話で説明します。夫が少しでも妻の苦しみを理解し、関節リウマチに対して関心をもち、いたわりの気持ちをもって言葉がけをするようになれば、ずいぶんと妻の気持ちも和らぐでしょう。妻のできないことを手伝うことは、身体的・心理的援助になるだけではなく関節破壊を予防する上でも重要だと伝えることが必要です。しかし、夫婦関係がほかの要因で良くない場合もあるでしょうから、状況をみながら行うようにしたほうがよいでしょう。

関節リウマチ患者さん自身が自分で気分やストレスを自覚し、情緒をコントロールする方法：セルフモニタリング

現在、関節リウマチ患者さんが抱えていると思われるストレスと不安認知の改善を目指す方法を紹介します。患者さんが悲観的に思う自動思考を変容させる認知的技法としてセルフモニタリング法があります。ホームワークとして自己観察を行い、どのような場面でそのような感情や思考が起こり、それらをどう解釈し処理しているのかを知る方法として、Beckらの非機能的思考記録票（Daily Record of Dysfunctional Thoughts Form：DRDT）があります[1]。

DRDTをもとに作成されたセルフモニタリングノートの内容を以下に示します。
①不快な感情をもたらした実際の出来事
②そのときの情緒的反応とその強さの評定（100点満点）
③そうした感情を抱いたときの自動思考の具体的内容
④自動思考の妥当性の評定（100点満点）
⑤自動思考に代わる合理的思考の具体的内容
⑥合理的思考の妥当性の評価（100点満点）
⑦自動思考の妥当性の評定（100点満点）

患者さんには毎日の生活のなかで起こるふさぎ込んだ気分や不快な感情と、その出来事に伴って起こる考えを記述してもらいます。「悪い方向にばかり考える」ことや、「こだわりはじめるとたまらなく不安になる」などの自動思考のコントロールに役立ちます。セルフモニタリングノートの記述に際し、自動思考に代わる合理的思考を考えるときに、患者さんにはこれまでがんばってきた自分を考慮し明るい見通しをもち楽観的な考えをしてもらうようにします。

セルフモニタリングの手法は、患者さんが自己を観察でき、自己への気付きや客観化を合理的に行える手助けとなるものです。一方、医療者側は患者さんがノートに記述した内容から、焦点となる問題、出来事に対する対象者の考え、全体的な感情（情緒）や行動を把握することができます。さらに記述内容に関して話し合うことで合意した目標設定を行えます。

「面接シート」の活用による看護援助

看護実践をするなかで、外来や病棟で気になる患者さんがいるけれども話を聴くための時間が割けない、どのようにして話を聴いたらよいかわからない、チーム医療に課題があるなど悩んでいるときに面接シート（図1）を活用してみてください。

まず、10分間程度の時間をつくり患者さんの話を聴く努力をしましょう。そして次の①～⑥について確認しましょう。

① 患者さんに接する前に、あなたは患者さんの話を聴く準備が整っていますか？
② 笑顔で声の調子を整え患者さんに向き合う準備はできていますか？
③ 自分で努めて笑顔になりましょう。
④ 患者さんの振る舞いや仕草をよく観察しようとする意識は高められましたか？
⑤ 耳を傾け、話を聴こうとする姿勢がありますか？
⑥ 一方的に話をしたり、話を遮ったりしていませんか？

準備ができたら「面接シート」を使いましょう。

面接シートは筆者のホームページ（http://kanzaki-nursing.jp/artifact/20160323_2133.html）からダウンロードできます。このシートの目的は、**シートを全部埋めることではありません**。患者さんの**話をよく聴くこと**が大切です。このシートは忙しい病棟や外来の看護師が10分だけでも患者さんの話を聴くときに活用してもらいたいと思っています。もし、時間があまりないなら「いまあなたのために10分間時間をとることができます。少しお話ししませんか」と伝えると10分間を大切に使えると思います。

まずは面接シートのSTEP1を実施し、さらに必要ならほかの項目についても活用しましょう。

患者さんに接する看護師が「面接シート」を使用することにより、十分な対応と観察、アセスメントができるよう誘導されます。それによって「意思決定支援シート」（図2）で看護展開が行えて、具体的な看護計画と支援が提案でき実行と評価によって看護の質が高められることをねらいとしています。

このシートは、兵庫医療大学（※当時所属、現兵庫医科大学）神崎初美の研究グループで開発されたものです。実践での使用は自由ですが、研究使用を検討するときは、神崎（kanzaki@hyo-med.ac.jp）までお問い合わせください。

おわりに

関節リウマチ患者さんの抑うつと心理状態を、患者さん自身でセルフモニタリングする方法と、看護師が面接によって患者さんの状態を把握し看護援助を実施する方法について紹介しました。まず、短い時間であっても患者さんの話をじっくり聴くことが最も重要です。コミュニケーションのな

図1 面接シート

図2 意思決定支援シート

かから必要な援助を探し出しましょう。

引用・参考文献

1) アーロン・T・ベック. うつ病の認知療法. 坂野雄二監訳, 東京, 岩崎学術出版社, 1992.（Beck, A.T. Cognitive therapy of depression. New York, Guilford Press.）

面接シートに関連する神崎初美の研究

1) リウマチ看護師の専門性の可視化・構造化と戦略的看護介入の確立（平成23〜25年度　文部科研　基盤研究B　主任研究者：神崎初美, 分担研究者：金外淑, 泉キヨ子, 松本美富士, 三浦靖史, 神原咲子）.
2) 病院・在宅療養を支援するリウマチ看護の質を担保するアプローチ方略の開発と促進（平成26〜28年度　文部科研　基盤研究B　主任研究者：神崎初美, 分担研究者：金外淑, 元木絵美, 泉キヨ子, 松本美富士, 三浦靖史, 松本麻里, 田中登美, 府川晃子, 森島千都子）.

面接シートに関する論文

1) 金外淑. リウマチ患者の心理的支援：心理的支援につなげる心理アセスメントを用いて. 臨床看護. 39(14), 2013, 1974-8.
2) Kim, W. et al. Development of a psychological assessment tool for chronic disease patients, AFC 2016.

第3章 リウマチ治療の共有意思決定（SDM）

3 リウマチ患者さんの妊娠・出産の支援

兵庫医科大学看護学部 家族支援看護学 教授
西村明子 にしむら・あきこ

関節リウマチ患者さんの妊娠

　関節リウマチと診断されたときの患者さんの背景は、今まさに妊活中の人、結婚の予定がある人、パートナーはいるけれど妊娠は遠い将来のことと考えている人など、さまざまでしょう。これまでは関節リウマチのために妊娠を諦めたり、薬剤の胎児への影響を考慮して妊娠が許可されなかったりということがありましたが、リウマチ医療の進歩により、関節リウマチ患者さんの妊娠が可能になってきています。

　しかし、妊娠が疾患に与える影響や、疾患や薬剤が妊娠・胎児に与える影響があるため、病状や治療内容に応じた計画的な妊娠が望まれます。そのため、妊娠可能な年齢の患者さんが関節リウマチと診断されたときには、患者さんの妊娠についての考えを確認し、妊孕性（妊娠のしやすさ）や妊娠が疾患に与える影響、疾患や薬剤が妊娠・胎児に与える影響について情報提供を行い、患者さんの妊娠の希望に応じた治療計画を立案し、患者さんが納得して治療に臨むことができるように支援することが重要です。また、患者さんの妊娠について考えの変化を適切に把握し、そのつど、患者さんの病状に合わせた情報提供を行っていく必要があります。看護師にはこれらの患者さんの理解の状況を適切に把握し、医師と連携して患者さんの意思決定を支援していく役割があります。

プレコンセプションケアとは

　プレコンセプション（preconception）という単語を分解すると、preは「〜の前の」、conceptionは「受胎」であり、プレコンセプションケア（preconception care；PCC）は「妊娠前のケア」という意味になります。PCCは、2006年に米国疾病管理予防センター（Centers for Disease Control and Prevention；CDC）において推奨され、2013年には母子の健康を最大化することを目的にWHOもこの取り組みを推奨しています。わが国においては、2018年12月に施行された成育基本法に基づく成育医療等基本方針（2021年2月）において「女性やカップルを対象として、将来の妊娠のための健康を促す取組」として推奨されており、その目的は、「男女問わず性や生殖に関する健康支援を総合的に推進し、ライフステージに応じた切れ目のない健康支援を実施すること」とされています。

　PCCが推奨されるようになった背景に、健康な妊娠と次世代の健康のためには妊娠

してから健康に気をつけても遅いということがあります。例えば、妊娠20週までに母体が風疹に罹患すると、児の先天性風疹症候群（難聴、白内障、心疾患）の発症率が高くなります。妊娠週数の数え方は、最終月経の初日が妊娠0週0日となるので、月経周期（月経開始日から次の月経の前日までの期間のこと）を28日とした場合に、次の月経の予定日は妊娠4週0日になります。妊娠6週にはすでに胎児の心拍を確認することができるので、女性が予定の月経が遅れていることで妊娠に気づくのが妊娠5週だとしても、その翌週にはすでに心臓が作られているのです。また、風疹ワクチンは生ワクチンのため妊娠中に接種することはできず、妊娠前に接種しておく必要があります。その場合、接種後2カ月は避妊が必要です。風疹は一例ですが、このように妊娠前から健康な妊娠期、胎児期を送るために準備しておかなくてはいけないことがあるということです。

国立成育医療研究センターにより作成されたPCCのチェックシートを図1に示しました[1]。これらの項目がPCCの内容となります。PCCは近々妊娠を考えている女性だけでなく、妊娠が可能な年齢のすべての女性とパートナーに知っていただきたいことですが、関節リウマチ患者さんについては特に自身の疾患についての理解を深め、妊娠前から妊娠に備えた健康管理を行っていくことが大切です。関節リウマチ患者さんの場合、このチェックシートの「持病と妊娠について知ろう」という項目が特に重要であり、その中身としては「①妊孕性（妊娠しやすさ）について知ろう」「②妊娠と疾患の影響について知ろう」「③妊娠への薬剤の影響について知ろう」があると考えます。また、「計画：将来の妊娠・出産をライフプランとして考えてみよう」に関連した内容として、「④自身の月経に

プレコン・チェックシート

- □ 適正体重をキープしよう。
- □ 禁煙する。受動喫煙を避ける。
- □ アルコールを控える。
- □ バランスの良い食事をこころがける。
- □ 食事とサプリメントから葉酸を積極的に摂取しよう。
- □ 150分／週運動しよう。こころもからだも活発に。
- □ ストレスをためこまない。
- □ 感染症から自分を守る。（風疹、B型/C型肝炎・性感染症など）
- □ ワクチン接種をしよう。（風疹・インフルエンザなど）
- □ パートナーも一緒に健康管理をしよう。
- □ 危険ドラッグを使用しない。
- □ 有害な薬品を避ける。
- □ 生活習慣病をチェックしよう。（血圧・糖尿病・栓尿など）
- □ がんのチェックをしよう。（乳がん・子宮頸がんなど）
- □ 子宮頸がんワクチンを若いうちにうとう。
- □ かかりつけの婦人科医をつくろう。
- □ 持病と妊娠について知ろう。（薬の内服についてなど）
- □ 家族の病気を知っておこう。
- □ 歯のケアをしよう。
- □ 計画：将来の妊娠・出産をライフプランとして考えてみよう。

図1 プレコン・チェックシート （文献1より引用）

ついて知ろう」「⑤必要な場合には避妊を確実にしよう」があると考えます。

関節リウマチ患者さんが自身のライフプランを考えて治療を選択していく際に、まず自分自身の妊孕性を知り、いざ妊娠を希望したときに問題が生じないように日ごろの月経の状態を知り、今すぐ妊娠を希望していない場合には確実な避妊によって自分の健康を守れるように支援することが看護師の役割として大切です。上記②と③については成書に譲り、本稿では①と④と⑤について説明します。

妊孕性の理解

意外に多くの人が、何歳になっても妊娠できると考えているようです。しかし、卵巣にある卵子はすべて胎児期に作られたものです。そのため、卵子の質の低下により、年齢が高くなるほど妊娠しにくくなり、30歳後半になると妊孕性が著しく低下していくことがわかっています。2021年社会保障・人口問題基本調査によると、不妊の検査や治療を受けたことがある夫婦の割合は22.7％であり、夫婦全体の約4.4組に1組の割合となっています[2]。生殖補助医療を行っても成功率は100％ではありません。図2は、自身の卵子とドナーの卵子の胚移植あたりの生産率を示したものですが[3]、自身の卵子の年齢が高くなるほど生産率が低下していることがわかります。また関節リウマチの疾患活動性が高い時期は妊娠しにくく[4]、早産や妊娠合併症、子宮内発育不全、低出生体重児のリスクが上昇します[5]。そのため、患者さんがこれらのことをよく理解した上で自身のライフプランを考え、医師と治療計画を相談する

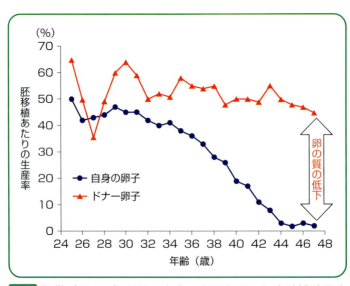

図2 提供（ドナー）卵子と自身の卵子を用いた生殖補助医療による治療成績
（文献3より引用）

> **Step Up** ● 生殖医学に関連する用語 ●
>
> ・生殖補助医療：体外受精や顕微授精など、妊娠を成立させるためにヒト卵子と精子、あるいは胚を取り扱うことを含むすべての治療あるいは方法。
> ・胚移植：採卵により卵子を体外に取り出して精子と受精させ、得られた受精卵を数日培養した後、子宮に移植すること。
> ・生産率：児が生きて生まれる率。

ことができるように、妊孕性についての情報提供を行うことが大切です。

月経

女性にとって、月経は健康のバロメーターです。月経不順や無月経、月経に伴う腹痛や腰痛などの症状は病気ではないと見過ごされがちですが、その症状の裏に病気が隠れていることがあります。不妊との関係がある場合もあり、患者さん自身が自分の月経に関心を持ち、異常があれば早めに婦人科を受診することが大切です。

正常の月経周期は25日〜38日で、24日以内の場合を「頻発月経」、39日以上の場合を「稀発月経」と呼びます。どちらの場合もホルモンの分泌が正常ではない可能性があります。また、18歳を過ぎても月経が一度もこない状態を原発性無月経といい、これまであった月経が3カ月以上止まった状態を続発性無月経といいます。ほとんどの場合、14歳までに初経が訪れるため、15歳になっても初経が来ない場合には婦人科受診を勧めます。一般的な不妊症の原因である多囊胞性卵巣症候群は、女性の約5〜10％にみられる疾患ですが、不規則な月経や無月経が症状としてみられます。また、月経困難症（下腹部痛や腰痛などの月経に随伴症状のために日常生活が困難となっている状態）の原因として子宮内膜症がありますが、妊娠希望のある子宮内膜症患者さんの約3割に不妊があると考えられています。これらのことから、現在の妊娠の希望の有無にかかわらず、妊娠可能な年齢の女性患者さんの月経の状態を把握して、適切に婦人科への受診を促すことが大切です。また、患者さんが自分のからだのリズムとコンディションを理解できるよう、基礎体温の測定を勧めます。基礎体温の情報から異常がわかることも多いため（図3）[6]、婦人科を受診する際には基礎体温表を持参することをアドバイスしましょう。

避妊

関節リウマチ患者さんが妊娠を望んでいない場合やメトトレキサート（MTX）のような催奇形性のある薬剤の使用を治療法として選択した場合には、確実に避妊ができるように支援することが重要です[7]。

避妊にはさまざまな方法がありますが[8]

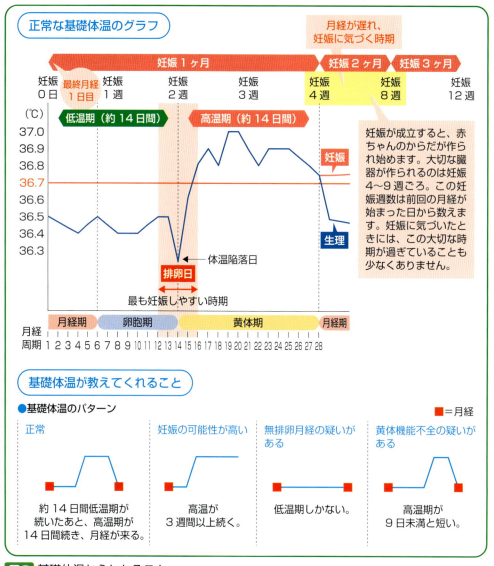

図3 基礎体温からわかること (文献6より引用)

（**表1**）、わが国ではコンドームが多く利用され、避妊効果の高い経口避妊薬（oral contraceptives；OC）や子宮内避妊用具（intrauterine device；IUD）や子宮内避妊システム（intrauterine system；IUS）などの利用が少ないという特徴があります。確実な避妊のためには、OCなどの避妊効果の高い方法と性感染症予防の唯一の方法であるコンドームを併用する二重の防御、デュアル・プロテクション（dual protection）が推奨されています[9]。避妊方法のメリットとデメリットを理解した上で、患者さんが自分に合った避妊方法を選択し、適切に実施できるように情報提供を

表1 避妊法

避妊方法	妊娠率* 理想的な使用（%） 一般的な使用（%）	費用	使用方法・メリットとデメリット 注意点
経口避妊薬（低用量ピル）	0.3 7	1カ月約2,000円～3,000円	産婦人科で処方され、毎日1錠ずつ飲む。月経痛が軽減し経血量が少なくなる効果がある。月経前症候群（PMS）の改善効果がある。月経日をコントロールできる。頭痛や吐き気などの副作用が飲み始めに生じることがあるが3カ月以内に改善することが多い。まれに血栓症が起こる ※抗リン脂質抗体陽性者は使用できない
子宮内避妊システム	0.1～0.3 0.1～0.4	3～7万円	産婦人科で子宮内に3cmくらいの器具を装着。最長5年間使用可能。黄体ホルモンを持続的に放出するため、月経痛が軽減し経血量が少なくなる効果もある
子宮内避妊器具（銅付加型）	0.6 0.8	3～7万円	産婦人科で子宮内に3cmくらいの器具を装着。最長5年間使用可能。性交後120時間以内に緊急避妊としても使用できる
男性用コンドーム	2 13	1個約50円	ペニスにかぶせて使用。性感染症を防ぐ効果がある。ドラッグストアやコンビニで購入できる。正しく使用することが重要
リズム法（基礎体温法）	0.4～5 15	無料 基礎体温計は約1,000円～3,000円	基礎体温を毎日測り、その変化から妊娠しやすい時期のセックスを避ける。失敗する確率が高く、月経不順があるとさらに不確実
不妊手術 女性	0.5 0.5		女性は卵管を、男性は精管を縛ったり、切断したりする。卵管を縛っても副作用はなく、内分泌の機能は変化しないため、月経がなくなったりはしない。男女とも元には戻せない
男性	0.1 0.15		
避妊せず	85		

＊妊娠率：100人の女性がある避妊法を1年間用いた場合の妊娠数
理想的な使用：選んだ避妊法を正しく続けて使用しているにもかかわらず妊娠した場合
一般的な使用：選んだ避妊法を使用しているにもかかわらず妊娠した場合

行いましょう。

　なお、経口避妊薬は血栓症のリスクがあるため、抗リン脂質抗体症候群の患者さんには使用できません。

その他のPCC
1．妊娠前からの葉酸の摂取

　妊婦は母体の保持と胎児の発育のため、妊娠中と分娩・産褥期の準備として、通常より多くの栄養摂取を必要としますが、葉酸については妊娠前からサプリメントや栄養補助食品による追加の摂取が推奨されています。妊娠初期に葉酸の摂取が不足すると、胎児の神経管閉鎖障害の発症リスクが高まることがわかっています。神経管閉鎖障害とは神経管の癒合不全による先天異常で、脊椎に癒合不全が生じる二分脊椎などがあります。多くの場合、妊娠とわかるのは神経管ができる時期よりも遅いため、妊娠する前から葉酸を十分に摂取しておくことが大切なのです。

　神経管閉鎖障害のリスク低減のための葉酸の摂取時期は、妊娠の1カ月以上前から妊娠3カ月までとされており、サプリメントや栄養補助食品から1日400μg摂取することが推奨されています。ただし、取り過ぎには注意が必要です。過剰摂取により健康障害を引き起こす可能性があるので、サプリメントや栄養補助食品からの摂取量は、30〜60歳は1,000μg/日、その他の年齢区分では900μg/日を超える葉酸を摂取してはいけないことになっています。

　食事だけでなく、サプリメントや栄養補助食品からの摂取が推奨されている理由は、自然の食材に含まれる葉酸は、調理によって活性が失われやすく、利用率にバラツキがあるためです。成人の葉酸の推定平均必要量は200μg/日であり、妊娠中期と妊娠後期の推奨量の付加量は240μg/日です。そのため、妊娠中に限らず、葉酸が多く含まれている野菜を中心に日ごろからバランスの良い食事をしっかりと摂ることが大切です[10]。

2．母子感染予防（ワクチン接種）

　妊婦が風疹、麻疹、水痘、流行性耳下腺炎に罹患すると、胎盤を通して胎児に感染します。また、妊婦が感染すると重症化しやすく、死亡に至ることもあります。これらはワクチンによる予防が可能な感染症であり、通常なら6歳までに2回の接種を終えているはずです。もし、終えていなかったとしても、これらのワクチンは生ワクチンのため妊娠中には接種することができません。そのため、妊娠前にこれらのワクチンを2回接種しているか確認することを勧めましょう（本人の母子健康手帳の予防接種欄に記載があります）。もし接種していなければ、妊娠前に接種しておくことが望ましいのですが、免疫抑制性の強い薬剤や生物学的製剤など、多くのリウマチ治療薬で生ワクチンの接種が禁じられています。その場合には、同居している家族や接触する機会の多い人で抗体が陰性の人にワクチ

ンを接種してもらい、あらかじめ感染の機会を減らしておくことが大切です[11]。

1990年4月1日以前に生まれた男女は、麻疹定期接種が1回、1979年4月1日以前に生まれた男性は風疹の定期接種が行われていないため、早めに2回の麻疹風疹混合ワクチン（MRワクチン）の接種を受ける必要があります。

3. HPVワクチンと子宮頸がん検診

女性は20代から子宮頸がんに罹患する人が増加します。子宮頸がんの予防と早期発見には、HPV（ヒトパピローマウイルス）ワクチンの接種と2年に1回の子宮頸がん検診が効果的です。わが国の子宮頸がんの検診率は諸外国と比べて低く、毎年2,900人の女性が子宮頸がんで亡くなっています[12]。妊娠を機に子宮頸がんが発見されることもあり、その場合には妊娠の継続が難しくなる場合もあります。リウマチ患者さんの現在の健康と将来の妊娠に備えて、がん検診を受けているかを確認し、受けていない場合には積極的に検診を勧めることが大切です。

HPVワクチンは小学校6年生から高校1年の女子が定期接種（無料）の対象です。それ以外の年齢の女性や男性は自費で約5～10万円です。一時期、副作用の懸念があり、積極的勧奨（行政が対象者や保護者に対して広報紙やWeb、ハガキなどで接種を積極的に呼びかける取り組み）が中止されていましたが、2022年4月から再開されています。平成9年度～平成18年度生まれ（誕生日が1997年4月2日～2007年4月1日）の女性で、過去にHPVワクチンの接種を合計3回受けていない方は、2022年4月から2025年3月までキャッチアップ接種が行われています（公費で接種できます）。

おわりに

健康な妊娠と次世代の健康のために、生殖可能な年齢のすべての男女にPCCが重要です。特に関節リウマチ患者さんの場合は、疾患活動性が妊娠に影響し、妊娠が疾患活動性に影響するため、まずは疾患のコントロールを十分に行い、寛解期に妊娠することが大切です。現時点での妊娠希望の有無にかかわらず、患者さんがPCCについて理解した上でライフプランを考え、医師と共に治療計画を考えていくことができるように支援することが重要です。PCCは妊娠、出産のためだけでなく、健康に生

Step Up ● HPVとは ●

ヒトパピローマウイルス（human papilloma virus；HPV）は、皮膚や粘膜に感染するウイルスです。HPVは性行為によって感染しますが、子宮頸がん以外に、中咽頭がん、肛門がん、腟がん、外陰がん、陰茎がんなどにもかかわっていると考えられています。

活するための基本的な内容でもあり、すべての人がこれを理解して健康な生活を送ることを願っています。

引用・参考文献

1) 国立研究開発法人国立成育医療研究センター. プレコン・チェックシート. https://www.ncchd.go.jp/hospital/about/section/preconception/pcc_check-list.html（2023年5月参照）
2) 国立社会保障・人口問題研究所. 2021年社会保障・人口問題基本調査（結婚と出産に関する全国調査）. https://www.ipss.go.jp/ps-doukou/j/doukou16/JNFS16gaiyo.pdf（2023年8月参照）
3) 一般社団法人日本生殖医学会. 生殖医療Q&A. http://www.jsrm.or.jp/public/funinsho_qa24.html（2023年5月参照）
4) Brouwer, J. et al. Fertility in women with rheumatoid arthritis：influence of disease activity and medication. Ann Rheum Dis. 74, 2015, 1836-41.
5) 日本リウマチ学会編. 関節リウマチ診療ガイドライン2020. 東京, 診断と治療社, 2021, 256p.
6) あなたに必要な「ヘルスケア」の知識とケア：プレコンノート. 生涯を通じた健康の実現に向けた「人生最初の1000日」のための、妊娠前から出産後の女性に対する栄養・健康に関する知識の普及と行動変容のための研究（研究代表：荒田尚子）.
7) 「関節リウマチ（RA）や炎症性腸疾患（IBD）罹患女性患者の妊娠、出産を考えた治療指針の作成」研究班. 全身性エリテマトーデス（SLE）、若年性特発性関節炎（JIA）や炎症性腸疾患（IBD）罹患女性患者の妊娠、出産を考えた治療指針. 2018.
8) Hatcher, RA. et al. Contraceptive Technology. 21st edition, Atlanta, Managing Contraception LLC, 2018, 844-5.
9) 厚生労働省研究班（東京大学医学部藤井班）監修. 避妊：女性の健康推進室ヘルスケアラボ. https://w-health.jp/delicate/anticonception/（2023年5月参照）
10) 三戸夏子. 葉酸とサプリメント - 神経管閉鎖障害のリスク低減に対する効果：e-ヘルスネット. https://www.e-healthnet.mhlw.go.jp/information/food/e-05-002.html（2023年5月参照）
11) 野口靖之ほか. 風疹・麻疹・水痘・流行性耳下腺炎（プレコンセプションケアとしての母子感染予防）. 臨婦産. 75（12）, 2021, 1146-9.
12) 厚生労働省. HPVワクチンについて知ってください～あなたと関係のある"がん"があります～（子宮頸がんリーフレット）. https://www.mhlw.go.jp/content/10900000/000901220.pdf（2023年5月参照）

第3章 リウマチ治療の共有意思決定（SDM）

4 リウマチ患者さんのセルフマネジメント力開発支援（患者教育）

神戸大学大学院保健学研究科 リハビリテーション科学領域 准教授
三浦靖史 みうら・やすし

患者教育の意義

　関節リウマチに限らず慢性疾患の患者さんは、より良い療養の実現のために、自らの疾患に向き合って、療養生活に自らが積極的にかかわるセルフマネジメント（自己管理）が欠かせません。セルフマネジメントを実施するため、そして、共有意思決定（shared decision making；SDM）に基づく医療を実現するためには、患者さんがセルフマネジメント力を獲得する必要があり、その裏づけとなるのは疾患と療養に関する知識と理解、そしてスキルの修得です。そこで、患者さんがセルフマネジメント力を獲得できるようにサポートすることを目的として、「患者教育」が行われます。

　関節リウマチ患者さんの患者教育について、日本リウマチ学会（JCR）は、2014年の関節リウマチ診療ガイドラインでは患者教育を非薬物療法のひとつとして推奨していたのを、最新の2020年のガイドラインでは別章での扱いに変更し、2015年に発表された欧州リウマチ学会（EULAR）の「炎症性関節炎患者に対する患者教育についてのリコメンデーション」を紹介しています（**表1**）[1,2]。

　また、JCRは、「エデュケーションとは、本来、その人の持つ能力を引き出すという意味であり、教え授けるものでない」と記載していますが[1]、患者教育は、医療従事者が患者さんを単に教育するということではなく、患者さんと医療従事者がともに学ぶことで、患者さんがセルフマネジメントを実現して、生活の質を高められるようにサポートすることです。一方で、教えることは同時に教えられることであり、患者教育を通じて、医療従事者は自らの学びを深めることができ、新人・スタッフ教育にも役立てることができます。さらには、「エデュケーション」を行うことで、医療従事者と、患者さんやご家族との「コミュニケーション」が良好になって、療養への「モチベーション」が向上して、治療成績が良くなることが期待できます。

患者教育の種類：個別教育と集団教育

　EULARのリコメンデーションの第4項では、具体的な患者教育の方法として、①個人セッションもしくはグループセッション、またはその両方を含めるべきこと、②セッションは対面式またはオンラインで提供されること、③電話、印刷物、マルチメディア教材を補足的に使用できること、が示されていますが、患者教育には、服薬指

表1 炎症性関節炎患者に対する患者教育についての EULAR リコメンデーション

日本語版（STOPE Japan committee 編）

	基本的な考え方
1	患者教育は、計画的な双方向の学習の過程であり、患者が炎症性関節炎と付き合いながら自分自身の生活を管理し、健康で幸せな暮らしができるように支援することを目的としている
2	炎症性関節炎患者と医療者とのコミュニケーションならびに共同意思決定は、効果的な患者教育に必要不可欠である

	リコメンデーション
1	患者教育は、炎症性関節炎患者に対する標準治療の欠かせない一部として提供されるべきである．それにより患者は疾患管理と健康増進に積極的に関わることができる
2	少なくとも、診断時や薬物治療の変更時、患者の健康状態または精神状態に応じて必要なときなどを含め、炎症性関節炎患者は全て、病気の経過中いつでも患者教育を受けることができ、また、提供されるべきである
3	患者教育の内容と伝達は、炎症性関節炎患者の個々のニーズに合わせるべきである
4	炎症性関節炎を対象とした患者教育は、個人セッションもしくはグループセッション、またはその両方を含めるべきである．それらのセッションは対面式またはオンラインでのやりとりを通じて提供され、補足的に電話や印刷物あるいはマルチメディア教材を使用することができる
5	炎症性関節炎を対象とした患者教育プログラムは、自己管理や認知行動療法、ストレス管理などの理論的枠組みを有し、エビデンスに基づいたものであるべきである
6	炎症性関節炎を対象とした患者教育の有効性は評価されるべきであるが、使用されるアウトカム評価の指標は必ず患者教育プログラムの目的を反映していなければならない
7	炎症性関節炎を対象とした患者教育は、十分な知識や技能を持った医療者もしくはトレーニングを受けた患者またはその両方、必要であれば分野横断的なチームによって提供されるべきである
8	炎症性関節炎を対象とした患者教育を行う者は、知識と技能を習得し維持するために特定のトレーニングを受ける機会を持つことができ、また、受けるべきである

（文献2より引用）

導や在宅自己注射指導、妊娠・育児相談、福祉制度の利用など、患者さん一人ずつの状況に応じて実施する個別教育と、複数の患者さんを対象として実施する集団教育があります。集団教育は、個別教育と異なり在宅療養指導管理料などの診療報酬の対象とはならないことから、医療機関は集団教育に対して診療報酬を得ることはできません。しかし、集団教育は、医療従事者と患者さんとのコミュニケーションだけでなく、患者さん同士のコミュニケーションの機会を提供することができます。実際に、集団教育であるリウマチ教室に対して、他の関節リウマチ患者さんと交流できる、同病の友人ができるなどの好評価が参加者から得られています[3]。

集団教育の実践方法

EULARのリコメンデーションでは患者教育の概要が示されていますが、具体的な実施方法まで記載されているわけではありませんので、自施設で関節リウマチ患者さんの集団教育（リウマチ教室）を始めようと思った場合に、何から始めればよいのか

戸惑ってしまうことも少なくないのではないでしょうか。

近隣の医療機関でリウマチ教室が開催されていれば、参加させてもらってノウハウを学ぶのも良い方法です。しかし、日常業務の中でそのような機会を得ることはなかなか簡単ではありません。

そこで、本稿では、2003年から20年にわたって院内で開催しているリウマチ教室の経験を踏まえて、実践的な開催方法について解説します。

自施設でのリウマチ教室の開催のきっかけとなったのは、整形外科外来副看護師長から、「なにか患者サービスをしたいのですが、ドクターも協力してくれませんか」との相談でした。当時は、初めての抗リウマチ生物学的製剤が承認される直前の時期であったこともあり、関節リウマチ患者さんに、リウマチ治療について詳しく知ってもらいたいとのことでリウマチ教室を開催することになりました。リウマチ教室を診療報酬に寄与しない「患者サービス」の一環として始めたこと、また、院長や担当医などからのトップダウンの提案でなく、看護師からの提案であったことが、今日まで長く続けられている理由のひとつだと思います。みなさんも、看護師の立場から施設でのリウマチ教室の開催を提案いただければと思います。

さて、計画を立て始めてすぐに直面したのが、会場をどこでするのか、日時をどうするのか、広報をどうするのか、誰が担当するのか、本来の業務とどのように両立させるのかという課題でした。

夏休み期間は外来のポリクリ室（医学生の実習室）が空いているので、そちらを会場とすれば外来業務と並行して開催でき、広報も当日受診された患者さんに声かけすればよく（注：当時は院外からの参加者を想定していませんでした）、また、週2回のリウマチ外来のある曜日に、担当日でないドクターが講演し、1カ月のうちに受診した患者さんがすべて参加できるように、8月中の毎週2日、合計8日の開催としました。さらに、診療待ちの患者さんが多い午前中の開催として、30分程度の講演を患者さんの入れ替わりに応じて数回繰り返すことにしました。内容は、関節リウマチの病態と治療についてパワーポイントを用いて講演しました。

うれしいことに、リウマチ教室は参加した患者さんたちから好評をいただき、「次の教室はいつですか？」と多くの患者さんから尋ねられるようになりました。

当初の計画はとても意欲的なものでしたが、1カ月に8日の開催はスタッフへの負担が予想以上に大きかったこと、患者教育としては短期集中的な開催より定期的な開催の方がよいということから、毎月1回開催することになりました。そこで、2004年から毎月の発行を開始した広報紙「リウマチだより」で事前に開催をお知らせした上で、患者さんが広報紙を読んでいなくても開催日を把握できるように最終木曜日に

固定し（注：現在ではオンライン開催で事前登録制としていますので、開催週を固定していません）、午前中の診療を終えて、昼の休憩後に外来スタッフが設営と運営を行うことができ、さらには主婦が多い関節リウマチ患者さんの属性を考慮して帰宅が遅くならない13時〜14時（注：現在は午前診の患者数が増えたため13時半〜14時半）に開催時間を固定しました。会場は院内の多目的ホールを利用することとしましたが、利用に際しては、事前の予約、解錠・施錠、設営、会場への患者さんの誘導、片付けなどが必要になりました。会場に関しては、年に1回のイベント的な開催であれば、施設外の会場を借りて開催してもよいと思うのですが、定期的な開催であれば施設内での開催が必須です。

ちなみに、若い患者さんの参加を期待して、土曜日も診療している民間医療機関で土曜日の午後にリウマチ教室を開催していたことがあるのですが、平日の開催と参加者の年齢層はあまり変わりませんでした。土曜日午後の開催はスタッフの超過勤務となることもあり、現在では行っていません。施設によって事情は異なるとは思いますが、継続的な開催を考えると平日の午後が最も開催しやすいと思います。

定期的な開催としたことで、講演のテーマは月替わりとして、できるだけ多くの職種がかかわるようにしました（表2）。担当職者に合わせたテーマを設けましたが、同じ内容で毎年開催しているテーマもあれば、不定期に開催されるテーマもあります。表2で示した職種以外に、これまでに、臨床検査技師、皮膚・排泄ケア認定看護師、作業療法士、医療ソーシャルワーカ

表2 リウマチ教室のテーマと担当職種の例（神戸大学整形外科リウマチ教室、2014年）

開催月	テーマ	担当職種
1月	リウマチ治療の展望	医師
2月	若いリウマチ患者さんへ：就職や妊娠、育児について	医師
3月	手術療法：人工関節置換術について	医師
4月	関節リウマチと装具	義肢装具士
5月	リウマチとお口の管理の必要性	歯科衛生士
6月	健康づくりのための身体活動と運動	理学療法士
7月	今日からできる！食生活のワンポイントアドバイス	管理栄養士
8月	リウマチ患者さんと家族のおしゃべり会	看護師
9月	健康と音楽	音楽療法士
10月	お薬を上手に使うには？	薬剤師
11月	冬場の健康対策	医師
12月	開催なし	―

一、眼科医、皮膚科医、歯科医、基礎研究者なども講演を担当しています。このほかに、高齢者疑似体験セットを用いてご家族に関節リウマチ患者さんの身体の不自由さを体験してもらったこともあります。なお、8月はおしゃべり会とし、医療従事者も患者さんも忙しい年末の12月はお休みとしています。もちろん、感染症や災害のような優先度が高いテーマが生じた場合には、当初の予定からテーマを変更するようにしています。

講演に際しては、パワーポイントを映しながら話すクラスルームスタイルが一般的ですが、歯科衛生士が歯磨きを実演したり、義肢装具士がさまざまな装具や自助具を持参して、患者さんに実際に装着したり体験したりしてもらうこともあります。また、プレコンセプションケアのような繊細なテーマに際しては、あえてパワーポイントを使用せず、リウマチ医と患者さんが顔を向かい合わせて話すようにしています。

患者さんが講演のメモを取ることに追われないように、毎回、配付資料のハンドアウトを準備しています。また、配付資料に加えて、製薬会社などが作成している薬物療法や療養に関する患者向けパンフレット（→ p.162、第2章9参照）を、希望者が持ち帰れるように展示しています。

ところで、毎回の参加者数を記録しておくとテーマ選択の参考にすることができます。自施設のリウマチ教室では、参加者数から見て人気が最も高いテーマは、例年、薬物療法に関連したテーマであり、逆に最も低いのは、手術療法とプレコンセプションケアです。多くの患者さんは薬で関節リウマチが良くなることへの期待が高い一方、積極的に手術を受けたいと考える方が少ないことが人気の違いの理由と考えられます。また、プレコンセプションケアは「若い患者さんへ」とテーマに記載しているため、年齢制限は設けていませんが、年輩の患者さんが参加を控える傾向があるためと考えられます。ただし、テーマだけではなく、その日の天候でも参加者数は増減します。

とはいえ、最も参加者数が多かった2008年には平均30名程度であった参加者数が2011年では16名程度となり、徐々に参加者数が減ってくると、教室の継続をどうしようかとの意見も出てきました。確かに参加者が少ないと、主催者側としては少し気持ちが凹みますが、本来、患者さんが療養のポイントをしっかりと身につけ、体調が良くなってリウマチ教室に参加する必要がなくなることは素晴らしいことですので、前向きにとらえるとスタッフの気持ちも変わります。それより、せっかく開催されているリウマチ教室を患者さんが知らないことがないように、広報を工夫しましょう。幸い、依頼したわけではないのに地元の新聞が教室の案内を掲載してくれたり（注：現在は終了しています）、医療機関のホームページや、医療機関から関連医療機関への広報物に開催案内を掲載すること

で、参加者数が保たれるようになりました。また、毎回でなくてもよいので、参加者にアンケートへの協力をお願いすることで、教室のテーマの選択や、運営において改善すべき点についての気づきを得ることができます。さらに、患者さんからいただいた温かいメッセージに、教室開催へのモチベーションを高められることもあります。

何より「継続は力なり」ですので、毎月でなく隔月でもシーズン毎でもかまいませんが、定期的なリウマチ教室の開催に努めましょう。そのためにも、施設内でリウマチ教室の運営にかかわってもらえる仲間を集めましょう。

当日の運営に際しては、講演の前でも途中でも後でもよいので、リウマチ体操をして軽く身体を動かすことが有用です。最初にすれば、アイスブレイクになりますし、途中ですれば気分転換になります。最後にすれば講演中に固くなった身体をほぐすことができます。

ところで、初めてリウマチ教室を開催する場合に、どのような資料を使ったらよいのか悩まれることがあるかもしれません。近年、関節リウマチ患者さん向けの情報提供をホームページに集約する製薬会社が増えていますが、一部の製薬会社は、リウマチ教室の開催に利用できるプレゼンテーションのパワーポイントファイルを医療従事者向けに提供しています。ファイザー[4]、エーザイとギリアド・サイエンシズ[5]、大正製薬[6]が提供しているプレゼンテーションは、難易度に多少の相違はありますが、いずれもリウマチ教室で活用できます。入手を希望される場合は各社の担当MRに相談ください（第2章9参照）。また、プレゼンテーションと共通の内容を掲載したパンフレットが用意されている場合もありますので、併せて使用しましょう[5,6]。

コロナ禍、そしてポストコロナ時代のリウマチ教室

新型コロナウイルス感染症の流行により、自施設においては2020年3月からリウマチ教室の中止を余儀なくされました。流行収束のめどが立たない一方で、感染予防対策の指導や治療へのアドヒアランス維持のために患者教育の必要性が痛感されたことから、同年6月からオンライン会議システムZoomを用いてオンラインでのリウマチ教室を開催しています。オンラインリウマチ教室は、外出不要なため感染リスクがないことはもちろんですが、対面開催ではあり得ない遠方からの参加があったり、外出困難な方が参加できたりと、オンラインならではの利点がありました。

3年にもわたったコロナ禍では、感染防止対策の視点から完全なオンライン開催がベストな選択だったと思いますが、ポストコロナ時代に入って、コミュニケーションが取りやすい対面開催に戻すのか、オンラインの利点を重視してオンラインで継続するのか、あるいは、ハイブリッド開催など新たな形態を目指すのかは今後の課題です。

Step Up ● 患者教育と看護リハビリテーション ●

医療保険によるリハビリテーションの現状では、一部のリウマチ専門医療機関を除いて、外来リウマチ患者さんを広く対象とした理学療法士や作業療法士によるリハビリテーションを提供している医療機関はほとんどありません。手指の変形や身体機能の低下が生じていない発症早期の患者さんであればなおさらです。そのような状況にあっても、発症早期から外来の関節リウマチ患者さんのリハビリテーションにかかわることができるのはリウマチケア看護師です。とはいえ、多忙な看護業務の中で、本来リハビリテーション専門職が行うべき業務を看護師が引き受けるという意味ではありません。

発症早期の関節リウマチ患者さんに最小限必要なリハビリテーションは、①関節拘縮と筋力低下の防止を目的とした患者さん自身が行う運動療法（リウマチ体操）、②疼痛の軽減と関節破壊の抑制を目的とした関節保護動作指導の2つです。

このうち運動療法については、リウマチ体操を紹介して、その後の実施状況について再診時に確認することで、運動療法の実施と継続への患者さんのモチベーションをサポートすることができます。とはいえ、以前は、リウマチ体操のリーフレット[7,8]を簡単な説明とともに手渡すだけの指導でしたので、実際に患者さんが自宅で継続的にリウマチ体操をすることは容易ではありませんでした。ところが、インターネットでの動画閲覧が一般的となった今日、リウマチ体操の動画[9,10]、さらには歌に合わせたリウマチ体操[11]や、日々の生活の中で行うリウマチ体操[12]、ピラティス[13]など、インストラクターの指導を見ながらリズミカルに楽しく体操できる動画が配信されるようになりましたので、これらの配信動画を活用することで、患者さんがリウマチ体操に継続的に取り組むことをサポートしやすくなりました。ただし、動画配信サイトで「リウマチ体操」と検索すると、整体師などの非医療従事者による医学的根拠の疑わしい動画も表示されますので、患者さんに適切な動画を具体的に紹介する必要があります。

また、資料の配付や動画の紹介のみに留まるのではなく、患者教室での集団指導も行うことで、患者さんに運動療法の必要性と実践方法を、より詳細に伝えることが可能になりますし、関節保護動作も指導を行うことが可能になります。もちろん、関節保護動作指導については、看護相談の際に個別教育として、例えば、上肢の機能障害の程度に応じた、関節リウマチ患者さんが使いやすい調理用具や食器を紹介したりすることも、看護リハビリテーションのひとつです。

このように、看護師がかかわるリハビリテーションは、発症早期の関節リウマチ患者さんにとってリハビリテーションへのファーストタッチであり、看護リハビリテーション≒患者教育と考えると、看護リハビリテーションを始める敷居は決して高くはありません。ぜひ、多くのリウマチケア看護師に、看護リハビリテーションに取り組んでいただければと思います。

> **Case** プレコンセプションケアを患者教室のテーマにすることの意義
>
> プレコンセプションケアをテーマに開催したリウマチ教室に出席されたご家族から、娘の代理で参加しているので録音させて貰えないかとの相談があり、快諾しました。その結果、通院先ではプレコンセプションケアが提供されていないことに気づかれた患者さんが当院に転院されることになり、その後、無事、妊娠と出産に至りました。
>
> また、別の関節リウマチ患者さんは、「妊娠は無理」と以前の主治医に言われたことがあったため結婚も無理と思い込んでいたのが、プレコンセプションケアに関するリウマチ教室に数年にわたって参加したことで、「現在のリウマチ治療では妊娠できる、だから、結婚して家庭をもってもよい」と考えを変えられて、その後、良縁とお子さんに恵まれました。
>
> 時間が限られた外来診察中に患者さんから切り出しにくいプレコンセプションケアのような内容について、「自分から尋ねなくても聞ける」「主治医以外からも聞ける」ことは、集団教育のメリットのひとつです。

引用・参考文献

1) 日本リウマチ学会編. "今日の関節リウマチ治療における患者教育". 関節リウマチ診療ガイドライン2020. 東京, 診断と治療社, 2021, 188-90.
2) 房間美恵ほか. 炎症性関節炎患者に対する患者教育についてのEULARリコメンデーション. 臨床リウマチ. 31, 2019, 181-7.
3) 三浦靖史ほか. 患者教室に対するリウマチ患者の意識調査. リハビリテーション科診療近畿地方会誌. 9, 2009, 21-7.
4) 関節リウマチを理解するためにスピーカースライド. ファイザー株式会社, 2022.
5) なるほど！リウマチ教室. エーザイ株式会社, ギリアド・サイエンシズ株式会社, 2023.
6) 金子祐子監修. 見てよくわかる関節リウマチ. 大正製薬株式会社, 2022.
7) 村澤章監修. リウマチの運動療法. 三笠製薬株式会社. https://www.mikasaseiyaku.co.jp/wp/wp-content/uploads/RA-text.pdf（2023年5月参照）
8) 山本純己監修. 家庭でできるリウマチ体操. 日本リウマチ財団リウマチ情報センター. http://www.rheuma-net.or.jp/rheuma/taisou/taisou.pdf（2023年5月参照）
9) リハビリテーション中伊豆温泉病院. リウマチ体操. 日本リウマチ財団リウマチ情報センター. http://www.rheuma-net.or.jp/rheuma/taisou/taisou.html（2023年5月参照）
10) 村澤章監修. 教えてリウマチ体操. 中外製薬株式会社. https://chugai-ra.jp/movie/（2023年5月参照）
11) 我那覇美奈と踊るリウマチ体操. 中外製薬株式会社. https://chugai-ra.jp/movie/（2023年5月参照）
12) 三浦靖史監修. 家事のタイミングで行うリウマチ体操. トモノワ®（ヤンセンファーマ株式会社）. https://www.tomonowa.jp/ra（2023年5月参照、https://www.janssenhealthnet.jp/rheumatoid-arthritis/ [2023年10月以降のリンク先]）
13) 猪苅勝則ほか監修. リウマチエクササイズ〜ピラティス編〜. リウマチTea room. ブリストル・マイヤーズ スクイブ株式会社, 小野薬品工業. https://www.riumachitearoom.jp/ra/foreverhealth/exercise/（2023年5月参照）

リウマチケアのキーワード INDEX

A～Z

ACP （advanced care planning） ……………………………………………… 217
ACPA （anti-cyclic citrullinated peptide antibodies；抗環状シトルリン化ペプチド抗体） ….. 43
ACR （American College of Rheumatology；米国リウマチ学会） … 21、51、52、53、71
ADL （activities of daily living；日常生活動作（活動）） ……………………… 13
ANA （antinuclear antibodies；抗核抗体） ……………………………………… 43
ANCA （anti-neutrophil cytoplasmic antibody；抗好中球細胞質抗体）陽性血管炎 …. 48
bDMARDs （biologic DMARDs；生物学的製剤） ………………………………… 63
Bouchard node （ブシャール結節） ……………………………………………… 36
BS （biosimilar；バイオ後続品） ………………………………………………… 63
B型肝炎ウイルス （HBV） ……………………………………………………… 92、105
CDAI （Clinical Disease Activity Index） ……………………………………… 55
Clinical Disease Activity Index （CDAI） ……………………………………… 55
COVID-19 （Coronavirus disease 2019；新型コロナウイルス感染症） ……… 106
CRP （C-reactive protein；C反応性タンパク） ………………………………… 44
csDMARDs （conventional synthetic DMARDs；従来型合成抗リウマチ薬） … 61
D2T RA （difficuly-to-treat RA：治療困難な関節リウマチ） ………………… 57、58
DAS28 （Disease Activity Score 28） …………………………………………… 55
de novo B型肝炎 ………………………………………………………………… 92
Disease Activity Score 28 （DAS28） …………………………………………… 55
DMARDs （disease-modifying anti-rheumatic drugs；修飾性抗リウマチ薬） …… 59
DRDT （Daily Record of Dysfunctional Thoughts Form；非機能的思考記録票） ….. 224
DXA （dual-energy X-ray absorptiometry；二重X線吸収法） ………………… 97
EGA （evaluator global assessment；医師による全般評価） ………………… 57
EORA （elderly-onset rheumatoid arthritis；高齢発症関節リウマチ） ……… 81
ESR （erythrocyte sedimentation rate；赤沈） ………………………………… 45
EULAR （The European Alliance of Associations for Rheumatology；欧州リウマチ学会） ………………… 51、52、53、55、57、58、71、73、209、210、235、236
HAD-QI （Health Assessment Questionnaire-Disability Index；健康評価質問票を用いた機能障害指数） ……………………………………………… 16
HAQ-DI （HAQ-Disability Index；HAQ機能障害指数） ……………………… 56
HAQ機能障害指数 （HAQ-DI） ………………………………………………… 56

HBV （hepatitis B virus；B型肝炎ウイルス） …………………………………………… 92
health literacy （ヘルスリテラシー） ……………………………………………………… 220
Heberden node （ヘバーデン結節） ………………………………………………………… 14
HPV （human papilloma virus)ワクチン ………………………………………………… 235
IGRA （interferon gamma release assay；インターフェロンγ遊離試験） …… 47
IL-6 （interleukin-6；インターロイキン6） ……………………………………………… 22
JAK（Janus kinase；ヤヌスキナーゼ）阻害薬 …………………………………………… 67
JCR （Japan College of Rheumatology；日本リウマチ学会） …… 41、71、131、235
JSRN （Japan Society of Rheumatology Nursing；日本リウマチ看護学会） …… 209
MMP-3 （matrix metalloprotease-3） ……………………………………………… 46、47
MMT （manual muscle test；徒手筋力検査） ……………………………………………… 28
MR （medical representatives；医薬情報担当者） …………………………………… 158
MSW （medical social worker；医療ソーシャルワーカー） ………………………… 113
mTSS （van der Heijde's modified total Sharp score；改変シャープスコア） …… 56
MTX （methotrexate；メトトレキサート） ……………………………………………… 59
OA （osteoarthritis；変形性関節症） ……………………………………………………… 14
OLS （Osteoporosis Liaison Service；骨粗鬆症リエゾンサービス） ………… 100
OT （occupational therapist；作業療法士） …………………………………………… 112
PCC （preconception care） ………………………………………………………………… 228
PGA （patient global assessment；患者による全般評価） ………………………… 57
PO （prosthesist and orthotist；義肢装具士） ……………………………………… 112
PT （physical therapist；理学療法士） ………………………………………………… 112
RF （rheumatioid factor；リウマトイド因子） ……………………………………… 10、42
ROM （range of motion；関節可動域） ……………………………………………… 28、177
SAA （serum amyroid A；血清アミロイドA） …………………………………………… 46
SDAI （Simplified Disease Activity Index） ………………………………………… 55
SDM （shared decision making；共有意思決定） …………………………………… 214
self-efficacy （自己効力感） ………………………………………………………………… 218
Sharp（シャープ）スコア ……………………………………………………………………… 16
Simplified Disease Activity Index （SDAI） …………………………………………… 55
T2T （treat RA to target） ……………………………………………………… 53、54、73
tight control （タイトコントロール） …………………………………………………… 54
TNF-α （tumor necrosis factor-α；腫瘍壊死因子α） ………………………………… 22

| treat RA to target （T2T） | 53、54、73 |
| windows of opportunity （治療機会の窓） | 16、52 |

あ〜

悪性関節リウマチ	15
アドバンスド・ケア・プランニング（ACP）	217
アドヒアランス	154
アミロイドーシス	46
意思決定プロセスの確認	216
医師による全般評価（EGA）	57
医薬情報担当者（MR）	158
医療ソーシャルワーカー（MSW）	113
医療費控除	149
インターフェロンγ遊離試験（IGRA）	47
運動習慣	183
炎症性メディエーター	21
欧州リウマチ学会（EULAR）	51、52、53、55、57、58、71、73、209、210、235、236
お薬取り出し器	190
オートインジェクター製剤	67
オーバーユース	121

か〜

介護保険制度	150
外反扁平足	181
改変シャープスコア（mTSS）	56
確定申告	149
家事労働	117
顎骨壊死	195
滑膜切除術	83
滑膜線維芽細胞	19
看護リハビリテーション	243
間質性肺炎	14、89
患者教育	237

患者による全般評価（PGA）	57
関節液検査	44
関節エコーのグレード分類	39
関節可動域（ROM）	28、177
関節形成術	83
関節リウマチ予備診断基準	51
管理栄養士	113
義肢装具士（PO）	112
共有意思決定（SDM）	214
靴	184
靴型装具	185
結婚	228
血清アミロイドA（SAA）	46
健康評価質問票を用いた機能障害指数（HAD-QI）	16
抗核抗体（ANA）	43
高額療養費制度	147
抗環状シトルリン化ペプチド抗体（抗CCP抗体、ACPA）	23、43
口腔衛生管理	193
抗重力筋	179
高齢者への服薬指導	116
高齢発症関節リウマチ（EORA）	81
個人・環境因子	145
骨粗鬆症	96
──リエゾンサービス（OLS）	100
骨びらん	52

さ〜

災害時の備え	132
災害時の対応	130
サイトカイン	21
作業療法士（OT）	112
サバイバー・ギルト（生存者罪悪感）	131
シェーグレン症候群	103

項目	ページ
ジェノグラム面接	140
歯科衛生士	113
自己効力感(self-efficacy)	218
自己注射指導	126、203
歯周病	107、193
自助具	188
社会資源	147
尺側偏位	13
シャープ(Sharp)スコア	16
修飾性抗リウマチ薬(抗リウマチ薬、DMARDs)	59
従来型合成抗リウマチ薬(csDMARDs)	61
就労支援	199
障害者雇用促進法	202
障害年金	149
障害福祉サービス	150
傷病手当金	149
食事療法	172
女性関節リウマチ患者	117
新型コロナウイルス感染症(COVID-19)	106
人工関節置換術	83
身体障害者手帳	150
伸展運動	178
水痘帯状疱疹ウイルス	105
スタインブロッカーのクラス分類	38
スタインブロッカーのステージ分類	38
ステロイド	68
──離脱症候群	130
スワンネック変形	12
生活保護制度	149
生存者罪悪感(サバイバー・ギルト)	131
生物学的製剤(bDMARDs)	63
赤沈(ESR)	45
セルフマネジメント	142、217、237

セルフモニタリング	224
装具療法	184
足底装具	185
ソーシャルワーカー	139
ソックスエイド	189

た〜

退院支援	137
退院指導	120
帯状疱疹	33
──ワクチン	69
タイトコントロール(tight control)	54
タクロリムス血中濃度モニタリング検査	49
地域包括ケアシステム	139
治療機会の窓(windows of opportunity)	16、52
治療困難な関節リウマチ(D2T RA)	57
治療と仕事の両立	200
痛風	14
等尺性運動	179
等張性運動	179
徒手筋力検査(MMT)	28
トータルマネジメント	71、72

な〜

難病医療費助成制度	147
難病相談支援センター	199
二重エネルギーX線吸収法(DXA)	97
日常生活動作(活動)(ADL)	13、26
日本リウマチ学会(JCR)	41、71、131、235
日本リウマチ看護学会(JSRN)	209
ニューモシスチス肺炎	33
妊娠	228
認知症	156

妊孕性	230

は～

バイオ後続品（バイオシミラー、BS）	63、79
バイオシミラー（バイオ後続品、BS）	63、79
バイオセイム	70
肺結核	90
パンヌス	19
非機能的思考記録票（DRDT）	224
非結核性抗酸菌症	91
非典型的関節炎	44
非薬物治療・外科的治療アルゴリズム	75、76
日和見感染	104
フィジカルアセスメント	25
福祉避難所	131
服薬指導	127
ブシャール結節（Bouchard node）	26、36
フットケア	164
──用自助具	190
プレコンセプションケア（PCC）	228、243
プレフィルドシリンジ製剤	67
米国リウマチ学会（ACR）	21、51、52、53、71
ペットボトルオープナー	188
ヘバーデン結節（Heberden node）	14
ヘルスリテラシー	220
変形性関節症（OA）	14
訪問看護師	133
ボタンホール変形	12

ま～

マクロファージ	19
メトトレキサート（MTX）	59
免疫調整薬	61

免疫抑制薬 …………………………………………………………………………………… 61

や～

薬剤師 ………………………………………………………………………………… 113、153
薬物治療アルゴリズム …………………………………………………………………… 73、74
薬局薬剤師 ……………………………………………………………………………………… 153
ヤヌスキナーゼ(JAK)阻害薬 ……………………………………………………………… 67

ら～

リウマチ教室 ………………………………………………………………………………… 238
リウマチ体操 ………………………………………………………………………………… 242
リウマチ熱 …………………………………………………………………………………… 14
リウマトイド因子(RF) …………………………………………………………………… 10、42
リウマトイド結節 …………………………………………………………………………… 13
理学療法士(PT) …………………………………………………………………………… 112
リーチャー …………………………………………………………………………………… 188

わ

ワクチン接種 ………………………………………………………………………………… 234

執筆者一覧

第1章

① 松井 聖
兵庫医科大学医学部
糖尿病内分泌・免疫内科学講座 教授
兵庫医科大学病院
アレルギー・リウマチ内科 診療部長

② 森信暁雄
京都大学大学院医学研究科
臨床免疫学 教授

③ 日髙利彦
社会医療法人善仁会 宮崎善仁会病院
リウマチセンター所長

④ 佐藤正夫
一般社団法人海津市医師会
海津市医師会病院 院長

⑤ 大西 誠
医療法人千寿会 道後温泉病院 理事長

⑥ 三浦靖史
神戸大学大学院保健学研究科
リハビリテーション科学領域 准教授

⑦ 前田 翠
社会医療法人神鋼記念会 神鋼記念病院
診療技術部薬剤室 薬剤師
三浦靖史

⑧ 三浦靖史

⑨ 柏木 聡
宝塚市立病院 リウマチ科 部長

⑩ 三枝 淳
神戸大学医学部附属病院
膠原病リウマチ内科 准教授

⑪ 武内 徹
大阪医科薬科大学 内科学講座(Ⅳ)
専門教授

⑫ 前田俊恒
松原メイフラワー病院 整形外科 医長

⑬ 森本麻衣
兵庫医科大学医学部 臨床検査医学 助教

第2章

① 神崎初美
兵庫医科大学看護学部
療養支援看護学 教授
三浦靖史

② 大西亜子
医療法人千寿会
道後温泉病院 リウマチセンター看護部
松浦深雪
医療法人千寿会
道後温泉病院 リウマチセンター看護部
山内めぐみ
医療法人千寿会
道後温泉病院 リウマチセンター看護部

③ 大西亜子

④ 神崎初美

⑤ 板垣綾子
いまふじ内科クリニック 看護師

❻ 馬渡徳子
社会福祉法人洋和会
ほのみこども園 ソーシャルワーカー
金沢市共生社会推進サポーター

❼ 松田真紀子
明陽リウマチ膠原病クリニック 看護師長

❽ 舟橋恵子
薬局ファミリーファーマシー長田店
薬剤師

❾ 海津真依子
神戸大学医学部附属病院 看護部

三浦靖史

❿ 溝端美貴
独立行政法人労働者健康安全機構
大阪ろうさい病院 フットケア外来 看護師
日本フットケア・足病医学会認定師

⓫ 高木千恵
公益財団法人甲南会 甲南加古川病院
栄養管理室 管理栄養士

⓬ 菱川法和
京都府立医科大学大学院医学研究科
リハビリテーション医学 助教

八木範彦
甲南女子大学 看護リハビリテーション学部
理学療法学科 名誉教授

⓭ 佐藤亜有
株式会社澤村義肢製作所 義肢装具士

大西智樹
株式会社澤村義肢製作所 義肢装具士

⓮ 松尾絹絵
公益財団法人甲南会 甲南加古川病院
リハビリテーション部 副技士長

⓯ 西井美佳
神戸大学医学部附属病院
歯科口腔外科 歯科衛生士

長谷川巧実
神戸大学医学部附属病院
歯科口腔外科 准教授

⓰ 松田真紀子

⓱ 永井 薫
名古屋大学医学部附属病院 腎臓内科
小早川整形リウマチクリニック 看護師

⓲ 佐藤由佳
名古屋学芸大学看護学部看護学科
成人・老年看護学領域 助教

第3章

❶ 神崎初美

❷ 神崎初美

❸ 西村明子
兵庫医科大学看護学部
家族支援看護学 教授

❹ 三浦靖史

●キーワードINDEX
神崎初美　三浦靖史

改訂2版 リウマチケア入門―最新知識と事例がいっぱい
2017年4月25日発行 第1版第1刷
2023年10月1日発行 第2版第1刷

編　集	神崎 初美／三浦 靖史
発行者	長谷川 翔
発行所	株式会社メディカ出版
	〒532-8588
	大阪市淀川区宮原3-4-30
	ニッセイ新大阪ビル16F
	https://www.medica.co.jp/
編集担当	山川賢治
装　　幀	神原宏一
本文イラスト	川添むつみ／谷村圭吾
印刷・製本	株式会社シナノ パブリッシング プレス

© Hatsumi KANZAKI & Yasushi MIURA, 2023

本書の複製権・翻訳権・翻案権・上映権・譲渡権・公衆送信権（送信可能化権を含む）は、（株）メディカ出版が保有します。

ISBN978-4-8404-8215-8　　　　　　　　　　　　　　　Printed and bound in Japan

当社出版物に関する各種お問い合わせ先（受付時間：平日9：00～17：00）
●編集内容については、編集局 06-6398-5048
●ご注文・不良品（乱丁・落丁）については、お客様センター 0120-276-115